KB137632

# 아프리카계 미국문학의 노예서사

# 아프리카계 미국문학의 노예서사

이영철 지음

도서출판 동인

**아**프리카계 미국문학의 연구는 조라 닐 허스턴Zora Neale Hurston, 랭스턴 휴스Langston Hughes, 리처드 라이트Richard Wright, 랠프 엘리슨Ralph Ellison, 앨리스 워커Alice Walker, 그리고 토니 모리슨Toni Morrison 등과 같은 굵직한 작가들의 등장과 함께 꾸준히 진행되어오고 있고, 최근에는 백인 작가들에 대한 연구에 뒤지지 않을 정도로 미국문학의 주된 연구대상으로 자리 매김하고 있다. 아프리카계 미국문학에 대한 이 같은 연구의 활성화는 최근의 문학비평들, 즉 페미니즘, 신역사주의, 그리고 탈식민주의 비평의 역할과도 무관하지 않다. 이들 문학비평은 거대담론에 의해 억압 또는 왜곡된 성gender, 인종race, 그리고 민족의 의미와 정체성을 추적하여 재해석·재창조할 수 있도록 전복적·저항적 담론으로서의 역할을 충실히 해오고 있으며, 아프리카계 미국문학 텍스트들도 이 같은 토대 위에서 보다 새롭고 다양하게 읽고, 재해석하도록 유도해오고 있다. 하지만 이제는 아프리카계 미국문학 텍스트를 보다 더 아프리카계 미국인들의 편에서 읽어야 할 차례이다. 아프리카계 미국문학 텍스트들은 아프리카계 미국인들의 문화적·정치적·사회적 삶, 의식, 그리고 표현양식에 비춰 읽어야 할 많은 이슈들과 표현양식들을 담고 있다.

아프리카계 미국문학 텍스트를 읽을 때에, 특정 작가의 특정 작품을 중심으로 읽어온 것 또한 재고해야 할 여지가 있다. 이 같은 읽기는 텍스트의 앞과 뒤에 엄연히 존재하는 전통, 문맥, 의식, 그리고 표현양식 등에 나타난 흐름과 특징을 읽는 데에 필요로 하는 좌표를 독자들에게 상호 문맥적으로 제시해줄 수 없다. 필자가 토니 모리슨을 연구해오던 중에 아프리카계 미국문학의 전체적 흐름을 추적하기 위해 연구의 방향을 재정비한 것도 이 같은 문제에 직면했을 때이다. 그리고 이 과정을 통해 토니 모리슨을 새롭게 읽을 수 있는 토대를 다질 수 있었다고 감히 고백하고 싶다.

이 책은 필자의 연구 성과를 토대로 아프리카계 미국문학의 초기 노예서사들로부터 동시대의 노예서사들에 이르기까지 전체적인 특징과 흐름을 소개하기 위한 책이다. 필자가 아프리카계 미국문학을 처음 접한 것은 토니 모리슨에 대한 연구를 통해서이다. 필자는 이 과정에서 모리슨의 소설들을 페미니즘, 탈식민주의, 생태비평주의, 그리고 노자와 장자의 자연주의 등 다양한 비평이론들과 철학에 비춰 읽었으며, 서인도제도 시인인 데릭 월컷Derek Walcott의 시와 영국소설가인 데이비드 허버트 로런스David Herbert Lawrence의 소설에 비춰 읽었다. 하지만 이 과정에서 필자에게 아프리카계 미국문학의 전체적인 전통과 흐름을 연구하도록 다그친 것은 아프리카계 미국문학의 전통에 뿌리를 둔 모리슨의 문학을 아프리카계 미국문학의 관점에서 읽어야 한다는 생각이다. 모리슨은 역사적 상상력과 아프리카계 미국인들의 전통적인 표현양식을 문학을 통해 재현하고, 재창조한 작가이다. 뿐만 아니라, 모리슨은 문화인류학자에 뒤지지 않을 정도로 아프리카계 미국인들은 물론, 아프리카인들의 문화·종교, 그리고 관습 등에 대해 폭넓은 지식을 가진 지식인이며, 이를 문학적으로 재창조한 작가이다. 필자는 모리슨의 이 같은 문학적 전통과 자산을 뒤늦게 깨달은 뒤에 '아차' 해야 했다. 필자가 아프리카계 미국문학의 전반적 흐름과 특징을 살피고, 이를 연구논문으로 정리하기 시작한 시점은 4년 전부터이다. 짧은 연구기간이어서 때로는 쫓기는 마음이 되기도 했고, 때로는 힘들다는 생각으로 그만둘까 생각한 적도 한두 번이 아니다. 하지만 몰랐던 것을 알게 해준 순간순간의 즐거움이 이 작업을 중단할 수 없게 해준 가장 큰 원동력이었다고 감히 말하고 싶다.

필자가 이 같은 연구 성과를 책으로 엮어 출간하고자 결심한 이유는 이 책이 아프리카계 미국문학과 미국문학을 공부하는 학생들에게 전체적인 흐름과 특징을 이해하는 데에 조금이나마 도움이 될 것이란 기대 때문이다. 물론, 필자의 기대는 제한적인 장르와 작가들에 초점을 맞춘 이 책의 한계를 고려할 때에 무리한 기대일 수도 있다. 그럼에도, 필자는 이 책이 아프리카계 미국문학의 주제, 형식, 표현양식을 시대별로 일목요연하게 다뤘기 때문에 아프리카계 미국문학의 전체적인 흐름과 특징을 살피는 데에 기여할 것이라고 기대한다.

끝으로, 석사과정과 박사과정 내내 영문학도의 길을 일깨워주시고, 지금도 연구과정을 지켜보아주시는 한양대학교 영어영문학과 이성호 명예교수님께 이 기회를 빌리어 감사의 말씀을 올리며, 앞으로도 연구를 게을리 하지 않겠다는 다짐을 드리고 싶다. 그리고 저의 부족한 연구 성과를 흔쾌히 세상에 알릴 수 있도록 출간을 허락하신 동인출판사의 이성모 사장님께도 감사의 말씀을 드리며, 영문학 전문서적들을 앞으로도 꾸준히 출판해주시어 학자들의 용기를 북돋아 달라고 부탁드리고 싶다.

**아**프리카계 미국문학 텍스트들 중에 가장 오래된 작품은 루시 테리Lucy
Terry(1730-1821)가 1746년에 쓴 발라드 「술집 싸움」("Bars Fight")이다
(Bertens & D'haen 37). 하지만 이 시는 테리의 생전에 인쇄되지 않고
1850년대에 인쇄된다. 따라서 출판연대를 고려할 때에, 아프리카계 미국
문학의 첫 작품은 1761년에 노예인 주피터 해먼Jupiter Hammon(1711-1800)에
의해 출간된 종교 시 「저녁의 명상: 회개의 외침과 함께한 그리스도의 구
제」("An Evening Thought: Salvation by Christ With Penitential Cries")
이다. 해먼에 이어, 여성노예인 필리스 휘틀리Philis Wheatley(1753-1784)가 고
전적이고 전통적인 주제들을 담은 명상시집 『여러 주제들의 시들, 종교적
그리고 도덕적』(*Poems on Various Subjects, Religious and Moral*)을 출판
한다. 벤저민 프랭클린Benjamin Franklin으로부터 "가공할만한 목소리를 지
닌 복음주의자"(Bertens & D'haen 38 재인용)란 평을 받은 휘틀리는 종교
시에서 아프리카인들도 신의 피조물이라는 것을 강조한다. 휘틀리 이후,
레뮤얼 헤이니스Lemuel Haynes가 등장한다. 헤이니스는 1776년에 원고상태
로 유통된 「더 확대된 자유: 또는 노예소유의 불법성에 대한 자유로운 사
색들」("Liberty Further Extended: Or Free Thoughts on the Illegality of

8

Slave-Keeping")을 발표한다. 헤이니스의 첫 시집은 1801년에 출판된 『진 정한 재발행의 본질과 중요성』(*The Nature and Importance of True Republication*)이다.

한편, 아프리카계 미국문학의 노예서사는 출판연대를 기준으로 하면 18세기에 처음으로 출판된다. 브리튼 해먼Briton Hammon을 필두로 올로다 에퀴아노Olaudah Equiano와 존 머랜트John Marrant와 같은 대표적인 대필 노 예서사 작가들, 그리고 오토바 쿠고아노Ottobach Cugoano를 필두로 데이비 드 조지David George, 우카소 그로니오소Ukasaw Gronniosaw, 그리고 필리스 휘틀리Phillis Wheatley와 같은 자필 노예서사 작가들에 의해 출간된 당시의 노예서사들은 납치서사, 모험서사, 피카레스크 소설의 형식을 갖추고 있 으며, 대필 노예서사로부터 시작된 관행, 즉 이야기의 진실성을 증명하기 위한 백인 편집인의 서문 또는 부록을 포함하고 있다.

이처럼 시작된 노예서사가 강한 목소리를 내기 시작한 시기는 19세기 이다. 당시의 대표적인 노예서사작가인 프레더릭 더글러스Frederick Douglass 는 도망노예의 신분으로 반노예제도 단체에서 대중연설가로 활동하고, 1845년과 1885년 각각 두 차례에 걸쳐 자서전적 노예서사를 출간하며, 아 프리카계 신문의 발행인과 편집인으로서 노예제도의 질곡과 폭력을 고발 한다. 후에, 더글러스는 몸값을 지불하고 자유인이 되어 아프리카계 미국 사회의 대표적인 지도자로서 위대한 족적을 남긴다. 더글러스의 노예서사 에 뒤이어, 윌리엄 웰스 브라운William Wells Brown, 마틴 딜레이니Martin Delany, 그리고 해리엇 윌슨Harriet Wilson이 1850년대 후반에 소설형식의 노예서사 를 출간한다. 브라운은 이전의 노예서사 작가들과 달리 소설의 삼인칭 객 관적 서술방식으로 미국역사상 가장 영향력 있는 토머스 제퍼슨Thomas Jefferson에 대한 가십gossip을 소설의 허구성으로 재창조하고, 딜레이니와 윌슨 역시 노예생활의 경험을 이 같은 형식과 허구성을 통해 재창조한다.

1850년대 자서전 형식의 노예서사와 소설 형식의 노예서사는 아프리카계 여성작가인 해리엇 제이콥스Harriet Jacobs에 의해 남북전쟁 중인 1860년대로 이어지고, 다시 프레더릭 더글러스의 두 번째 노예서사에 의해 남북전쟁 이후의 재건시대Reconstruction Age(1865-1877)로 이어진다. 하지만 노예서사는 후기 재건시대Post-Reconstruction Age(1877-20세기 전)에 이르러 아프리카계 미국인들의 전통적인 유머형식을 통해 나타난다. 찰스 체스넛 Charles Chesnutt은 해방된 아프리카계 노예를 화자로 등장시키고, 그의 기억을 통해 노예시절의 질곡과 폭력을 재현한다. 즉 화자는 아프리카계 노예들을 이야기의 주인공으로 등장시키고, 그들이 생존을 위해 백인주인을 어떻게 속이는지와 백인주인을 어떻게 바보로 만드는지에 대해 기지와 유머를 통해 이야기해준다. 화자의 이 같은 위트 넘치는 유머는 웃음을 유발시키는 데에 그치지 않고, 아프리카계 미국인들의 육체와 정신에 대한 노예제도의 폭력을 재현한다.

후기 재건시대에 이어, 20세기 초의 할렘 르네상스Harlem Renaissance는 처음에 클로드 매케이Claude McKay, 랭스턴 휴스Langston Hughes, 그리고 도러시 웨스트Dorothy West 등과 같은 작가들에 의해 정치적 색체를 띤 문예부흥운동의 모습을 보인다. 매케이, 휴스, 그리고 웨스트는 모두 마르크스 레닌주의를 아프리카계 미국인들의 인종적 희생을 개선하기 위한 대안으로 여기고, 미국 공산당에 가입했다가 탈퇴한 뒤에 소련 공산당에 가입한다. 특히, 매케이는 국제 공산당 대회에 참여하여 아프리카계 미국인들과 다른 지역 흑인들의 인종적 희생을 고발하고, 『밴조』(Banjo)에서 이를 소설화한다.

할렘 르네상스는 이 같은 기조로 시작한 뒤에, 아프리카계 미국인들의 문화적 뿌리를 발굴하고 재창조하려는 시도와 함께 융성한 문예부흥운동으로 발전한다. 랭스턴 휴스는 아프리카계 미국인들의 전통적 음악형식인 블루스와 재즈의 리듬을 시적 형식으로 복원 또는 재창조하고, 조라 닐 허스턴Zora Neale Hurston은 아프리카계 미국인들과 다른 지역 흑인들의 민담을 추적하여 문학적 표현양식으로 복원 또는 재창조한다. 휴스와 허스턴의 이 같은 노력은 할렘 르네상스를 '문예부흥' 운동으로 자리매김하고, 문화의 꽃을 만개하게 하는 데에 가장 크게 기여를 한다.

할렘 르네상스 작가들의 이 같은 공적은 또한 아프리카계 미국문학의 모더니즘 시대를 열게 한다. 할렘 르네상스와 함께 등장한 아프리카계 미국작가들은 유럽계 백인작가들의 형식적·기교적 실험과 탈연대기적 서술을 추종하지 않는다. 따라서 할렘 르네상스 시대의 문학은 모더니즘에 대한 유럽계 백인 중심적 거대 담론과 규범으로부터 벗어난 문학으로 저평가되거나 배제되는 수모를 겪는다. 하지만 할렘 르네상스 작가들은 유럽계 백인작가들이 경험하지 못한 인종적 주제성과 가치의 억압 또는 상실을 유럽계 백인작가들의 자기-의식적 반응, 중심화 된 인간주체에 대한 회의주의, 그리고 현실의 불확실성에 비춰 탐구한다. 즉 그들은 아프리카계 미국인들의 역사와 현실 속에서 직간접적으로 이 같은 억압과 상실을 경험한 작가들로, 아프리카계 미국인들의 의식 속에 내재된 지배사회에 대한 자기-의식적 반응, 지배사회의 이중적 인종정책으로 인한 정체성의 혼란, 역사적·현실적 상처와 고통으로 인한 정체성의 상실, 그리고 지배사회에 대한 실망과 회의 등을 탐구하고, 이에 대한 고발과 치유를 작가로서의 임무와 문학적 목표로 승화시킨다.

할렘 르네상스는 1930년대의 대공황Great Depression을 계기로 더 이상 진전되지 못하고, 대공황을 맞이한 아프리카계 미국인들의 고통을 비판적 목소리를 통해 고발하고자한 시카고 르네상스가 뒤를 잇는다. 시카고 르네상스는 시카고의 브론즈빌Bronzeville 또는 일명 사우스 사이드South Side를 거점으로 1930년대로부터 1950년대까지 지속된다. 이를 주도한 라이트는 1937년 가을에 발간된 『새로운 도전』(New Challenge)의 특별 호에서 할렘 르네상스와 차별화된 새로운 아프리카계 문학운동을 추구하겠다고 선언하고, 인종차별과 경제적 고통에 시달리는 아프리카계 미국인들의 현실을 보다 현실적이고 저항적인 시각으로 접근해야 한다는 입장을 밝힌다. 이와 관련, 라이트의 『토박이』(Native Son)는 인종적 희생적 고립과 희생에 대한 아프리카계 미국청년의 폭력적 반응을 통해 인종차별과 경제적 고통에 대한 아프리카계 미국인들의 불만과 저항의지를 표출한다. 하지만 다음 세대 작가들인 랠프 엘리슨Ralph Ellison과 제임스 볼드원James Baldwin은 라이트의 이 같은 폭력에 반대한다.

시카고 르네상스 이후, 1950년대와 1960년대에 주로 활동한 엘리슨은 『보이지 않는 인간』(Invisible Man)에서 1930년대의 뉴욕을 배경으로 지하에 은닉한 채, 주위로부터 고립되고, 어디에도 갈 수 없는 아프리카계 미국인인 '나'의 실존을 탐구한다. 뿐만 아니라, 엘리슨은 이 소설에서 아프리카계 미국사회를 이끈 역사적 인물들을 작중인물들로 재창조하여 그들의 역사적 행적들을 그의 시대적 관점에 비춰 재해석한다. 볼드원은 『또다른 나라』(Another Country)에서 동성애자, 양성애자, 이성애자를 등장시켜 인종 간의 경계를 넘나드는 성적 욕망을 통해 제한된 성문화와 인종문화에 대해 전복적 태도를 보여준다.

엘리슨과 볼드원 이후, 아프리카계 미국문학은 진보적 정치운동인 '블랙 파워'Black Power 운동과 함께 시카고 르네상스의 정치성과 투쟁성을 복원하고자 하는 기조를 보인다. '블랙 파워' 운동은 아프리카계 미국인들과 다른 지역 흑인들에게도 많은 영향을 끼친 운동이다. 이 운동에 참여한 아프리카계 미국작가들은 '블랙 파워' 운동의 진보주의적·대중적 이념에 바탕을 둔 '흑인 예술 운동'Black Arts Movement을 통해 다양한 예술형식을 실험하는 한편, 예술의 정치성을 강조한다. 하지만 1970년대 중반에 들어

오면서, '블랙 파워' 운동의 쇠퇴와 함께, '흑인 예술 운동'도 대중적 관심을 얻지 못한다.

'블랙 파워 운동'의 쇠퇴와 함께 등장한 신노예서사Neo-Slave Narrative는 1960년대 중반을 기점으로 동시대 아프리카계 미국문학의 주된 장르로 자리매김 해오고 있다. 신노예서사 작가들은 기억과 플래시백Flashback을 통해 노예제도의 개인적·역사적 사건 또는 경험을 되살리며, 현실적 시각을 통해 이 같은 역사를 재해석·재창조한다. 신노예서사 작가들의 이 같은 노력은 '블랙 파워' 운동의 경직된 정치성으로부터 벗어나고자 한 시도로, 초기 노예서사들의 역사적 사료를 통해 노예제도에 대한 기억을 되살리고, 아프리카계 미국인들의 개인적·인종적·성적·문화적·민족적 주체성을 강조한다. 즉 그들은 노예서사들의 연구, 노예제도에 대한 사료들, 20세기의 복잡한 인종적 역사, 그리고 심리분석에 힘입어 동시대의 문화적·역사적 그리고 비평적 담론들의 내부와 사이에서 공유되어온 일련의 이슈들, 즉 트라우마와 트라우마적 기억들, 노예제도의 폭력과 후유증, 인종적·성적 체계의 상호연관성, 기억과 육체의 관계, 노예화의 매개체, 식자능력의 힘, 종교의 모호한 역할, 그리고 자유를 향한 욕망 등을 공공연화 한다.

한편, 아프리카계 미국작가들은 노예제도과 인종차별의 희생을 직접적·공격적 형식으로 표현하기보다 전통적인 유머형식을 통해 표현해오고 있다. 아프리카계 미국작가들이 이처럼 지배사회의 억압과 폭력을 비판하기 위해 유머형식을 활용한 주된 이유는 웃음과 비유적 언어의 다의성을 활용하여 상대방을 자극하지 않고 공격하기 위해서이며, 상대방의 역공을 피하기 위해서이다. 노예서사작가들로부터 시작된 아프리카계 미국작가들의 이 같은 유머에서 웃음을 유발하는 요인은 백인유머작가들의 문학에서 빈번히 발견되는 '치유할 수 없는 인간본성의 결핍과 모순'이 아니다. 즉 아프리카계 미국작가들의 문학에서 발견되는 웃음은 노예제도의 착취와 억압에 의해 초래된 육체적·정신적 희생의 고통과 슬픔을 해소하기 위해, 그리고 그로부터 벗어나려는 저항의식과 자유에의 열망을 구현하기 위해 노예주인들의 권력과 우월감을 무기력하고 웃음거리로 만드는 지혜와 위트에 의해 유발된다.

　　아프리카계 미국작가들의 유머는 다양한 형식들로 나타난다. 대표적인 유머형식인 '시그니파잉'Signifying은 아프리카의 민담 또는 신화에 뿌리를 둔 수사학적 유머형식으로, '남 말하기'toasting, '대놓고 말하기'loud-talking or louding, '꾸짖어 괴롭히기'goading, 그리고 '떠벌리기'boasting 등과 같은 하부장르들로 나눠지며, 계략가가 상대를 조롱하거나 빈정거리고, 흠을 잡거나 감언으로 속이는 유머형식이다. 아프리카계 미국작가들은 '시그니파잉'의 이 같은 형식들을 노예제도 시절의 백인주인과 노예제도 이후의 인종적·성적 차별주의사회를 우회적으로 조롱하고, 공격하기 위해 활용한다. '시그니파잉' 이외에, 아프리카계 미국인들의 또 다른 대표적 유머형식은 '다즌스'Dozens이다. '다즌스'는 아프리카계 미국사회의 공격적·외설적 농담게임으로, 하부 장르인 '사운딩'Sounding과 더불어, 기지가 넘치고 비유적인 외설, 악담, 그리고 욕설을 주고받는 게임이다. 두 유머형식은 모두 비유적이지만, 유머의 질적 수준과 목적에 있어서 큰 차이를 보인다. '시그니파잉'은 기지 넘치는 웃음을 통해 언어적 폭력과 다른 형태의 폭력에 의해 파괴되거나 좌절한 사람을 회복하도록 도와주는 유머형식인데 반하여, '다즌스'는 누군가를 저속한 언어로 파괴하고자 하는 일종의 무자비한 게임이다. 즉 '시그니파잉'은 치유적이고 품위 있는 유머형식이지만, '다즌스'는 공격적이고 외설적인 유머형식이다.

　　아프리카계 미국문학은 백인주인 또는 백인중심사회를 겨냥한 비판적 시각에만 머물지 않고, 아프리카계 미국사회를 겨냥한 내부 비판적 시각을 보여준다. 아프리카계 미국문학의 이 같은 시각은 할렘 르네상스시대로 거슬러 올라간다. 할렘 르네상스 시대의 아프리카계 여성작가인 조라 닐 허스턴은 여성작가의 내부 지향적 시각과 아프리카계 미국사회 또는 미국 밖의 흑인사회에 상존하는 남성의 가부장적 권위와 폭력에 대한 비판의식을 통해 내부 비판적 시각을 보여준다. 허스턴의 이 같은 비판적 시각은 앨리스 워커Alice Walker와 토니 모리슨에게로 이어져 아프리카계 미국여성작가들의 전통으로 자리매김 되어오고 있다. 워커는 아프리카계 미국남성사회를 이 같은 비판적 시각으로 접근하고, 이로 인해 아프리카계 미국남성비평가들로부터 백인사회에 아프리카계 미국남성을 비판하도록 빌미를 줬다는 비판과 아프리카계 미국사회에 분열의 씨앗을 뿌렸다는 비판을 동시에 받는다. 워커에 이어, 모리슨은 아프리카계 미국남성에 치우치지 않고, 아프리카계 미국사회 전체를 내부 비판적 시각을 통해 비판한다. 모리슨은 첫 소설인 『가장 푸른 눈』(The Bluest Eye) 이래로 끊임없이 아프리카계 미국사회 내부에 대해 내부 비판적 시각을 견지하고, 특히 『낙원』(Paradise)에서 백인사회를 모방한 아프리카계 미국사회의 인종차별주의를 이 같은 시각으로 통렬하게 비판한다.

# | 차 례 |

# 제1부

# 대필 및 자필 노예서사

## I. 머리말

아프리카계 미국문학의 노예서사는 20명의 아프리카인들이 1619년
에 네덜란드의 선박을 타고 버지니아Virginia 주에 첫 발을 내디딘 시점으
로부터 대략 140여년 만에, 그리고 미국의 노예제도가 제도적 틀을 갖추
고 합법화된 시점부터 대략 50년이 지난 다음에 시작된다. 영국의 식민
지였던 미국의 여러 주들은 아프리카인들의 유입에 따라 1641년에 매사
추세츠Massachusetts 주를 필두로, 1650년 코네티컷Connecticut 주, 1663년
메릴랜드Maryland 주, 1664년 뉴욕New York 주와 뉴저지New Jersey 주, 1700
년 펜실베이니아Pennsylvavia 주, 1715년 로드아일랜드Rhode Island 주, 1735
년 조지아Georgia 주가 노예제도를 합법화한다. 이와 거의 동시에, 아프리
카계 노예들을 통제하기 위해 1640년 도망노예 존 펀치John Punch에게 종
신형을 선고한 시점부터 1640년 뉴네덜란드New Netherlands 주, 1643년 뉴
잉글랜드New England 주, 1657년 버지니아 주, 1666년 메릴랜드 주 1668년
뉴저지 주, 그리고 1717년에 뉴욕 주가 도망노예처벌법The Fugitive Slave
Law을 통과시킨다.

초기 아프리카계 미국문학의 노예서사는 빈센트 카레타Vincent Carretta
가 "'아프리카계 아메리칸'이란 시대착오적 용어는 18세기 영어권 지역에
거주한 아프리카계 작가들을 포괄할 만큼 광범위한 범주의 용어가 아니
다"(11)라고 지적한 것처럼 아프리카인들이 자유인으로서 또는 포획된 노
예로서 이동했던 서아프리카 연안지역, 카리브지역, 영국, 그리고 영국식
민지하의 미국과 캐나다 동부지역 등을 배경으로 기술된 범대서양적・국
제적 서사들이다.

초기 노예서사들은 지리적 배경을 구체화할 수 없는 것처럼 장르 또
한 특정한 범주로 구체화하기 어렵다. 당시의 서사들은 아프리카 신화와
구전문화, 정치적 팸플릿, 납치 이야기, 피카레스크 소설, 그리고 기독교로
의 개종서사 등 다양한 장르적 요소들을 갖추고 있다. 그리고 그들은 또한
대서양 전역을 배경으로, 노예제도에 대한 일련의 이념적 견해들을 광범
위하게 다루고 있다. 하지만 '아프리카계 미국문학의 첫 문예부흥기'로 불
리는 1850년대 경에 이르러, 더욱 더 안정적으로 정착되어가며 복합적인
형태로 발전한다(Lee 104).

초기 노예서사들은 식자능력literacy이 없는 도망노예들 또는 전직 노
예들이 자신들의 경험들을 구술하고, 백인필경사들이 이를 기록한 대필노
예서사들이 대부분이다. 이런 까닭에, 당시의 노예서사들은 백인필경사들
의 어휘, 수사법, 그리고 의식으로부터 자유로울 수 없고, 동시에 저자의
진실성, 신뢰성, 그리고 창조성에 대한 독자적 의혹으로부터도 벗어날 수
없다. 따라서 당시의 서사들은 이 같은 약점을 보완하기 위해 편집인의 서
문이나 부록을 주요 서사장치들로 활용한다. 편집인들의 서문들은 독자들
로 하여금 미덕을 갖춘 작중인물과 서사의 진실을 올바로 느끼게 할 필요
성을 옹호하고, 반노예적 자세와 함께 양심적이고 지성적인 독자들의 의
식을 일깨워 노예문제에 대해 도덕적 의무감을 갖게 하려는 소망을 전달

하는 역할을 한다는 점에서 중요한 의미를 갖는다(Weinstein 115). 이에 대해, 존 시코라John Sekora는 「흑인 메시지/백인 포장지」("Black Message/ White Envelope")에서 "노예서사의 장르가 자서전의 변종subspecies인가? 또는 하위 장르subgenre인가?"(Levine 99 재인용)란 수사학적 의문을 제기 한다. 시코라의 이 같은 질문은 남북전쟁 전 노예서사들이 저자 자신의 의 지에 의한 삶보다 타자에 의해 강요된 삶의 기록물이라는 사실과 기록조 차도 저자 자신이 아닌 백인필경사의 기록이라는 사실에 근거하여, 이런 서사들이 자서전의 전형적인 요소들로 간주되어 온 개인적 삶의 창조적 언어와 이야기체를 제대로 담아내고 있는지에 대한 회의적 질문이다. 하 지만 로버트 러바인Robert Levine과 케리 사이내넌Kerry Sinanan은 아프리카 계 미국작가들의 자서전들을 노예서사의 중심적이고 일반적인 장르로 읽 는다. 러바인은 18-19세기 백인 자서전 작가들이 대단히 전통적이었음을 상기시키며, 벤저민 프랭클린Benjamin Franklin의 자서전을 백인 자서전 작가 들과 아프리카계 자서전작가들의 전형적인 모델로 제시한다. 러바인에 따 르면, 프랭클린의 자서전은 어린 시절부터 성인시절까지의 인생사이자, 미국혁명 정신의 반영이며, 동시에 존 버니언John Bunyan의 『천로역정』 (*The Pilgrim's Progress*)을 세속적으로 재해석한 자서전이다(100). 러바 인의 이 같은 견해는 프랭클린의 자서전이 내용에 있어서 전통적인 자서 전의 이야기 패턴을 유지하고 있다는 것과, 주제에 있어서 미국혁명정신 과 『천로역정』 모두 프랭클린적 자급자족과 독립을 원천적으로 공유하고 있다는 것에 근거한다. 러바인이 노예서사에 대한 연구인 「노예서사와 미 국자서전의 혁명적 전통」("The slave narrative and the revolutionary tradition of American autobiography")에서 이처럼 백인 자서전 작가들의 전통을 상기시킨 취지는 당연히 아프리카계 노예서사작가들이 백인 자서 전 전통에 의존했다는 점을 밝히기 위해서이다. 하지만 보다 더 중요한 취지는 아프리카계 노예서사작가들이 백인 자서전작가들과 달리 노예제도의 억압적인 환경하에서 노예제도와 인종차별을 충실히 반영한 노예서사들을 썼다는 사실을 밝히기 위해서이다.

당시의 노예서사들은 또한 노예제도의 비합리성, 부도덕성, 그리고 불법성을 폭로하고, 이에 대항하는 정치적·사회적 저항수단의 역할과 개선의 요구를 병행한다. 딕슨 브루스 주니어Dickson Bruce, Jr의 견해에 따르면, 당시의 노예서사들은 첫째, '노예제도 지향적 글쓰기'pro-slavery writing에 맞서 비판적 역할을 수행하고, 노예폐지운동을 촉진하는 데에 기여한다. 즉 노예서사들은 노예제도를 옹호하는 사상과 논증에 대항하고, 아프리카계 미국인들과 전직 노예들이 참여하는 토론을 통해 이를 강화한다. 둘째, 당시의 노예서사들은 남북전쟁 전 미국의 민주화과정에 참여한다. 미국혁명의 사상과 가치는, 특히 1820년대 중반 이후 미국정치에서 지배적 역할을 수행하지만, 아프리카계 미국인들의 시각에서 볼 때에 노예제도와 그 후유증을 여전히 해결과제로 방치하고 있는 미완의 사상과 가치이다. 따라서 노예서사들은 미완의 사상과 가치의 개선을 촉구하는 데에 기여한다. 끝으로, 자유사상이 점차 중시되고 논쟁화 되어가는 시대에 노예서사들은 독자의 정치적 반응을 유도하며, 아프리카계 미국인들, 특히 억압 속에서 살던 아프리카계 미국인들의 특별한 경험들로부터 나온 자유사상과 노예폐지론을 결합시킨다(28-29). 노예서사의 주제와 역할에 대한 브루스 주니어의 이 같은 견해는 자서전적 형식을 취한 노예서사들이 개인적 일대기에 그치지 않고, 노예제도에 대항하고, 노예제도의 폐지를 목표로 출간된 대단히 정치적인 문서들임을 밝혀준다. 이와 관련, 본 장은 대필 및 자필 노예서사들을 중심으로 노예서사들의 주제와 역할에 대해 논의한다.

## II. 노예무역과 노예제도에 대한 비판과 폐지의 요구

### 1. 대필 노예서사

아프리카계 미국문학의 텍스트들 중 현재까지 보존된 텍스트들 중 가장 오래된 텍스트는 루시 테리Lucy Terry(1730-1821)의 발라드 「술집 싸움」 ("Bars Fight")이다. 이 시는 1746년에 매사추세츠 주의 디어필드Deerfield 에서 발생한 미국 원주민의 공격을 기념하기 위해 쓴 시이다. 이 시는 테리의 생전에 활자로 인쇄되지 않다가 1850년대에 이르러서 인쇄된다. 따라서 출판 연대기를 고려할 때에, 아프리카계 미국문학의 첫 출판물은 1761년에 노예인 주피터 해먼Jupiter Hammon(1711-1800)에 의해 출간된 종교시 「저녁의 명상: 회개의 외침과 함께한 그리스도의 구제」("An Evening Thought: Salvation by Christ With Penitential Cries")이다. 해먼에 이어, 여성노예인 필리스 휘틀리Philis Wheatley(1753-1784)가 고전적이고 전통적인 주제들을 담은 명상시집 『여러 주제들의 시들, 종교적 그리고 도덕적』 (*Poems on Various Subjects, Religious and Moral*)을 출판한다. 휘틀리는 7세 때인 1773년에 노예들에 의해 납치되어 보스턴의 휘틀리Wheatley 가족에게 팔려가고, 이 시집은 12년 후인 1785년에 출간된다. 휘틀리는 또한 「목사 조지 와이트필드 씨의 죽음에 대하여」("On the Death of the Rev. Mr George Whitefield")를 발표한다. 휘틀리 이후, 레뮤얼 헤이니스Lemuel Haynes가 1776년에 「더 확대된 자유: 또는 노예소유의 불법성에 대한 자유로운 사색들」("Liberty Further Extended: Or Free Thoughts on the Illegality of Slave-Keeping")을 원고 상태로 발표한다. 헤이니스의 첫 시집은 1801년에 출판된 『진정한 재발행의 본질과 중요성』(*The Nature and Importance of True Republication*)이다. 이 시집에서 헤이니스는 기독교

신도회의의 노예제도 옹호와 인종차별주의에 대해 강하게 비난한다.

아프리카계 미국문학은 이처럼 운문형식과 함께 시작하지만, 1760년에 브리튼 해먼Briton Hammon의 『니그로 남성, 브리튼 해먼의 특별한 고통들과 놀라운 구원에 대한 서사』(*A Narrative of the Uncommon Sufferings and Surprising Deliverance of Briton Hammon, A Negro Man*)가 출판되면서 산문형식의 시대를 맞이한다. 당시의 노예서사들은 식자능력이 없는 작가들의 대필 노예서사들을 시작으로, 식자능력을 갖춘 작가들의 자필 노예서사들로 발전하고, 남북전쟁 직전에 이르러 소설형식을 부분적으로 갖춘 노예서사들로 발전한다. 대필 노예서사 작가들은 그들의 직접적인 경험을 바탕으로 노예무역과 노예제도의 비인도주의적 억압과 폭력을 고발한다. 하지만 당시의 아프리카계 미국사회가 노예무역과 노예제도의 비인도적 행위들을 독자적으로 쟁점화 하여 개선을 요구할 만큼 조직화된 사회적·정치적 기반을 갖추지 못했기 때문에, 노예서사 작가들 역시 그들의 노예서사들 속에서 노예무역과 노예제도에 대해 저항적 태도를 보여주지 못한다. 대필 노예서사들의 이 같은 한계는 자필 노예서사들에서도 계속 이어지고, 1830년대부터 대중연설과 함께 아프리카계 미국사회의 조직화를 이끈 프레더릭 더글러스Frederick Douglass의 첫 노예서사가 출간된 1845년을 기점으로 노예제도의 폐지를 요구하는 저항적 목소리로 발전한다.

남북전쟁 전의 대표적인 대필 노예서사 작가들은 브리튼 해먼, 올로다 에퀴아노Olaudah Equiano, 그리고 존 머랜트John Marrant이다. 해먼, 에퀴아노, 그리고 머랜트는 식자능력을 갖추지 못했으며, 조직화된 아프리카인들의 지지도 받지 못했기 때문에, 노예무역의 비인도적 행위와 관행에 맞서기 위해 필요한 강력한 이념적·논리적 저항능력을 보여주지 못한다. 따라서 그들은 이 같은 취약점들을 해결하기 위해 백인사회의 '계몽운동' 이념을 토대로 아프리카계 미국인들의 희생적 삶을 고발한다. 이와 관련,

필립 굴드Philip Gauld는 당시의 노예서사에 미친 '계몽운동'의 역할에 대해 아프리카계 미국사회와 문화를 연구한 역사학자 데이비드 브라이언 데이비스David Brian Davis의 견해를 토대로 다음과 같이 요약한다. 첫째 몽테스키외Baron Montesquieu와 존 로크John Locke의 사회철학이 인간적 교류와 통치를 위해 인본주의적 원리와 계약적 의미를 강조함으로써 노예제도를 옹호하는 전통적인 기독교적 근거를 약화시켰다. 둘째 감상주의가 복음적 종교, 대중적 소설, 그리고 도시의 세련된 문화와 관계를 맺고 동정과 자비의 미덕들의 중요성뿐 아니라 그에 따른 문화적 세련미를 양성했다. 셋째 천부적 권리를 요구하는 보다 급진적이고 혁명적인 사상을 확장시켰다. 특히, 1790년대에 정부와 사회적 권위에 대항하여 이 같은 요구가 강하게 표출됐다(11).

브리튼 해먼의 자서전『니그로 남성, 브리튼 해먼의 특별한 고통들과 놀라운 구원에 대한 서사』는 최초의 노예서사[1]로, 백인 필경사가 대필하고 백인 편집인이 편집했으며, 개종서사·납치서사·해상모험서사·피카레스크소설 등 다양한 장르적 요소들을 두루 갖춘 노예서사이다(Gauld 12). 해먼의 서사에 나타난 이 같은 다양한 장르적 요소들은 출판시장의 요구와 무관하지 않다. 즉 포로이야기의 선구적 출판사인 '그린과 러셀' Green & Russel이 해먼의 서사를 반노예제의 신념에 따른 시장성 때문이 아니라 피카레스크적인 포로이야기의 잠재적 시장성 때문에 출판하기로 결정했다는 일화는 당시의 출판시장이 노예서사들의 장르적 복합성과 유동성을 얼마나 중요시했는지를 밝혀준다(Gauld 13).

해먼의 노예서사는 아프리카 출신인 해먼이 카리브·영국·미국으로

---

1) 딕슨 브루스 주니어는 범대서양적 시각을 통해 1680년대쯤에 미국과 영국에서 일어났던 반노예제 투쟁들을 반노예제 운동과 노예서사의 뿌리로 접근한다(28-29). 반면, 필립 굴드는 미국 내 출판기록을 근거로 아프리카계 미국문학의 첫 노예서사의 출판시점을 해먼의 서사가 출판된 1760년으로 본다.

이동하며 직접 겪은 경험들을 기록한 13년간의 오디세이로, 납치서사·탐험서사·피카레스크 소설·개종서사의 형식을 보여준다. 해먼은 이 노예서사에서 백인 장군인 윈슬로Winslow를 그의 주인이라고 소개할 뿐, 자신에 대해 아프리카계 미국인이라든지 노예로 소개하지 않는다. 노예서사의 제목 역시 그를 니그로라고 확인하지 않기 때문에, 독자들도 그를 아프리카계 미국인이나 노예로 생각하지 않게 만든다. 뿐만 아니라, 해먼은 자신을 백인으로 언급하지도 않는다.

　　이 노예서사에 따르면, 해먼은 1747년에 그의 주인의 허락으로 자메이카로 여행을 떠난다(그가 노예라면, 도저히 있을 수 없는 일). 자메이카로부터 돌아오는 길에 그의 배는 플로리다 앞바다에서 암초에 걸려 파선한다. 이때 20척의 카누들 중 영국깃발을 게양한 인디언의 카누가 다가와서 배에 탄 모든 사람들을 살해하지만 해먼은 바다 속으로 다이빙하여 도망친다. 하지만 인디언들은 그를 발견하고 카누에 태운다. 그리고 그는 인디언들이 악마들처럼 고함을 치고 신성의식을 거행하며 배를 불태워버리는 것을 목격한다(6).

　　해먼은 인디언에 의해 포획된 후 6주 만에 스페인 군함에 의해 구조되어 쿠바의 아바나로 끌려간다. 이곳에서 주지사인 프란시스코 안토니오 카기갈 드 라 베가Francisco Antonio Cagigal de la Vega는 그에 대한 소유권을 주장하기 위해 쿠바까지 따라온 인디언들에게 10달러를 지불한다. 주지사와 머무는 동안, 해먼은 "자신의 의지로 일을 했다, 하지만 섬을 떠나는 건 허용되지 않았다"(10)고 말할 정도로 자유롭게 생활한다. 하지만 가톨릭 주교인 페드로 오거스틴 모렐 드 산타 크루즈Pedro Augustín Morell de Santa Cruz의 노예로 살던 중에, 그는 스페인 해군의 군함에서 복무하라는 명령을 거부했다는 이유로 투옥되어 4년간 옥고를 치른다.

　　해먼은 마침내 감옥과 주지사의 통제로부터 벗어나 1758년에 영국군함을 타고 쿠바를 떠난다. 주지사는 해먼과 다른 사람들이 영국군함으로 도피한 것을 알았을 때에 되돌려달라고 요청하지만, 선장은 영국 깃발 아래에 있는 어떤 영국인도 돌려줄 수 없다고 거절한다. 이후, 해먼은 일련의 영국군함들에서 복무를 하다가 명예롭게 제대하기 전에 프랑스 군함의 기습으로 인해 부상을 당한다.

런던에서, 병원 신세를 진 해먼은 무일푼이 되었고, 다시 바다로 나가야 했으며, 이때 뉴잉글랜드로 향하는 배의 요리사가 된다. 여행을 준비하는 동안 해먼은 그의 옛 주인인 윈슬러 또한 같은 배에 탄 것을 알게 된다. 이에 대해 해먼은 "며칠 후에 그 진실은 나를 압도할 만큼 그의 인물의 행복한 광경에 의해 즐겁게 증명되었다"(13)고 말한다. 해먼의 서사는 "기록된 것은 내가 슬프게 고통을 받았다는 것, 그럼에도 신의 가오를 통해 기적적으로 보호받았다는 것을 독자들에게 믿도록 하는 데에 충분했으리라"(14)라는 언급과 함께 끝을 맺는다. 그의 이 같은 끝맺음은 노예서사를 통해 독자들을 신에게로 안내하고자 했음을 말해준다.

한편, 1785년 출간된 존 머랜트의 대필 노예서사 『흑인, 머랜트에 대한 주인의 놀랄만한 대우에 대한 서사』(A Narrative of the Lord's Wonderful Dealings With John Marrant, A Black)는 기독교 개종서사이다. 해먼의 서사처럼, 이 서사는 기독교의 원리와 신앙을 강조한다. 이 서사에서 머랜트는 1785년 뉴욕에서 자유 흑인으로 출생한다. 하지만 아버지가 사망한 후에 그는 가족과 함께 세인트오거스틴St. Augustine, 조지아Geogia, 그리고 찰스타운Charles Town으로 이주한다. 그는 세인트오거스틴에서 학교교육을 받기 시작하고, 찰스타운에서 학교교육을 마친다. 그가 개종한 시점은 찰스타운에서이다. 하교하던 중, 그는 감리교도들의 예배로부터 찬송가를 듣고 감동한 뒤, 명성이 높은 영국인 감리교 목사 조지 와이트필드George Whitefield를 만나 개종한다(3). 이후에, 그는 종교적 열정을 받아들이지 못하는 가족과 더 이상 살 수 없어 성경과 찬송가를 가지고 황야로 떠난다. 그는 이곳에서 사나운 짐승을 만났을 때에 성경 주석을 암송하고 자신을 구세주적 인물로 형상화하며 환상적인 신앙인의 모습을 보여준다. 하지만 이 노예서사는 또한 포획서사이다. 어린 머랜트는 황야에서 인디언 사냥꾼을 만난다. 사냥꾼은 처음엔 그의 동료가 되어주지만, 후에 그를 체로키Cherokee 족 땅으로 데려가고, 체로키 족의 포로로 만든다. 생명의 위협을 받을 때, 그는 자신도 모르게 체로키 언어로 설교를 하여 그들에게 감동을 준다. 이와 관련, 이 장면은 구원의 기적을 환기시키는 장면으로, 기독교적 신의 구세주적 경외로움을 찬양한 해면의 결말부분을 환기시켜준다.

머랜트는 이 노예서사에서 '아프리카계 공동체가 신과의 특별한 약속 속에서 고통을 거쳐 시온에 이를 수 있다'는 비전을 제시한다. 그는 농장 노예들을 상대로 한 설교에서, 언약신학2)을 언급하며, 아프리카계 미국인들이 겪는 고통은 신이 그들을 선택된 인간들로 간주하기 위한 표시라고 설교한다. 하지만 그의 목회활동은 미국의 독립전쟁 중에 영국해군에 의해 강제 징집됨으로써 중단된다. 그는 전투 중에 부상을 입고, 런던으로 이송되어 건강을 회복한다(18). 그리고 그는 이곳에서 헌팅던Huntingdon 백작부인에 의해 목사로 임명된다. 이 노예서사는 머랜트가 그의 동포들 또는 노바스코샤Nova Scotia의 버치타운Birchtown에서 아프리카계 신도들에게 설교하는 것을 기대하는 것으로 끝난다.

머랜트의 이 같은 개종서사는 1798년 출간된 아프리카의 왕자 출신인 벤처 스미스Venture Smith의 대필 노예서사『미국원주민, 하지만 약 60년

---

2) 창조주 하나님이 인간과 언약관계를 맺으셨다는 것이다. 그 언약의 내용은 인간에게 어떤 행위를 요구하시고, 그것의 결과에 따른 어떤 조치를 취하시겠다는 행위언약Covenant of Works과, 인간에게 아무런 행위도 요구하지 않으시고 무조건적 사랑을 베풀어 축복하시겠다는 은혜언약Covenant of Grace으로 나뉜다.

동안 미합중국의 거주민인 벤처의 인생과 모험의 서사』(*A Narrative of the Life and Adventures of Venture, a Native of Africa: But Resident above sixty Years in the United States of America*)와 거의 10년 후인 1810년에 출간된 순회설교자 조지 와이트George White의 자필 노예서사 『아프리카 사람, 조지 와이트의 인생, 경험들 그리고 가스펠에 대한 간단한 설명, 직접 기록되었고, 친구에 의해 수정됨』(*A Brief Account of the Life, Experiences, Travels and Gospel Labours of George White, an African; Written by Himself and Revised by a Friend*)에서도 발견할 수 있다. 이 서사들 속에서 스미스와 와이트는 모두 구원의 행위를 강조하며, 노예제도로 인해 잃어버린 것과 도난당한 것을 의식적으로 되찾고 복구하려는 모습을 보여준다(Pierce 83).

스미스의 노예서사에 따르면, 그는 1729년경에 기니Guinea의 듀칸다라Dukandarra에서 첫째 왕자로 출생한다. 어린 시절에 그와 그의 가족은 이곳을 침입한 군대에 의해 체포되고, 그의 아버지는 침약군의 요구에 협조하지 않는다는 이유로 살해된다. 아버지의 잔인한 살해에 이어, 스미스와 그의 가족은 포로로 잡힌다. 또 다른 군대가 들어와 그의 포획자들을 격퇴시켰을 때에, 그는 로버트슨 멈포드Robertson Mumford에게 팔려가고, 그들은 바베이도스Barbados와 로드아일랜드로 떠난다. 그는 가정집의 노예로 성장하고, 22세 때 멈포드의 노예들 중 한 사람인 메그Meg와 결혼한다. 얼마 후, 그는 동료 노예들과 탈출을 시도하지만, 그들의 계획은 무산된다. 스미스와 그의 아내는 토머스 스탠턴Thomas Stanton에게 팔려간다. 스미스는 이 노예사서에서 새 주인가족과의 만남에서 일어난 갈등들을 묘사하고, 그가 아내와 가족의 자유를 사기 위해 어떻게 했는지를 묘사한다(다른 사람에게 고용되어 벌목, 농사일, 어업 등을 통해 돈을 벌어 자유를 삶). 그는 최종적으로 코네티컷의 이스트해덤East Haddam에서 토지를 구입하고,

계속 재산을 축적하여 인근의 100에이커에 달하는 부동산까지 구입한다.

스미스는 69세 때인 1798년에 코네티컷의 교장인 엘리사 나일스 Elisha Niles에게 그의 서사를 낭송하게 한다. 서사의 전편에서, 스미스는 미국사회로의 수용과 순화를 강조하고, 물질적인 성공이 그가 직면한 한계들을 제거하지 못한 실망감을 강조한다. 흑백 간의 넘을 수 없는 불평등에 대한 좌절을 표현함과 더불어, 스미스는 다른 아프리카계 미국인들에 의해 돈과 재산을 사기당한 일들에 대해 밝힌다. 그는 이 노예서사를 그의 노년의 병에 대해 묘사하며 끝맺음 한다.

스미스의 개종서사처럼, 조지 와이트는 고통스러운 노예생활 속에서 기독교의 메시아적 메시지를 전한다. 와이트는 미국 감리교의 첫 아프리카계 사제들 중 한 사람이다. 이 노예서사에 따르면, 버지니아의 애커맥 Accomack 카운티에서 출생한 와이트는 18개월 밖에 안 되었을 때 버지니아의 에스터Esther 카운티의 노예주인에게 팔려간다. 그는 다시 6세 때에 메릴랜드의 서머싯Somerset 카운티로 팔려가고, 15세 때에 메릴랜드의 서퍽Suffolk 카운티의 한 가족에게 팔려간다. 그는 이 가족과 함께 1790년 자유를 얻을 때까지 지낸다.

와이트는 26세에 자유를 얻는데, 이것은 그를 더욱 더 진지하게 신앙에 몰두하게 만든다. 그는 "신이 그의 섭리로 나를 일시적인 질곡으로부터 구해줬기 때문에, 죄악이나 다름없는 노예제도로부터의 해방을 위해 그를 우러러보는 것이 나의 임무이다"(6-7)라고 믿는다. 비록 와이트는 메릴랜드의 영국교회에 다니지만, 1795년에 뉴욕시의 감리교로 개종한다. 존 스트리트 감리교회의 흑백 격리 예배에 불만을 가진 와이트는 다음 해에 아프리카계 미국인 신도와 함께 하는 예배에 참여한다. 이 신도회는 1799년에 아프리카계 감리교회African Methodist Episcopal Church를 설립한다. 그들은 자신들의 교회에서 예배를 거행하지만, 백인목사와 감리교의 감독을 받는다. 같은 해에, 와이트는 메리 히너리Mary Henery와 결혼하고, 거리의 과일장수와 순회목사로 살아간다.

와이트의 서사는 1820년에 발표되고, 감리교 목사로 임명받기 위한 그의 투쟁을 강조한다. 1805년 개종 직후, 와이트는 꿈속에서 지옥에 대한 경험, 즉 입과 콧구멍으로부터 화염이 쏟아져 나오는 경험을 하고, "가라, 본 것을 말해줘라"(10)라고 말해준 안내자의 충고에 따라 목회자가 되기로 결심한다. 하지만 와이트에게 목회자의 길은 쉽게 열리지 않는다. 와이트는 그의 집에서 예배모임을 하는 동안 죽은 사람처럼 부복하고, "그들과 함께, 나의 모든 속죄된 힘들이 신성한 숭배의 조화로운 선율 속에서 하나로 합쳐지는 것 같았다"(14)라고 밝히듯, 영적 비전을 얻는다. 또한, 그는 이 같은 영적 경험과 함께 성서를 독자적으로 읽기 위해 16세 딸의 도움으로 읽는 것을 배우고, 많은 사람들을 개종시킨다. 그럼에도, 그는 목회자 자격증을 얻기 위해 다섯 번이나 지원하지만 실패하고, 여섯 번째 지원한 끝에 목회자 자격을 얻는다. 이와 관련, 와이트는 그를 심사한 장로들에게, "혹시 그들이 제가 전달하는 설교에 만족하지 못하는지"(24) 그리고 "저의 성격 속에 예외적일 수 있는 어떤 것이 있는지"(24)에 대해 질의하지만 부정적 대답만 듣는다. 와이트가 이 같은 경험을 밝힌 것은 당시의 기독교계가 아프리카계 미국인들에게 성직을 개방하지 않았음을 밝히기 위한 것이다.

남북전쟁 전의 초기 노예서사는 이처럼 납치와 노예생활의 고통을 기독교의 메시아적 구원을 통해 극복할 수 있다고 강조하지만, 다른 한 편으로 이 같은 고통을 극복하기 위해 식자능력을 통한 저항을 강조한다. 대필 노예서사 작가이지만, 후에 식자능력을 갖추게 된 올로다 에퀴아노는 아프리카계 미국인들이 식자능력을 배양해야 한다고 강조하며, 이를 통해 노예제도에 저항할 것을 주장한 최초의 노예서사 작가이다. 에퀴아노는

1789년에 구스타부스 바사Gustavus Vassa란 필명으로 출간한 대필 노예서사 『올로다 에퀴아노, 또는 구스타부스 바사, 즉 아프리카인의 흥미로운 인생서사』(*The Interesting Narrative of the Life of Olaudah Equiano, or Gustavus Vassa, the African Interesting Narrative*)에서 아프리카계 미국 사회를 향해 알아야 저항하고 자유를 얻을 수 있다는 점을 강조한다.

에퀴아노는 1789년에 그의 노예서사를 두 권의 책으로 편집하여 미국에서 한 번 출간하고, 영국에서 여덟 번 재출간한다. 노예서사의 첫 권은 의복, 음식, 그리고 종교적 관습과 관련한 아프리카 문화에 대한 묘사로 시작한다. 그는 에보에Eboe의 주민들을 초기의 유태인들과 동일시하고, 아프리카인의 검은색 피부가 열대기후에 노출되었기 때문이라는 이론을 제시한다. 이렇게 하면서, 그는 아프리카인들이 유태인 조상계보를 통해 기독교도인 유럽인들의 간접적인 친척들일지도 모른다고 말하며, 노예제도를 모든 인간들에 대한 모욕이라고 비판한다. 그리고 "미끈하고 거만한 유럽인들은 그들의 조상이 한 때 아프리카인들처럼 문명화되지 않았고, 심지어 야만스러웠다는 것을 기억해야 한다"(43)고 주장하고, "자연이 그들을 그들의 아들들보다 열등하게 만들었는가? 그리고 그들 역시 노예가 되어야 하는가?"(43)라고 반문한다.

이 노예서사에 따르면, 에퀴아노는 1745년에 나이지리아의 에보에에서 출생한다. 약 11세가 되던 해에, 그는 누나와 함께 노예무역상들에 의해 납치되어 서인도제도로 끌려간 뒤에 누나와 생이별을 하고, 서인도제도로부터 북미로 향하는 화란인의 배를 타게 된다. 그는 여기에서 버지니아의 농장으로 팔려간 다음, 가벼운 들일과 집안의 허드렛일을 하며 지낸다. 버지니아에서 머무는 동안, 영국해군의 중령이자 무역선의 선장인 마이클 헨리 파스칼Micheal Henry Pascal이 그를 영국에 있는 약간의 친구들에게 선물로 주기 위해 사들인다. 1757년 영국으로 향하는 항해에서, 파스칼은 11세인 그의 이름을 '구스타부스 바사'로 개명해준다. 영국에 도착한 에퀴아노는 기독교도가 된다. 영국에서 눈을 처음 보았을 때에, 그는 신이란 하늘의 위대한 사람이 눈을 만들었다는 신앙적 목소리를 듣는다. 그는 교회에 다니며, 새로운 친구인 로버트 베이커Robert Baker란 백인소년으로부터 가르침을 받는다.

에퀴아노는 영국문화를 습득하고자 했음을 밝힌다. 이와 관련, 그는 "지금 아주 잘 영어를 구사하고. . . 개선의 모든 기회를 포용한다"(177)라고 밝힌다. 영국에서 머무는 동안, 파스칼 선장은 그를 미스 게랭Miss Guerins이란 두 여동생들에게 보낸다. 다행히도, 게랭 자매는 에퀴아노의 후원자들이 되어, 그를 친절히 대할 뿐 아니라, 그를 학교에 보내고, 교회에서 세례 받을 수 있게 해달라고 파스칼을 설득하기도 한다.

에퀴아노는 독자적으로 학업과 신앙의 발전을 위해 정진하지만, 파스칼이 새로운 항해를 떠날 때마다 동행해야 했기 때문에, 지속적으로 해나갈 수 없다. 그는 파스칼의 노예로서 지중해·대서양·서인도제도 전역에서 벌어진 모든 전투에 참여한다. 그는 이처럼 수년 동안 파스칼을 위해 봉사하며, 파스칼이 그에게 자유를 줄 것이고 믿는다. 하지만 파스칼은 영국에 머무는 동안 돌변하여 그를 서인도제도로 향하는 배의 선장인 제임스 도런James Doran에게 팔아버린다. 기대와 달리, 갑작스러운 운명의 변화를 맞이한 에퀴아노는 "오랜 세월 그를 도왔고, 그는 나의 임금과 상금을 모두 가졌다. . . 나는 세례를 받았다. 그리고 이 땅의 법에 의해 어느 누구도 나를 팔 권리가 없다"(176)고 항의한다. 하지만 에퀴아노는 더 이상의 항의를 용납하지 않겠다는 도런 성장의 경고를 받고 자신의 심경에 대해 "그의 힘으로 나를 억누를 것이라는 것을 너무나 잘 확신했기 때문에 그의 말을 의심할 수 없었다"(177)고 밝힌다.

에퀴아노는 절망한 채, 이 새로운 상황을 그의 죄에 대한 신의 징벌이라고, 그리고 신이 자신을 포기한 것이라고 믿기 시작한다. 에퀴아노는 도런 선장을 따라 서인도제도로 향하며 노예로서 겪을 질곡·고통·구타·억압의 땅에 대해 두려워한다. 하지만 그의 운명은 새로운 전기를 맞이한다. 그는 자비롭고 인간적인 사람(190)인 퀘이커교도 로버트 킹Robert King에게로 팔려간다. 로버트 킹은 앞서의 주인들과 달리 그를 깊이 신뢰하며 선적하는 일부터 사무적인 일에 이르기까지 여러 일을 하게 한다. 킹의 배 선장인 영국인 토머스 파머Thomas Farmer 또한 그에게 의존하며, 서인도제도로부터 북미로 항해 하는 데에 자주 그와 동행한다. 그는 선장의 신임에 대해 "선장이 선상에서 내가 어떤 다른 백인 선원들보다 더 났다고 나의 주인에게 말할 만큼 나는 대단히 유능했다"(231)고 밝힌다.

에퀴아노는 또한 킹의 허락하에 약간의 무역을 부업으로 할 수 있게 된다. 그는 이 과정에서 못 쓰는 동전을 사용하거나 환불을 요구하고, 물건 값 지불을 거부하는 백인 구매자들 때문에 많은 어려움을 겪지만, 자유를 얻어 올드 잉글랜드로 돌아가기 위해 최선을 다한다(268, 250). 킹도 에퀴아노에게 자유를 살 충분한 돈을 모으면 자유를 주겠다고 제안하며, 그를 격려해준다.

에퀴아노는 이 노예서사의 첫 권을 영웅적 모험서사의 결말부분처럼 끝맺음한다. 즉 그는 무역 도중에 죽음의 위기를 겪은 일을 소개하고, "1764년 이것은 나의 모험을 끝내게 했다: 그래서 나는 다음 해의 시작까지 몬트세랫Montserrat을 다시 떠나지 않았다"(272)고 밝히며 첫 권을 끝맺음한다.

둘째 권에서, 에퀴아노는 자유인이 된 다음 1767년에 영국으로 건너가 학교를 다니고, 찰스 어빙Dr. Charles Irving 박사의 조수로 일한다. 에퀴아노는 이전에 영국군함과 노예무역선의 노예로서 여행한 것과 달리 자유인으로서 터키, 포르투갈, 이탈리아, 자메이카, 그레나다Grenada, 그리고 북아

메리카로 여행한다. 그리고 1773년에 그는 어빙 박사와 함께 유럽으로부터 아시아로 향하는 북동 항로를 탐험하기 위해 극지방을 여행한다.

에퀴아노의 노예서사는 포획이야기, 여행서, 탐험이야기, 무용담 또는 설화, 경제논문, 해명서, 그리고 증거자료 등 다양한 장르들을 포괄적으로 반영한 성공작이다. 내용묘사에 있어서도, 그는 다채로운 사실들을 정확하게 전달하여 독자적 호소력을 강화한다. 그럼에도, 서사의 일부 요소들은 오늘날보다 18세기에 더 많이 목격되는 요소들이다. 예컨대, 18세기 독자들 중 일부는 이 서사를 1787년 시에라리온Sierra Leone(서아프리카공화국의 수도) 재정착프로젝트와 관련한 그의 행위와 동기를 설명하는 해명서 또는 공식적 소명서로 평가한다(Carretta 49). 하지만 대부분의 21세기 독자들은 세속적인 아프리카계 노예서사의 조상으로 평가한다(49).

에퀴아노의 노예서사는 5장의 끝에서 정신적 자서전의 요소를 보여준다. 에퀴아노는 이 장에서 익숙해진 영국문화 내부에서의 소외와 저항의 목소리를 표출하기 위해 영국문화의 매우 존경스러운 아이콘 중 하나인 존 밀턴John Milton의 『낙원』(Paradise Lost)에서 사탄의 추종자들 중 한 사람의 시행들을 아주 섬세하게 인용한다. 그리고 후기의 판본에서도 그는 이 같은 목소리를 표출하기 위해 셰익스피어를 활용한다. 즉 그는 1792년부터 모든 판본들에서 백인여성과의 결혼에 대해 말하기 위해 오셀로Othello의 말을 인용한다. 이와 더불어, 그는 『제임스 왕 판 성경』(King James Bible)의 4장 12절을 의역하여 자기표현의 수단으로 활용한다 (Garetta 44-60).

에퀴아노의 노예서사는 경제적 관점에서 노예무역 또는 노예소유에 반대하는 주장을 담고 있다는 점에서 해먼이나 머랜트의 경우와 맥을 달리한다. 이 노예서사에서, 에퀴아노는 계몽주의적 시각을 통해 노예제도의 경제적 비효율성을 비판하고, 그의 노예서사보다 13년 앞서 출간된 애덤 스미스Adam Smith의 『국부론』(*Wealth of Nations*)에 비춰 노예노동을 자유노동으로 전환할 때 영국경제에 미칠 이점들을 분석적으로 제시한다 (Gould 17). 한편, 후기 노예서사들의 작가들과 달리, 에퀴아노는 노예제도를 자유로운 기간 동안 경험한다. 따라서 그의 노예서사는 노예에서 시작하여 자유로 끝나는 이야기가 아니라, 자유에서 시작하여 자유에서 끝나는 이야기이다.

## 2. 기독교적 자필 노예서사 또는 개종서사

아프리카계 미국문학의 첫 자필 노예서사 작가는 오토바 쿠고아노 Ottobach Cugoano이다. 쿠고아노는 에퀴아노의 동료이자 열렬한 구독자로, 두 노예서사, 즉 1787년 출간된 『악하고 사악한 노예무역과 인간 종species 들의 거래에 대한 생각들과 감상들』(*Thoughts and Sentiments on the Evil and Wicked Traffic of the Slavery and Commerce of the Human Species*) 과 1790년 출간된 『노예제도의 악에 대한 생각들과 감상들』(*Thoughts and Sentiments on the Evil of Slavery*)에서 에퀴아노의 주제들을 정치적 시각을 통해 재현한다.

쿠고아노의 노예서사들은 자필 노예서사들이라는 점에서 앞서의 노예서사들보다 더 큰 문학사적 의미를 갖는다. 그는 1787년 출간된 노예서사의 부록에서 에퀴아노처럼 자신이 영어를 어떻게 습득했는지에 대하여 소개하고, 식자능력이 노예제도로부터 자유를 얻을 수 있게 해주는 힘임을 강조한다(127). 그는 또한 노예무역에 대한 저항의식과 관련하여 당시의 어느 작가들과도 견줄 수 없을 만큼 진보적이고 공격적인 작가이다 (Gould 17). 쿠고아노는 1787년 출간된 노예서사에서 그의 출생지, 노예무역상에게 납치된 경위, 노예무역상의 폭력, 고통스러운 노예생활, 그리고 자유획득에 대한 경험들을 상세하게 밝힌다.

　이 노예서사에 따르면, 가나Ghana에서 출생한 쿠고아노는 들판에서 스무 명 정도의 친구들과 놀고 있던 중에 노예무역상들에 의해 납치된다. 그는 이곳에서 사슬과 수갑에 묶인 동포들을 목격하고, 이어 권총 한 자루와 옷 한 벌을 조건으로 다른 무역상에게 팔려간다. 새로운 무역상은 앞서의 무역상보다 더 비인간적인 사람으로, 쿠고아노와 다른 아프리카인들을 불결한 노예무역선에 태워 서인도제도의 그러네이더Grenade로 데려간다. 이 과정에서 노예들은 폭력과 억압 속에서 사느니 죽음을 택하는 것이 더 낫다고 생각하여 배에 불을 지르고 산화하려 하지만, 이미 성노예가 되어 버린 동포여성의 배반으로 실패하고, 사슬에 묶여 더 혹독한 고통을 받는다. 그레나다에 도착한 쿠고아노는 다른 아프리카인들과 함께 사탕수수농장의 노예가 된다. 이곳에서 쿠고아노의 삶은 노예들의 비참한 삶을 환기시켜주듯 노예주인의 억압과 폭력에 시달린다. 그는 이곳의 노예생활 중에서 겪은 비참한 경험을 "사탕수수를 먹는 노예는 잔인하게 채찍을 맞거나 얼굴을 가격 당했고, 이빨이 부러뜨려졌다"(126)고 밝히며, 노예에게는 생존을 위한 최소의 탈법마저 허용하지 않는 노예주인의 폭력을 고발한다. 하지만 쿠고아노는 이 노예서사에서 노예주인의 억압과 폭력에 맞서기 위한 저항적 행동 대신, 억압과 폭력으로부터 벗어나기 위한 인내와 자유의지를 강조한다. 즉 쿠고아노가 이곳의 노예생활을 청산하고 자유의 몸이 되어 영국으로 가게된 것은 노예주인의 억압과 폭력을 용인하지 않는 저항적 의지와 행동 때문이 아니라, 노예주인의 폭력을 인내하며, 돈을 모아 몸값을 지불하고 자유를 찾고자한 의지에서 비롯된 것이다. 그리고 쿠고아노의 이 같은 의지는 영국에서 식자능력의 습득과 함께 노예제도에 대한 저항의지로 발전한다. 영국에서 그는 읽고 쓰는 능력을 가진 아프리카인으로 거듭 태어나, 자유인이자 교육받은 아프리카인으로서 자신이 해야 할 일이 노예제도와 싸우는 것임을 깨닫고, 이 일에 전념한다. 둘째 노예서사에서도, 쿠고아노는 앞서의 경우처럼, 출생, 납치, 노예생활, 그리고 자유인으로서의 임무에 대하여 기록하고 있다. 하지만 이 노예서사에서 아프리카인과 영국시민으로서 쿠고아노는 노예제도를 비판하며, 모든 노예들이 노예제도의 폭력에 항거할 도덕적 의무를 가지고 있다고 주장한다(2).

자필 노예서사 시대에 나타난 노예서사들은 기독교에 대해 대조적인 시각을 보여준다. 당시의 노예서사 작가들은 초기에 종교단체의 재정적·정신적 후원에 힘입어 그들의 노예사사들을 출간한다. 노예서사 작가들이 이처럼 종교단체의 후원에 의존한 까닭은 식자능력, 출판을 위한 재정능력, 그리고 대중성을 갖추지 못했기 때문이다. 이와 관련, 감리교나 침례교 같은 기독교 단체들이 재정지원과 출판의 위험을 책임지는 대리인으로서 중요한 역할을 수행하고, 노예서사작가들은 기독교로의 개종과 복음의 전파를 강조한다. 예컨대, 데이비드 조지David George의 『아프리카 시에라리온에서 온 데이비드 조지의 삶에 대한 설명』(An Account of the Life of Mr. David George, from Sierra Leone in Africa), 제임스 앨버트 우카소 그로니오소James Albert Ukasaw Gronniosaw의 『아프리카 왕자 우카소 그로니오소의 삶에 나타난 가장 주목할 만한 사항들에 대한 서사』(A Narrative of the Most Remarkable Particulars in the Life of James Ukasaw Gronniosaw an African Prince), 그리고 필리스 휘틀리의 시들은 당시의 이 같은 기독교적 목표를 반영한 대표적 서사들이다(Carretta 55).

데이비드 조지의 노예서사는 노예로서의 고통을 기독교적 메시아를 통해 인내하고 평화를 찾았다고 고백한 앞서의 개종서사보다 한 차원 더 깊이 있는 신앙서사이다. 이 노예서사에 따르면, 조지는 버지니아의 에식스Essex에서 출생한다. 아버지 존John과 어머니 주디스Judith는 모두 아프리카로부터 강제로 끌려온 노예들이다. 조지는 부모가 노예이기 때문에 노예세습제에 따라 태어나면서부터 네 명의 형, 네 명의 누나들과 함께 노예이다. 어린 시절, 조지는 노예로서 물을 길어오고 목화씨를 빼는 일을 하고, 후에 19세까지 들판에 나가 옥수수와 담배농사를 한다. 백인주인인 채플Chapel은 노예들에게 대단히 나쁜 사람이다. 조지는 누나가 채플에 의해 등이 뭉겨져 짓무르도록 얻어맞는 장면을 몇 번씩이나 목격하고, 형인 딕Dick은 도망치다 잡혀서 앞마당의 벗나무 아래 알몸으로 매달린 장면을 목격한다. 물론, 조지도 발가벗겨진 채 허리띠까지 피가 흘러내릴 만큼 매를 많이 맞는다. 그럼에도, 조지에게 가장 슬픈 일은 어머니가 매를 맞는 것과 자비를 구하기 위해 무릎을 꿇고 두 손으로 비는 소리를 듣는 일이다.

조지는 앞서의 노예서사 주인공들과 달리, 노예생활로부터 벗어나기 위해 한밤중에 노타웨이Nottaway에 있는 영국인 교회로 도망친다. 고통스러운 노예생활 속에서도 신앙심을 잃지 않은 아버지와 어머니의 영향을 받은 조지에게 교회는 노예생활의 고통을 벗어나게 해줄 탈출구이다. 하지만 교회는 그에게 영원한 탈출구가 아니다. 백인주인은 추적을 계속했고, 조지는 여러 사람들의 도움을 받아 브런즈윅Brunswick 카운티의 로어노크Roanoke 강, 피디Pedee 강, 그리고 사바나Savannah 강을 건너 크리크Creek 족 인디언들의 거주지로 도피한다. 즉 인디언들은 아프리카계 미국인의 발자국이 그들의 발자국보다 더 평평하다는 사실을 근거로 그를 추적하여 오클라호마Oklahoma의 오크멀기Okemulgee 강을 건너기 위해 뗏목을 만드는 그를 발견한다. 추장인 블루 솔트Blue Salt는 친절하게 그의 집이 있는 숲으로 조지를 데려가 머물게 해준다. 조지는 이곳에서 땅파기, 담장 만들기, 옥수수 심기 등을 하며 크리스마스부터 4월까지 머문다. 하지만 백인주인의 추적은 중지된 것이 아니다. 주인의 아들이 버지니아로부터 인디언 거주지까지 추적해온 다음, 인디언 왕에게 럼주·린넨 천·권총을 주고 조지를 데려가려 한다.

조지가 백인주인의 추적으로부터 완전히 벗어난 시점은 다른 인디언 부족에게로 간 다음, 미스터 골핀Mr. Gaulfin을 만났을 때이다. 골핀은 처음에 조지를 인디언 추장과 친분이 있는 존 밀러John Miller에게 맡긴다. 조지는 밀러의 배려로 말을 돌보며, 일 년에 한 번씩 사슴 가죽을 골핀에게 가져다주는 일을 한다. 조지는 이 같은 삶을 살던 중 사슴 가죽을 골핀에게 가져갔을 때 그에게 함께 살고 싶다는 의사를 전달하고, 골핀은 이를 허락한다. 조지는 골핀의 집에 살면서 결혼한다. 하지만 결혼생활은 경제적 빈곤 때문에 쉽지 않다.

　　조지가 기독교적 신앙을 되찾게 된 계기는 찰스턴에서 온 키루스Cyrus란 아프리카계 미국인의 도움을 통해서이다. 조지는 아내가 첫 아들을 출산했을 때에 키루스를 만나고, "내가 그렇게 살았다면 난 영광 속에서 신을 보지 못했을 텐데"(3)란 키루스의 말을 듣고, 기독교적 메시아에 의지하기로 결심한다. 조지는 신에게 더 잘 되게 해달라는 기도를 계속한다. 하지만 더 잘 될 것이란 기대는 번번이 어긋나고, 시련으로부터 벗어나지 못한다. 이때 조지는 마치 지옥 속으로 추락하여 구원의 가능성을 상실한 것처럼 느낀다. 그는 고통을 느꼈고, 이 같은 고통에서 헤어날 수조차 없게 된다. 조지는 곧 구원은 자신의 힘으로 이뤄질 수 없다는 결론과 함께, 신의 자비에 의해서만 구원이 가능하다는 것을 깨닫는다. 조지는 이 같은 깨달음을 통해 그리스도의 구원을 받고, 고통으로부터 벗어나 영혼 속의 안락과 즐거움을 얻는다.

　　조지는 기독교도로서 조지 라일George Liele과 브라더 파머Brother Palmer의 설교를 듣고 더욱더 안락을 찾는다. 조지 라일은 옥수수 밭에서 설교를 해주고, 파머는 가족을 교회로 인도한다. 이 같은 기독교적 구원과 함께 조지는 백인교장의 도움을 받아 글을 배울 수 있게 되고, 잠을 자면서도 글을 배우고, 성경을 읽는다. 조지의 이 같은 신앙적·교육적 기회는 신앙인으로서 믿음을 더욱더 풍요롭게 해주는 한편, 복음을 전하는 메신저로 거듭나게 해준다. 조지는 복음의 전파자로서 처음 일을 시작한 곳은 실버 블러프Silver Bluff이다.

조지의 주인인 골핀은 반왕정주의자anti-loyalist로, 왕정주의자들의 공격이 두려워서 노예들을 내버려두고 떠나버린다. 때문에, 골핀의 집에 남은 조지는 아내와 함께 약 한 달 동안 수감생활을 해야 했고, 수감생활 중에 영국인인 브라운 대령Col. Brown의 도움으로 석방된다. 하지만 조지의 석방은 또 다른 고난의 시작일 뿐이다. 브라운 대령은 조지와 그의 가족을 석방시킨 다음에 사바나로 보낸다. 조지는 사바나에서 약간 떨어진 곳인 야마크로Yamacrow에서 농사를 지으며 살던 중에 천연두에 걸려 죽음 직전에 이르게 되고, 아내가 그를 대신하여 가족을 부양한다. 조지는 가족이 고생하는 것을 더 이상 두고 볼 수 없어서 가족을 사바나로 보내고, 옥수수로 끼니를 이어가던 중에 신의 축복을 받는다. 조지는 행인들로부터 쌀을 지원받고, 몸도 회복되어 사바나에서 가족들과 재회한 다음, 2년 동안 함께 산다.

조지는 사바나에서 가족들과 함께 생활하는 동안에 미국으로 돌아갈 계획을 세운다. 조지는 첫 시도에서 아내의 인디언 혼혈인 오빠의 조언을 받아 찰스턴으로 갈 계획을 세우고, 여비를 마련하지만, 여비를 영국 기병들에게 몽땅 빼앗긴다. 하지만 조지는 실망하지 않고, 친구들로부터 돈을 빌려 돼지고기를 구입한 후에 되파는 방식으로 다시 여비를 마련한다. 미국으로 돌아오는 중에 함께 가던 사람들은 영국이 물러갈 것이니 노바스코샤의 핼리팩스Halifax로 가라고 조언해주고, 영국군 선장은 여비를 받지 않고 그곳까지 데려다 준다.

조지는 22일 간의 항해 끝에 크리스마스 전날 핼리팩스에 도착한다. 핼리팩스에서, 그는 이듬해 6월까지 머문 다음에 설교를 위해 많은 아프리카계 미국인들이 살고 있는 셸번Shelburne으로 간다. 조지는 이곳에서 백인들의 멸시에도 불구하고 인적 없는 숲에서 설교를 시작한다. 백인들이 방해하지만, 많은 아프리카계 미국인들이 그의 설교에 참석한다. 조지는 설교를 위해 통나무 오두막을 짓는다. 이 과정에서, 주지사의 아내가 핼리팩스에서 와서 가족들에게 식량을 주고, 사분의 일 에이커의 땅을 경작하도록 허락해준다. 조지는 이를 기반으로 여섯 명의 신도들과 함께 교회를 만들고, 교세를 더욱더 확장해간다. 런던에서 온 백인 침례교도 윌리엄 테일러William Taylor 부부와 윌리엄 홈스William Holmes 부부가 소문을 듣고 찾아와 도움을 준다. 하지만 백인들의 박해는 더욱더 심해지고, 폭력까지 휘둘러, 조지는 가족을 데리고 버치타운으로 간다. 조지는 이곳에서도 박해에 시달리지만, 교세를 넓혀가며, 찰스턴에서 알았던 앨런 대령Col. Allen의 도움으로 주지사로부터 설교허가를 받을 수 있게 된다. 조지는 이처럼 공식적인 설교자로 활동할 수 있게 된 다음 셸번, 핼리팩스, 리버풀, 그리고 시에라리온을 오가며 설교를 하고 세례를 준다.

조지의 노예서사는 이제까지 살핀 것처럼 개종서사의 수준을 넘어, 인종적 편견으로 인한 박해를 극복하고 아프리카계 미국인들을 위해 성직자의 임무를 이행한 성자의 신앙서사에 가깝다. 즉 조지는 이 노예서사에서 아프리카계 노예로서의 고통을 도망과정, 강요된 여행과정, 그리고 백인들의 종교적 박해과정으로 제시하고, 목회자로서의 성공적 삶을 최초의 기독교인들처럼 이 같은 박해와 고통을 극복하고 꿈을 이룬 아프리카계 미국인으로서의 모습으로 제시한다.

데이비드 조지의 이 같은 신앙적 고백은 제임스 앨버트 우카소 그로니소James Albert Ukawsaw Gronniosaw의 노예서사도 발견할 수 있다. 그로니소는 이 노예서사의 서문에서 삶과 정신적 경험을 밝힌다. 그로니소가 이같이 밝히고자 한 목적은 어떤 방법으로 신과 그리스도의 손길이 미치지 않은 세상의 어두운 면들을 처리할지에 대한 질문에 답하기 위해서이다. 그로니소는 노예서사에서 천둥을 만드는 위대한 힘에 대한 의문, 가족과 혼란스러웠던 아프리카에서의 소년시절, 노예제도하에서의 기독교 신학, 그리고 해방 후 신의 섭리에 대한 믿음에 이르기까지 그의 정신적 발전 등을 밝히는 데에 대부분의 지면을 할애한다.

이 노예서사에 따르면, 1710년에 나이지리아의 한 도시인 보르노 Borno에서 출생한 그로니소는 보르노 왕의 장손이다. 그로니소의 가족은 그의 정신적 불안을 치유하기 위해 그를 상인들과 함께 기니의 골드코스트Gold Coast로 보낸다. 그로니소는 가족들의 진정한 의도를 모른 채 황금해안gold coast으로 향하며 "만약 내가 그와 함께 가면, 날개달린 집들이 물 위를 걷는 것을 보게 되고 또한 백인들도 볼 것이며, 그가 다시 안전하게 나를 데리고 올 것이다"(5)라고 생각한다. 즉 그로니소 가족의 이 같은 조치는 사실상 그로니소를 추방하여 노예로 살게 하기 위한 것이다. 그로니소는 이 해안에 도착했을 때에 왕실의 가족이므로 환대를 받지만, 후에 지역 왕가로부터 스파이로 의심을 받고 처단될 위기에 처한다. 그로니소는 간신히 처단을 면하지만, 대신 네덜란드인 선장에게 노예로 팔려간다.

그로니소는 이 노예서사에서 바다에서의 시간에 대해 이야기하며, 선장의 책읽기에 호감을 표시한다. 이와 관련, 그로니소가 선장의 성경읽기에 매혹되어 책에 대해, "난 책을 펴고 책에게 내 귀를 가까이 댔어" "난 그것이 말하지 않는다는 것을 발견하고 유감스럽고 실망스러웠다"(10)고 밝힌 것은 이 노예서사를 정신적 발전의 노예서사로 읽도록 유도하는 단서이다.

그로니소는 바베이도스Barbados로 간 다음, 뉴욕의 미스터 밴혼Mr. Vanhorn에게 팔려간다. 하지만 침례교 목사인 미스터 프리랜드Mr. Freeland 가 그로니소의 도덕적 선행에 깊이 감명을 받고, 그를 미스터 밴호로부터 사간다. 목사와 아내는 그로니소에게 기독교 신학을 가르치고 학교를 다니게 한다. 그로니소는 이 기간 동안에 정신적 의문과 위기의 순간들을 맞이하지만, 존 버니언과 리처드 백스터Richard Baxter를 포함한 기독교 작가들의 텍스트를 접할 수 있게 된다.

그로니소는 후에 목사의 사망과 함께 그의 뜻에 따라 해방된다. 하지만 그로니소는 목사의 미망인과 아들들을 수년 동안 보필하고, 그들이 모두 사망한 다음에 영국으로 건너간다. 그로니소의 영국행은 그의 소망이다. 즉 그는 "난 이 섬나라의 모든 사람들이 신성하다고 생각했다"(22)라고 밝힌다. 그로니소는 영국행을 위해 민간선박의 선원이 된다. 하지만 그는 선상생활과 전투상황들에 대한 묘사를 자제하는 대신, 선상에서 벌어진 몇 가지 갈등들과 죄수가 몸값을 내고 생명을 구제받은 사건만 묘사한다.

그로니소는 영국군의 배에서 근무한 후에 영국에 도착한다. 그는 영국을 정신적으로 약속된 땅으로 간주하고, "난 이 기독교의 땅에서 선함, 신사다움, 그리고 부드러움만 찾기를 기대했다"(24)고 밝힌다. 하지만 그로니소는 이 같은 기대와 달리 사기를 당한 후, 영국에 대해 "난 그렇게 많은 훌륭한 기독교도들이 살고 있고, 설교가 행해지는 이곳이 사악함과 사기로 가득 차 있다는 것을 거의 믿을 수 없다"(25)고 밝힌다.

그로니소는 영국에서 이 같은 불행을 겪지만, 다른 한편으로, 영국인 친구들의 도움으로 숙식할 곳과 일자리를 얻는다. 뿐만 아니라, 그는 프리랜드의 옛 친구들을 만나기 위해 네덜란드로 갈 수 있게 된다. 그리고 여행 후에, 그는 1763년에 한 아이가 딸린 백인 미망인 베티Betty와 결혼하게 된다. 베티는 숙련 기능공이다. 그 덕택에, 두 사람은 경제적 어려움 없이 결혼생활을 한다. 하지만 가족이 점점 늘어나면서 두 사람은 경제적 어려움을 겪기 시작한다. 특히 겨울은 두 사람을 매우 힘들게 했고, 그로니소는 친구들의 도움으로 이를 가까스로 해결하며 살아간다.

그로니소에게 이 같은 경제적 빈곤은 신앙을 두텁게 하는 역할을 한다. 그는 두려움과 시련 앞에서 신의 메시아적 섭리를 믿는다. 이 노예서사의 결말부분에서, 그로니소는 출산 후유증에서 회복한 아내와 아이들을 데리고 노리치Norwich에서 키더민스터Kidderminster로 이주한다. 이때 그로니소는 신앙심 깊은 기독교도들을 "천상의 집을 향해 많은 어려움들을 극복해가는 . . . 순례자"(39)로 묘사하며, 자신을 그 일원으로 간주한다.

그로니소의 노예서사는 앞서의 노예서사들과 달리 백인주인의 억압과 폭력에 대해 고발하는 대신, 정신적 성장과정과 실현, 그리고 기독교적 신앙인이 되가는 과정을 밝힌다. 하지만 그로니소의 노예서사는 생활고에 시달린 경험을 토로한다는 점에서 데이비드 조지의 노예서사와 맥락을 같이한다. 즉 그로니소는 데이비드 조지처럼 아내와 함께 취업난과 인종차별로 인해 고통을 겪으며, 자신들과 아이들을 부양하기 위해 노력한다. 이 같은 상황하에서, 그로니소는 친구들의 도움을 받기도 하고, 또한 책의 수입이 재정적 도움을 줄 것이라 생각하고, 1770년에 익명의 여성에게 구술하는 방식으로 노예서사를 쓴 다음에, 7판까지 출간한다. 하지만 그로니소는 출판으로 인해 재정적 도움을 받았는지에 대해서는 물론, 가족에 대서도 전혀 밝히지 않는다. 궁극적으로, 그의 기독교적 신앙은 신을 구원자로 여긴다는 점에서, 비록 데이비드 조지의 성자적 신앙에 못 미치지만, 데이비드 조지의 경우와 맥을 같이한다.

한편, 그로니소의 노예서사는 노예제도 시절의 기간을 기독교 신학을 발견하고 읽는 것을 배운 공식적 기간으로서 묘사하며, 정신적 발전을 강조한 노예서사로, 에퀴아노가 1789년 출간한 노예서사에서 그로니소에 대해 "19세기 노예서사 작가들의 모델이 되었다"(Carretta 15 재인용)라고 밝힌 것처럼, 후배 작가들의 글쓰기에 많은 영향을 끼친다.

# 3. 반기독교적 자필 노예서사

19세기에 들어서면서 반기독교적 자필 노예서사 작가들은 남부교회를 비난한다. 하지만 그들은 역설적이지만 대부분 헌신적 기독교인들이다. 그들은 노예서사들을 통해 신앙심과 경건함이 없는 노예주인들이 진정한 아프리카계 신앙인들을 박해하고, 숭배하고 기도할 기회를 주지 않으며, 기독교적 삶을 살려는 그들을 벌주었다고 폭로한다. 당시의 대표적인 전설적 도망노예이자 노예서사 작가인 헨리 '박스' 브라운Henry "Box" Brown은 1816년에 출간한 노예서사에서 "남부교회들이 신보다 노예제도에 더 열성적이었다"(31), 그리고 아프리카계 도망노예·연설가·지도자·작가인 프레더릭 더글러스Frederick Douglass는 1845년에 출간한 첫 노예서사에서 "우리는 성직자들 대신 인간도둑놈들, 선교사들 대신 여성학대자들, 그리고 교회구성원들 대신 요람약탈자들과 함께 한다"(31)고 비판하고, 아프리카계 여성 연설가이자 노예서사 작가인 해리엇 제이콥스Harriet Jacobs는 1861년에 출간한 노예서사에서 설교를 통해 남부교회들의 이 같은 만행에 대해 "만약 당신이 당신의 세속적 주인에게 불복한다면, 당신은 당신의 천상적인 신을 공격하는 것이다"(31)라고 비판한다.

남부교회에 대한 노예서사 작가들의 비판은 아프리카계 미국사회가 나름대로 조직적 힘을 갖춰가기 시작하면서 본격화된다. 1780년대 경에 들어서면서, 노예서사 작가들은 기독교 단체의 후원에 더 이상 의존하지 않고, 영국 노예무역폐지 협회English Society for Effecting the Abolition of the Slave Trade(1787년 결성)와 펜실베이니아 노예폐지 협회Pennsylvania Abolition Society(1775년 결성, 이후 1784년 재결성)와 같은 정치기구들의 후원을 받아 노예서사들을 출간한다. 물론, 노예서사 작가들은 남부교회들의 부당한 착취를 비판할 뿐, 기독교적 신앙을 멀리한 것은 아니다. 에퀴아노는 기독교도가 아니면서도 종교적 구원으로 가는 정신적 길을 보여준다. 에퀴아노는『흥미로운 서사』(*Interesting Narrative*)에서 성서를 펼쳐들고 있는 정면초상화를 통해 기독교적 삶을 통한 정신적 삶에 대한 꿈과 비전의 중요성을 강조한다.

프레더릭 더글러스와 해리엇 제이콥스의 노예서사는 19세기 작품들이므로 다음 장에서 소개하기로 하고, 대신 헨리 '박스' 브라운의 노예서사를 통해 남부교회에 대한 노예서사 작가들의 비판적 시각을 소개한다. 헨리 '박스' 브라운이란 이름은 도망노예서사의 상징적 의미를 담은 이름이다. 브라운은 버지니아의 루이자 카운티Louisa County에서 1816년에 노예신분으로 출생한다. 그는 이곳에서 3년 동안 비교적 편안한 어린 시절을 보낸다. 하지만 백인주인이 사망한 후, 주인의 아들은 그를 담배공장으로 보낸다. 이 과정에서 브라운은 비교적 고난을 겪거나 육체적 폭력에 노출되지 않지만, 노예제도에 대해 "영원한 증오를 맹세한다"(V)고 선언한다. 브라운의 이 같은 불만은 아내와 아이들이 노스캐롤라이나North Carolina로 팔려가게 되어 강제 생이별을 하게 됐을 때 폭발한다. 브라운은 노예제도에 대해 더욱더 환멸을 느끼고, 이로부터 벗어나기 위해 도망을 결심한다.

브라운의 자유를 향한 여정은 앞서의 도망노예서사 작가들의 경우처럼 상상하기 힘들 정도로 힘든 여정이다. 브라운은 백인주인의 추적을 피하기 위해 리치먼드Richmond에서 나무박스에 숨어들어가 27시간 동안 사투를 벌인 끝에 필라델피아Philadelphia에 도착한다. 그의 이 같은 탈출은 후에 그의 이름을 '헨리 '박스' 브라운'이 되게 한다. 하지만 브라운의 탈출은 완전한 자유의 쟁취를 의미하지 않는다. 그는 매사추세츠에 정착하며 백인주인의 추적을 피하려 한 앞서의 도망노예서사 작가들과 달리, 노예제도에 저항하기 위해 북부도시들을 순회하며 반대연설을 한다. 물론, 브라운의 이 같은 저항이 지속적으로 유지된 것이 아니다. 브라운은 1850

년에 도망노예처벌법이 미국의회를 통과하자 더 이상 순회연설을 할 수 없게 된다. 따라서 그는 앞서의 도망노예서사 작가들처럼 새로운 도피처를 찾아 영국으로 건너간다. 그리고 그는 1849년에 가족의 자유를 사기 위해 몸값으로 지불할 돈을 벌려고 노예서사를 출판한다.

남부교회의 인종차별과 폭력에 대한 브라운의 비판은 이 노예서사의 초반부에서 강한 비판적 어조로 나타난다.

> 화려한 새로운 교회들이 백인들을 위해 지어졌다. 그리고 만약에 유색인들이 특별한 용무 없이 교회에 들어가면, 감시소로 끌려가서 39대의 태형을 받는다는 것이 그런 교회의 규범이 되었다. 검둥이들은 낡은 교회에 들어가기 위해 요구받은 금액을 지불했지만, 그들이 그것을(교회를) 완전히 소유하고 싶어 했을 때, 그들은 훨씬 더 많은 금액을 충당해야 했고, 그들이 그 금액을 지불한 후에 훨씬 더 많이 지불해야 했으며, 내가 거기 있을 때, 그들은 교회를 소유할 수 없었으며, 아마도 이후에도 소유할 수 없을 것이다. 하지만, 목사는 백인들을 위해 설교했던 목사 옆에서 그들을 위해 설교하도록 임명되었다.

> a splendid new church was built for the whites; and it was made a rule of that church, that if any coloured person entered it, without special business, he was liable to be taken to the watch-house and to receive 39 lashes! The negroes paid what was at first demanded of them for the old building, but when they wished to get it placed entirely in their hands, they were charged with a still further sum; and after they had paid that, they had still more to pay, and never, so long as I was there, got possession of the church, and probably never will. A minister was, however, appointed to preach for them beside the one that preached for the white people. (31)

남부교회에 대한 브라운의 이 같은 시각은 백인들과 백인 성직자들의 배타적 인종우월주의에 초점이 맞춰져 있다. 즉 브라운은 백인들과 백인 성직자들이 아프리카계 미국인들과 다른 유색인종들의 피부색이 그들의 경우와 다르다는 이유로 교회의 출입은 물론, 예배를 허용하지 않는다는 것을 폭로하며, 배타적 인종우월주의를 비판한다.

## III. 맺음말

남북전쟁 전 노예서사들은 아프리카와 카리브 지역으로부터 미국, 영국, 그리고 다른 유럽지역들로 팔려간 노예작가들과 전직 노예작가들의 자서전들이다. 노예서사들은 형식상 식자능력이 없는 작가들의 개인적 경험들을 기록한 대필서사들로부터 작가의 자아의식을 소설형식으로 직접 기록한 자필서사들로 발전하고, 내용상 기독교 단체의 후원에 힘입어 기독교적 가치관의 구현과 노예무역의 비인도주의적 폭력을 고발하는 서사로부터 정치성이 짙은 노예제도의 비판과 노예제도 폐지요구를 지향하는 서사로 발전한다. 또한, 이 발전과정에서 간과할 수 없는 사항은 여성작가들의 출현이며, 기존의 전통으로부터 벗어나려 했던 그들의 노력이다. 여성작가들은 노예서사를 풍요롭고 다양화하는 데에 기여한다. 그들은 남성작가들의 자서전적 형식을 어느 정도 따랐지만, 여성 특유의 성적 존재감과 경험들을 바탕으로 노예제도의 폭력을 비판하고, 이에 대한 개선을 촉구한다.

노예서사들은 노예제도하에서의 경험들과 느낌들을 환기시킬 때, 남부농장의 목가적 향수를 불러일으키며 노예제도를 옹호한 노예제도 지향적인 서사들과 달리, 노예제도에 대한 비판적 인식을 강조하고, 노예제도의 억압과 폭력을 비판한다. 즉 당시의 노예서사 작가들은 기억과 플래시백과 같은 문학적 기교들을 활용하는 동시대의 노예서사 작가들과 달리 직접 체험한 제도적 폭력사례들을 묘사하고, 이 같은 독단적 권력의 합법성을 거부한다. 이와 관련, 그들은 제도적 폭력을 기독교적 인본주의에 비춰 반인륜적 부당성을 알리거나 미국의 혁명이상에 비춰 정치적·사회적 모순을 고발한다. 남부농장을 배경으로 노예서사들이 밝힌 육체적 고통에 대한 이야기들은 다른 역사적 자료들과 창작품들에 의해 증명되어 오고 있다.

그럼에도, 노예서사들이 무엇보다 강조한 것은 제도적 폭력으로부터의 자유이다. 서사들 속에서 자유를 강조한 작가들은 어느 누구도 자유를 누려본 적이 없는 노예들로, 심한 억압과 공포에도 불구하고 자유를 추구한다. 브루스 주니어에 따르면, 자유는 노예폐지운동 내에서 아주 넓은 호소력을 가진 노예서사들의 목표이다. 즉 그것은 "노예폐지론자의 이상들을 노예문화에 깊이 뿌리내린 자유의 관념들과 하나로 뭉치게 하면서, 노예서사의 저자들은 노예제도 그 자체 내에서 형성되었던 정치적 야심에 목소리를 냈다"(37). 노예서사 작가들에게 자유는 일반적으로 육체적·정신적 강요로부터의 자유를 의미한다.

# 제2부

# 첫 르네상스: 노예서사에 이은, 소설의 태동

## I. 머리말

아프리카계 미국문학이 '첫 르네상스'(Lee 103)를 맞이한 19세기는 아프리카계 미국인들의 기대를 저버린 미국정부의 정치적 행보와 이에 저항하는 목소리가 아프리카계 미국인들의 조직화된 목소리를 통해 표출된 시기이고, 문학도 이에 동참하며 새로운 형식으로 발전한 시기이다.

노예소유주와 자유주 사이에 이뤄진 1820-1821년의 미주리 협약 Missouri Compromise of 1820-1821은 노예제도와 노예제도의 미래에 대한 정치적 논쟁을 한동안 완화해주지만, 도덕적 논쟁의 종식시키지 못한다. 뿐만 아니라, 1820년대 중반에 출현한 앤드루 잭슨Andrew Jackson의 '잭슨적 민주주의'Jacksonian Democracy는 아프리카계 미국사회와 노예서사 작가들에게 노예제도와 인종불평등에 대한 저항의 목소리를 더욱 더 높이는 결과를 초래한다. 딕슨 브루스 주니어Dickson Bruce, Jr에 따르면, '잭슨적 민주주의'는 백인남성들이 정치적 주도권을 가진 일부 주들에서 상대적으로 아프리카계 미국인들의 공직진출을 막는 역할을 한다(34). 이 같은 정치적 환경 속에서, 1830년대를 맞은 아프리카계 미국인들은 보다 진보적인 반노예협회들을 잇달아 창립하며 노예제도의 폐지를 위한 목소리를 더욱 더 높인다.

1831년에 개리슨의 주도로 창립된 '뉴잉글랜드 반노예제 협회'New England Antislavery Society, 1833년 창립된 '미국 반노예제 협회'American Antislavery Society, 그리고 1835년 미국 반노예제 협회의 지원단체로 창립된 '매사추세츠 반노예제 협회'Massachusetts Antislavery는 반노예제도 운동의 변화를 이끈다(Sinanan 66-67). 물론, 남북전쟁을 30년 이상 앞둔 당시의 상황을 고려할 때, 반노예제도 운동의 이 같은 변화가 아무런 저항을 받지 않은 것은 아니다. '미국 반노예제도 협회'가 주장한 '모든 노예의 즉각적인 해방'은 '비폭력적 저항,' '정치적 투쟁이 아닌 도덕적 권고,' 그리고 미국 헌법의 노예제도 조항들에 대한 비판을 통해 구현하려 한 목표이지만, 체제를 위협하는 주장이란 비판을 받는다. 설상가상으로, 1830년대 후반에 들어서면서, 보수적인 종교적 이념을 추구하는 구성원들의 입장과 상충하는 사회적·성적 이슈들 때문에, 노예제도 폐지운동은 '미국과 해외 반노예제 협회'American and Foreign Antislavery Society와 같은 기구들로 분리된다. 노예제도 폐지운동의 이 같은 분열은 아프리카계 미국인들의 도덕적·종교적 현실을 제대로 인식하지 못한 '자유 토지 운동'Free Soil Movement과 '자유당'Liberty Party과 같은 많은 반노예제도 후원단체들의 입김과도 무관하지 않다. 물론, 이 같은 분열이 노예제도 폐지운동을 약화시킨 것을 의미하는 것은 아니다. 노예제도 폐지운동은 분열을 전화위복의 계기로 만들며, 다양한 정기간행물들, 신문들, 그리고 연감들을 출간하는 계기를 마련하고, 프레더릭 더글러스Frederick Douglass, 윌리엄 웰스 브라운William Wells Brown, 헨리 빕Henry Bibb과 같은 유명 노예작가들이 편집과 출간에 참여할 수 있게 하여 노예서사의 발전에 기여하도록 유도한다.

1830년대는 또한 노예제도 폐지를 주장한 아프리카계 여성지식인들이 등장한 시기이기도 하다. 그림케Grimke 자매인 앤젤리나Angelina와 사라 Sarah는 노예제도의 폐지를 주장한 대표적 여성지식인들이다. 앤젤리나는 1836년 『남부의 기독교도 여성들에게 호소』(*Appeal to the Christian Women of the South*)를 출간하고, 여기에서 많은 다른 노예폐지론 출판물들처럼 노예제도는 인간존재를 물건으로 전락시키기에 유죄라고 주장한다. 해리엇 비처 스토Harriet Beecher Stowe의 언니인 캐서린 비처Catherine Beecher는 1837년에 발표한 「미국 여성들의 임무와 관련 노예제도와 노예제도 폐지론에 대한 에세이」("An Essay on Slavery and Abolitionism, with Reference to the Duty of American Females")에서 가정적 테두리를 벗어나지 않는 법위 내에서 여성 독자들의 정치적 역할을 유도하고, 사라 그림케도 『성의 평등과 여성의 상황에 대한 서신들』(*Letters on the Equality of the Sexes, and the Condition of Women*)을 통해 언니와 같은 주장을 한다(Bertens & D'haen 83).

1830년대의 노예제도 폐지운동은 많은 아프리카계 저널의 창간과 함께 보다 조직화된 양상을 보인다. 일 년 단위로 개최된 아프리카계 미국인들의 민족회의는 아프리카계 신문을 창간하고, 1830년대부터 1840년대 초까지 뉴욕 소재 인권단체인 '유색 미국인'Colored American은 공공토론회를 개최하며 노예제도의 폐지와 아프리카계 미국인들의 지위향상을 위해 노력한다. 윌리엄 로이드 개리슨William Lloyd Garrison의 『자유인』(*The Liberator*)과 같은 북부지역의 신문들은 이 같은 노력을 가장 잘 보여준다. 이 지역의 신문들은 10년도 채 안 된 시점에서 십만 명의 회원의 수를 확보하고, 미국의 전역으로 노예제도의 부당성을 알리는 데에 기여한다.

1830년대에 이어, 1840년대는 정치적·문학적 논쟁의 시기이다. 개리슨의 '미국 반노예제 협회'의 연설전문요원으로 일하던 프레더릭 더글러스는 1944년에 개리슨과 결별을 선언한다. 더글러스가 개리슨과 결별한 이유는 개리슨이 백인들과 함께 창설한 이 협회에서 리더 역할을 원하는 더글러스의 역할을 제한하고, 동등한 구성원으로 대하지 않았기 때문이다 (Stauffer 203). 더글러스는 이처럼 개리슨과 결별하고, 1847년에 개리슨의 『자유인』을 비판하며 새로운 아프리카계 신문인 『북극성』(*The North Star*)을 창간한다. 『자유인』과 『북극성』은 모두 노예제도를 반대하고, 아프리카계 미국인의 지위향상을 위해 노력한 신문들이지만, 『자유인』의 경우 백인 편집인이 편집을 맡았다는 점에서 『북극성』과 차이를 보인다. 이에 대해, 『자유의 저널』, 『유색 미국인』, 그리고 『북극성』에 영향력을 가지고 있던 더글러스는 『자유인』을 겨냥하여 "흑인들은 자신들의 주장을 해야 하며 자신들의 문학적·편집적 능력을 보여줘야 한다"(Levine 121 재인용)고 지적한다.

더글러스와 개리슨의 이 같은 정치적 갈등 못지않게 더글러스와 마틴 딜레이니Martin Delany의 문학적 논쟁 역시 주목해야 할 당시의 사건이다. 더글러스와 딜레이니는 1840년대 후반부터 50년대까지 아프리카계 미국문학에 대해 토론을 주도한 사람들이다. 더글러스는 아프리카계 미국문학의 범위와 목적을 아프리카계 미국인들의 지위향상과 노예제도의 폐지에 한정시키려 한 반면, 딜레이니는 이 같은 범위와 목적을 미국 영토 밖의 남아메리카들과 아프리카까지 확대한다. 뿐만 아니라, 해리엇 비처 스토에 대한 두 사람의 논쟁은 아프리카계 미국문학의 민족주의를 이해하기 위해 간과할 수 없는 사건이다. 더글러스는 1853년 로체스터Rochester에서 개최된 전국흑인대회에서 스토의 소설에 대해 아프리카계 미국인의 의식을 고양시켜주는 데에 기여한 소설(Levine 126)이라고 평가한다. 반면, 딜레이니는 1854년 클리블랜드Cleveland에서 개최된 '전국 유색인들의 해외이민' National Emigration of Colored People에서 지지자들과 함께 스토와 관계된 아프리카계 미국문학에 대하여 "백인 권력이 행하고 있는 일들에 대해 의도적으로 눈을 가리고 있다"(Levine 127)고 주장한다. 물론, 스토의 소설에 대한 더글러스의 이 같은 평가만을 가지고 그의 문학적 또는 정치적 입장을 총체적으로 판단하는 것은 옳지 않다. 더글러스는 예술분야 전역에서 미국의 아이콘이고, "대표적 인물"(Stauffer 201)로 불린다. 스토에 대한 찬양에도 불구하고, 그는 1841년 크리올Creole에서의 아프리카계 미국인들의 반란을 찬양하고, 1857년 발표한 「해방의 의의」("The Significance of Emancipation")에서 서인도제도의 해방과 남미 흑인들의 연대를 주장한다.

아프리카계 미국사회의 이 같은 정치적·문학적 목소리와 함께, 아프리카계 미국문학은 아프리카계 신문의 창간과 함께 더욱더 탄력을 받는다. 1815년에 보스턴Boston에서 창간된『북미리뷰』(North American Review)가 아프리카계 미국문학의 변화에 도화선 역할을 하고, 이어 뉴욕 주가 노예폐지법을 통과시킨 1827년에 창간된 윌리엄 휘퍼William Whipper와 존 러스웜John Russwurm의 첫 아프리카계 미국신문 『자유의 저널』(Freedom's Journal)이 아프리카계 미국문학의 본격적인 변화를 유도한다.『자유의 저널』은 문학적·정치적 공개토론회를 통해 그동안 무시됐던 아프리카계 미국작가들을 소개하는 등 아프리카계 미국인들과 문학의 위상을 끌어올리는 데에 일대 전환기를 마련한다(Levine 120). 그리고『자유의 저널』의 이 같은 역할은 아프리카계 미국작가들에게 남북전쟁 전후에 창간된 다른 아프리카계 미국신문들의 문학적·민족적 기여도를 인식하도록 유도하고, 미래에 대한 낙관적 전망과 함께 신문들과의 관계를 활발하게 이어가도록 한다.

아프리카계 신문의 이 같은 역할로 인해 낙관적 비전을 갖게 된 아프리카계 미국문학은 백인사회의 인정을 받으면 더 좋은 기회를 얻을 수 있다는 믿음과 함께 민족적 위상을 향상시키기 위해 아프리카계 미국인들의 단결을 촉구하고, 노예제도에 반대하는 입장을 표명한다. 특히, 아프리카계 편집인들과 작가들 중 일부는 각각의 민족 또는 인종마다 고유한 재능을 소유하고 있다고 주장한 18세기 민족문학의 이념에 깊이 매료되고, 『자유의 저널』의 편집인들은 아프리카계 미국인의 문학적 표현이 미국, 영국, 유럽, 그리고 아프리카, 그 어디에서든 아프리카계 미국인들의 문학적·문화적 전통을 가장 잘 이해시킬 수 있는 수단이라고 믿는다(Levine 121).

아프리카계 미국작가들은 내트 터너Nat Turner의 1831년 반란과 도망노예처벌법The Fugitive Slave Law의 의회 통과와 함께 노예자본주의에 비판적 초점을 맞추기 시작하고, 이를 1860년대의 남북전쟁시기까지 이어간다. 그들은 대부분 강연과 서사를 통해 노예제도의 잔인한 현실에 맞서 싸운 노예폐지론자들로(Bruce Jr. 28), 북부의 현대화를 경험하고 있는 백인부르주아들과 프로테스탄트 지도자들을 비판한다(Gauld 24).

아프리카계 미국문학은 '첫 르네상스'로 일컬어지는 1850년대에 들어서면서 프레더릭 더글러스와 해리엇 제이콥스Harriet Jacobs가 자서전적 노예서사의 출간과 함께 노예제도의 폐지를 주장하기 위해 더욱더 강한 정치적 목소리를 낸다. 뿐만 아니라, 이 시기는 '첫 르네상스'란 명칭에 걸맞게 소설형식의 노예서사들이 등장한 시기이다. 윌리엄 웰스 브라운, 마틴 딜레이니, 그리고 해리엇 윌슨Harriet Wilson은 자서전적 형식에 바탕을 둔 일인칭 노예서사의 전통에서 벗어나 소설형식을 갖춘 삼인칭 객관적 시점의 노예서사들을 각각 출간함으로써 아프리카계 미국문학의 형식적 전환기를 연다. 이와 관련, 본 장은 첫 문예부흥 운동 전후의 아프리카계 미국문학에 대해 논의한다.

## II. 노예서사와 정치적 투쟁

아프리카계 신문들의 창간과 함께, 상당수의 주목할 만한 노예서사들도 이 시기에 등장한다. 그 중에서 1845년에 출간된 더글러스의 『미국의 노예, 프레더릭 더글러스의 서사』(*Narrative of the Life of Frederick Douglass, an American Slave*)는 미국의 북동부지역과 유럽에서 대중적 인기를 얻는다. 그리고 더글러스의 노예서사는 헨리 루이스 게이츠Henry Louis Gates Jr이 "프레더릭 더글러스는 노예로서 그의 경험에 대한 '사실들'의 질서화와 서사화를 통해 폭넓은 자유를 얻었다"(115)라고 평가 할 만큼 노예생활의 진실을 밝힌 노예서사이며, 이를 통한 작가적 자유를 보여준 노예서사이다.

미국 반노예제도 협회의 후원으로 출판된, 더글러스의 첫 노예서사는 자필이지만, 1770년대의 대필 노예서사들처럼 작가의 주체성과 내용의 신뢰성을 증명하는 편집자의 서문을 포함하고 있다. 하지만 대필 노예서사들의 서문필자들이 백인이었던 것과 달리, 그의 서문필자들은 모두 아프리카계 노예제도폐지론자들인 개리슨과 웬들 필립스Wendell Phillips이다.

더글러스의 서사는 앞서의 노예서사들처럼 출생일과 부모를 명확하게 밝히지 않고, 노예제도의 비인간성과 노예주인들의 잔혹행위를 폭로하며, 결말부분은 자유를 얻는 것으로 끝맺음한다.

더글러스는 이 노예서사의 서두에서 그의 출생일을 1817년 또는 1818년의 어느 때라고 밝힌다. 출생일에 대한 그의 불확실한 정보는 많은 노예들처럼, 그 역시 짐승이나 다름없는 취급을 받는 노예 신분하에서 정확한 출생일을 알 수 없다는 점을 보여준다. 더글러스는 부모에 대한 소개에서도 노예의 이 같은 처지를 밝힌다. 그는 어머니 해리엇 베일리Harriet Bailey에 대해 출생 직후 헤어졌다고 밝히는데, 이는 짐승처럼 팔려가야 하는 노예의 운명을 환기시킨다. 그리고 아버지에 대한 소개에서, "나의 아버지는 백인이다"(2)라고만 밝히는데, 이는 아프리카계 여성노예에 대한 백인주인의 성폭력을 환기시킨다. 즉 더글러스의 추정에 따르면, 그의 아버지는 하우스 농장Great House Farm을 경영하며, 수백 명의 노예를 소유한 에드워드 로이드 대령Colonel Edward Lloyd의 백인직원인 캡틴 앤서니Captain Anthony이다.

더글러스는 로이드 농장에서 겪은 노예의 잔혹한 삶에 대해 소개한다. 이 농장의 노예들은 과중한 노동에 시달리며, 음식과 옷을 거의 받지 못하고, 잠을 잘 침대도 없다. 규칙을 어기거나 지키지 않은 노예는 시비어 씨Mr. Severe와 오스틴 고어 씨Mr. Austin Gore란 잔인한 감독들에 의해 매질을 당하거나, 이따금 사살된다. 더글러스는 어린 나이이기 때문에 집에서 일했으며, 아직 다른 노예들만큼 힘들지 않다.

더글러스의 이 같은 삶은 7세 때에 볼티모어Baltimore에 살고 있는 캡틴 앤서니의 아들, 휴 올드Hugh Auld에게 보내졌을 때도 마찬가지이다. 휴의 아내인 소피아Sophia는 노예를 소유한 적이 없기 때문에 더글러스에게 글을 가르쳐주며 놀랍도록 친절하다. 하지만 노예에 대한 백인주인의 친절은 한시적이란 것을 말해주듯, 그녀는 노예에 대한 새로운 인식과 함께 태도를 바꾼다. 즉 소피아는 남편으로부터 "교육은 노예들을 관리할 수 없도록 만든다"(33)라는 충고를 들은 뒤에 더글러스에게 더 이상 친절을 베풀지 않고, 글도 가르쳐주지 않으며, 휴와 함께 더글러스를 더욱 더 잔인하게 대한다. 하지만 소피아의 태도돌변은 더글러스에게도 변화를 계기를 마련해준다. 더글러스는 볼티모어를 사랑하기 때문에 주인의 억압을 견디며, 현지 소년들의 도움으로 글 읽기를 계속하고, 이를 통해 노예제도의 악행들, 노예제도 폐지론자들, 그리고 반노예제도 운동의 존재를 알게 된다.

더글러스의 다음 주인은 법적으로 앤서니의 아들인 토머스 올드

Thomas Auld이다. 더글러스는 앤서니의 사망 이후에 종교적으로 위선적이고 야비한 올드에게 보내진다. 하지만 올드는 더글러스를 복종시킬 수 없다고 판단하고, 노예들을 가장 혹독하게 다루는 것으로 악명이 높은 에드워드 코비Edward Covey에게로 보낸다. 코비는 초기 6개월 동안 더글러스의 기를 꺾기 위해 갖은 노력을 기울인다. 더글러스는 이로 인해 독서와 자유에 대한 관심도 가질 수 없게 되고, 잔인한 폭력을 견디며 더욱더 독한 사람으로 변화된다.

더글러스의 이 같은 삶이 전환점을 맞이한 시점은 코비와 결투를 벌인 때이다. 열 번째 장에서 더글러스의 신청으로 시작된 이 결투에서 두 사람은 두 시간 동안 혈투를 벌였고, 결투에서 패배한 코비는 이후 더글러스를 더 이상 건드리지 못한다. 더글러스는 2년 동안 코비의 노예로 머문 다음, 또 다시 윌리엄 프리랜드William Freeland에게로 임대된다. 새 주인인 프리랜드는 코비보다 상대적으로 온화하고, 정의로운 사람이다. 더글러스는 이 같은 프리랜드의 노예로 살면서 자유 흑인의 집에서 안식일 학교를 열어 동료 노예들과 이웃 농장의 흑인노예들을 가르치고, 프리랜드의 노예들 중 그와 가까운 3명의 노예들과 함께 도망칠 계획을 세운다. 하지만 누군가가 프리랜드에게 밀고하여 탈출계획은 수포로 돌아가고, 더글러스와 동료들은 감옥으로 끌려간다. 이 일이 있은 후에, 올드는 더글러스를 다시 볼티모어의 휴 올드에게로 보내고, 조선소에서 배를 코킹하는 일을 배우게 한다.

볼티모어에 머무는 동안, 더글러스는 첨예화된 인종편견에 저항한다. 백인 노동자들은 점점 많아지는 자유 아프리카계 미국인들이 그들의 일자리를 차지할까봐 두려워서 아프리카계 노동자들에게 폭력을 행사한다. 더글러스는 견습공이고 노예지만, 백인 노동자들의 폭력에 맞서 저항한 이유로 인해 다른 조선소로 보내진다. 그럼에도, 더글러스는 견습공 시절에 코킹하는 일을 재빨리 배우고, 곧 가장 높은 임금을 받아서 휴 올드에게 보내주는 일을 멈추지 않는다. 휴 올드는 더글러스의 이 같은 정성에 대한 대가로 그에게 여가시간에 다른 일을 할 수 있도록 허락한다. 더글러스는 이를 활용하여 탈출자금을 차근차근 모을 수 있게 되고, 마침내 탈출하여 뉴욕으로 간다. 더글러스는 탈출을 시도할지도 모르는 미래의 노예들의 안전을 위해 탈출에 대한 상세한 사항들을 밝히지 않고, 자신의 안전을 위해 이름을 프레드릭 오거스터스 워싱턴 베일리Frederick Augustus Washington Baily에서 '프레더릭 더글러스'로 개명한다. 후에 곧, 그는 볼티모어에 있을 당시 만났던 자유 여성인 애나 머리Anna Murray와 결혼한다. 그들은 북부에서 매사추세츠로 이주하고, 더글러스는 여기서 작가와 연설가로서 노예제도폐지운동에 깊이 관여한다.

1885년에 출간된 더글러스의 두 번째 노예서사『나의 질곡과 나의 자유』(My Bondage and My Freedom)는 1881년, 1892년 각각 한 번씩 총 두 번에 걸쳐『더글러스의 생애와 시간들』(Life and Times of Frederick Douglass)이란 제목으로 재출간될 정도로 성공작이다. 더글러스는 이 노예서사에서 첫 노예서사의 주요 부분들을 수정하고, 미국·영국·아일랜드·스코틀랜드·웨일즈에서 순회강사로 살아온 경험들을 이야기 속에 추가한다. 이와 함께, 더글러스는 첫 노예서사의 서문을 윌리엄 로이드 개리슨과 웬들 필립스에게 의뢰한 것과 달리, 이 노예서사의 서문을 아프리카계 노예제도폐지론자인 닥터 제임스 스미스Dr. James Smith에게 의뢰했다. 부록의 경우도 첫 노예서사의 부록은 종교관에 대한 설명을 담고 있는 데 반해, 두 번째 노예서사의 부록은 이전의 주인인 토머스 올드에게 보내는 편지와 노예폐지강의들의 다양한 발췌문들을 담고 있다. 두 번째 노예서사의 서문들과 부록들은 더글러스가 중요한 역할을 수행한 많은 역사적 운동들을 독자들에게 구체적으로 소개하는 역할을 한다.

구조와 관련, 전반부의 1-5장은 더글러스가 7세 때 할머니의 손에 이끌려 백인 농장에 넘겨진 일, 그리고 농장의 노예로서 겪은 고초를 소개하고, 10장은 그가 휴 올드에게 넘겨진 일을 소개한다. 중반부의 13-20장은 휴 올드의 형인 토머스에게 넘겨졌다가 다시 토머스에 의해 잔혹한 농장 주인인 에드워드 코비에게 넘겨진 일을 소개한다. 그리고 후반부의 22-25장은 애나 머리와의 결혼 그리고 프레더릭 더글러스로의 개명, '미국 반노예제 협회' 가입, 협회와의 결별, 영국·아일랜드·웨일즈 여행, 여행 중 사귄 친구들의 도움으로 자유를 얻은 일, 그리고 미국에 돌아와 신문사를 만들겠다는 계획을 소개한다.

이 노예서사는 첫 노예서사처럼 더글러스의 출생지를 메릴랜드의 투카호Tuckahoe라고 소개하는 것으로 시작한다. 하지만 이 노예서사는 이전의 노예서사와 달리 많은 새로운 사항들을 세세하게 묘사하고 있다. 첫 장에서, 더글러스는 그의 할머니 베시 베일리Betsey Bailey에 대해 "할머니는 네게 온 세상이었다. 그리고 할머니와 헤어진 것에 대한 생각은 아주 오랫동안 참을 수 없었다"(30)고 회상한다. 더글러스가 할머니와 헤어지게 된 사연은 할머니가 그를 에드워드 로이드 대령의 농장으로 보냈기 때문이다. 더글러스는 이로 인해 형들과 누나들을 제외하고 아무 가족도 없이 남겨진다. 더글러스는 이에 대하여 "노예제도는 우리를 낯선 사람들로 만들었다"(48)고 묘사한다.

더글러스는 이 노예서사에서 아버지가 누군지에 대한 추측성 정보를 제공한다. 즉 그는 "이따금 나의 주인이 나의 아버지라고 수군거렸다"(51)고 밝히고, 하지만 이 소문의 정확성을 확인할 수 없다고 밝히며, "노예제도는 가족을 앗아간 것처럼 아버지들을 앗아갔다"(51-52)고 말한다. 한편, 이 노예서사에서 농장에서의 초기 생활을 묘사할 때, 더글러스는 첫 노예서사에서 어머니의 죽음, 감독들의 잔인함, 그리고 에스터 아주머니Aunt

Esther와 베시에 대한 매질 등을 다섯 개 장들에 할애하여 묘사한 것과 달리, 이 노예서사에서 아홉 개의 장들에 할애하여 묘사한다.

10장에서, 더글러스는 볼티모어에서 만난 휴 올드와의 삶을 묘사한다. 휴 올드는 토머스 올드의 형으로, 선박목공이다. 더글러스는 이때의 삶에 대해 "나는 농장에서 돼지 취급을 받았고, 지금 어린애 취급을 받는다"(141)고 밝히고, 그럼에도, 거리에서 만나는 "적의적인 소년 패거리들"이 "집의 농장"으로 돌아가고 싶게 만들었다"(142)고 밝힌다. 첫 노예서사에서처럼, 더글러스는 이 노예서사에서도 휴가 더글러스에게 글을 가르치는 아내에게 "노예는 주인의 의지만 알아야 한다"(146)고 말하고, 식자능력은 "노예의 임무들을 수행하는 데에 영원히 그를 적합하게 만들지 못한다"(146)고 말했다고 밝힌다. 하지만 더글러스는 휴에 대해 적대감을 드러내기보다, "읽는 것을 배울 때 나는 나의 상냥한 여주인의 친절한 도움에 신세를 진만큼이나 주인의 반대에 많은 신세를 졌다"(147)고 밝힘으로써, 휴가 오히려 그에게 식자능력의 중요성을 확신시켜준 것이라고 평가한다. 뿐만 아니라, 더글러스는 이 노예서사에서도 식자능력의 중요성을 강조하기 위해 볼티모어의 거리에서 굶주린 백인 아이들에게 빵을 주고 읽기교습을 받은 일에 대해 "나의 굶주린 동료들 중 일부는 단 한 개의 비스킷을 위해 내게 빵보다 더 중요한 일기교습을 시켜줬다"(155)고 밝힌다.

이 노예서사의 13장부터 20장까지에서, 더글러스는 노예제도로부터 도망을 친 기간인 1833년부터 1838년까지 직면한 일련의 재정착과 도전 과제들에 대하여 다시 이야기한다. 더글러스는 "한 가지 일이 끝나면, 또 다른 일이 다시 찾아온다"(179)고 회상하고, "노예의 생활은 불확실성으로 가득 찼다"(179)고 토로한다. 이와 관련, 더글러스는 첫 노예서사에서처럼 휴 선장의 죽음과 함께 휴 올드에 의해 메릴랜드의 동부에 위치한 토머스 올드의 농장으로 보내진 일(186), 토머스가 자신을 복종시킬 수 없다는 것을 알고 잔인한 에드워드 코비에게 보낸 일 등을 밝힌다.

한편, 더글러스는 이 노예서사에서도 코비의 잔인함과 코비와의 결투를 밝힌다. 1834년 1월 1일에 더글러스는 "야생적인 젊은 노동동물처럼, 쓰디쓴 오랜 삶의 질곡의 멍에에 구속될 것이라는"(207) 두려움을 느끼며, 코비의 농장을 향해 출발한다. 코비의 농장에서 그의 첫 임무들 중 하나는 한 쌍의 사나운 황소들을 길들이는 것으로, 거의 불가능한 일이다. 황소들은 도망쳐버렸고, 코비는 이를 미끼로 더글러스를 심하게 벌한다. 하지만 더글러스는 굴복하지 않으려 한다. 코비와의 이 같은 삶은 결국 결투로 이어졌고, 더글러스는 이에 대해 "나의 가슴 속에서 자유의 불씨를 재점화했고. . . 나의 남성성의 감각을 되살렸다"(246)고 회상한다.

더글러스는 첫 노예서사의 제10장에서 소개한 코비와의 결투를 이 자서전에서는 제17장에서 소개했다. 즉 그는 제17장 「마지막 채찍질」("The Last Flogging")에서 코비와의 결투장면을 소개하며 이전의 노예서사 작가들과 달리 끊임없이 자유를 모색하는 자아, 식자능력을 자유의 필수조건이라 믿으며 이를 발전시키는 자아, 그리고 주인에게 당당하게 맞서는 자아를 강조한다.

> 나의 저항은 완전히 예상 밖이었고, 코비는 완전히 당황하여, 온몸을 덜덜 떨었다. "너 불한당 같은 놈아 덤비겠다는 거야?"라고 그가 말했다. 이에 대해, 주먹이 날아갈 첫 도착점 또는 출발점을 맞추기 위해, 질문한 사람의 눈을 멈추지 않고 응시하며, 나는 공손하게 "예, 주인님"이라고 대답했다.

> My resistance was entirely unexpected, and Covey was taken all aback by it, for he trembled in every limb. "Are you going to resist, you scoundrel?" said he. To which, I returned a polite "Yes sir;" steadily

gazing my interrogator in the eye, to meet the first approach or dawning of the blow. (244)

이 싸움은 노예주인과 노예 간의 개인적인 싸움이지만, 보다 넓은 의미에서 노예제도에 항거한 아프리카계 미국인들을 저항의식을 상징적으로 보여준 싸움이다(Stauffer 212).

더글러스는 코비와의 결투에서 승리한 것에 대해 "나를 사실상 자유인으로 만들었다"(247)고 밝히며, 이 서사의 전환점으로 제시한다. 그리고 관대한 남부 신사인 프리랜드에게 보내져 탈출계획을 세우다가 발각되어 투옥된 일과 휴에게 되돌려 보내진 일, 볼티모어 조선소에서 백인 노동자들에 의해 폭력을 당한 일, 탈출을 위해 돈을 모은 일, 그리고 뉴욕으로의 탈출 등을 첫 노예서사에서처럼 밝힌다. 뉴욕으로 탈출한 뒤에 더글러스는 뉴욕의 거리를 보며 "볼티모어를 떠난 지 1주일도 채 되지 않아, 나는 서둘러 걷는 군중들 사이를 걷고 있었고, 브로드웨이의 눈부신 경외로운 것들을 응시하고 있었다"(336)고 밝히며, 자유와 새로운 삶의 기대를 보여준다.

더글러스는 결말부분을 네 개의 장들로 나누고, 자유인으로서의 삶에 대해 밝힌다. 22장에서, 첫 노예서사에서 밝힌 것처럼, 그는 안나 머레이와의 결혼, 매사추세츠의 뉴베드퍼드로의 이주, 개명에 대한 일, 윌리엄 로이드 개리슨과의 첫 만남(341, 343, 354) 등을 상세히 묘사한다. 23장에서는 '미국 반노예제도 협회'에 가입한 일과 첫 충격적 경험에 대해 "그의 배경에 대한 모든 의심을 없애기 위해 . . . 그리고 노예제도와 노예소유주들의 비밀들과 죄들을 폭로하기 위해"(406)라고 밝힌다. 24장에서는 노예소유주들이 가득 찬 배를 타고 대서양을 횡단한 일, 영국·아일랜드·스코틀랜드·웨일즈에서 순회강의연자로서의 업적, 그리고 1846년에 자유를 얻게 해주기 위해 돈을 모금한 외국의 많은 친구들에 대해 묘사한다. 25장은 보스턴에 있는 노예폐지를 주장하는 친구들로부터 약간의 예기치 못한 저항을 받았지만, 영국에 있는 친구들의 도움으로 미국으로 귀국한 뒤에 신문사를 시작하려한 계획을 밝힌다(392-93). 중립적 위치에서 신문을 제작하기로 결심한 더글러스는 1847년에 『북극성』의 인쇄를 시작하고, 1948년에 그의 가족을 뉴욕의 로체스터로 옮긴다. 더글러스는 이 서사를 "자유 유색인들의 도덕적, 사회적, 종교적, 그리고 지적 향상을 촉진하기 위해 . . . . 나의 전체 인종의 보편적이고 무조건적인 해방의 위대하고 최우선시 되는 일을 촉진하기 위해"(406)라고 밝히며, 수정된 강령과 함께 끝을 낸다.

　　더글러스는 이 서사에서 노예제도에 대한 폭로에 이어, 개개인의 천부적인 자유의 사랑과 자유를 성취하는 수단으로 식자능력의 중요성을 강조한다. 화자인 '나'는 19세기 초절주의자Transcendentalist들의 자아처럼 신성한 자주권을 소유한 자아이며, 범신론적 신을 포용하는 자아이다. '나'는 또한 자신감에 차있고, 저항적이며, 풍자적인 예술가이다(Stauffer 205). 다른 작중인물들은 '나'와의 병렬구조 속에 그의 자주권을 조명해준다. 특히 에드워드 코비는 악한들 중 악한이고, 헤스터 아주머니Aunt Hester는 주인의 성적 폭력으로 인해 고통 받는 여성으로, 존엄성·자기신뢰·통제력을 가진 화자와 대조되는 자아이다.

　　더글러스의 노예서사는 서문의 필자들 중 한 사람인 필립이 원고를 읽은 뒤 보인 반응을 고려할 때에 대단히 진보적이다. 필립스가 원고를 읽고 "만약 그가 더글러스라면, 그것을 불속에 던져버리겠다, 매사추세츠 주조차도 그를 보호할 수 없다"(Stauffer 204 재인용)고 말한 것은 『미국의 노예, 프레더릭 더글러스의 서사』가 당시에 얼마나 파격적이고, 진보적이었는지를 말해준다. 필립스의 언급대로, 더글러스는 결국 첫 서사가 출간되고 2개월 후에 생명의 위협을 느끼며 해외로 도피해야 하는 수난을 겪는다.

    1840년대와 1850년대의 노예서사들은 더글러스의 서사와 같이 전통적인 노예서사들의 보편적인 특징들을 공유하고 있다. 특히, 회상장면들, 초점, 그리고 스타일에서 이 같은 공통점들이 두드러지게 나타나는데, 매질, 살해, 노예가정의 파괴, 노예경매, 자유를 위한 숨 가쁜 투쟁을 회상하는 장면들, 고통스러운 지식의 습득, 정신적 부활의 모색, 언어의 권력과 한계, 그리고 공격에 노출된 공동체들 내부에서 진행 중인 개인적 주체성 형성, 그리고 솔직담백한 문체들이 그 대표적인 사례들이다(Lee 104). 당시의 노예서사들은 또한 작가의 지성을 증명해보이고, 민주주의의 원리에 호소하며, 기독교 독자들의 공감을 얻으려 했다. 그렇기 때문에 서사작가들은 성서, 독립선언서, 반노예제도를 주제로 한 시들, 그리고 다른 노예서사들을 그들의 서사 속에서 언급하는 패턴을 보인다(105).

    노예서사들의 이 같은 주장은 1850년대 경 미국의 노예제도가 전보다 느슨해진 것과 무관하지 않다. 당시의 노예제도는 지역, 주인, 노동의 형태에 따라 크게 두 가지 양상을 보인다. 노예소유지역들은 노예제도를 합법화한 반면, 북미·유럽·카리브의 대부분 지역들은 노예무역의 금지와 노예제도 폐지를 추진했다. 이런 와중에, 도망노예들은 미국 밖으로 이주하는 추세를 보이는데, 특히 도망노예처벌법의 발효 이후 이런 현상이 두드러지고, 서부로의 팽창은 노예들로 하여금 정든 고향을 떠나게 만든다.

    노예서사들은 1850년대에 미국과 영국에서 노예제도 폐지에 공감하는 독자들의 증가로 인해 상당부분 시장성을 확보한다. 당시의 노예서사들은 1840년대 후반 더글러스와 브라운의 순회연설, 그리고 1945년 출간된 더글러스의 서사와 1947년 출간된 브라운의 자서전 같은 역작들의 대중적 인기에 의해 자극을 받은 인쇄매체들을 통해 독자들에게 보다 쉽고 광범위하게 다가갈 수 있게 된다. 하지만 당시의 노예서사들은 자서전의 취약성과 함께 드러난 이념적 편견과 금전적 이해관계로 인해 노예제를 찬성하는 비평가들로부터 비판을 받으며, 신뢰에 손상을 끼치는 결과를 초래하기도 한다. 뿐만 아니라, 당시의 노예서사에 대한 대중적 취향과 의혹 역시 노예서사 작가들에게 대단히 큰 부담으로 작용한다. 1855년 출간된 두 번째 노예서사에서, 더글러스가 "전직 노예들은 그들의 이야기를 독자들의 기대에 맞추어야 하는 압박을 느꼈다"(Lee 105 재인용)고 말한 것은 당시에 노예서사 작가들의 독자적 부담을 잘 전달해준다고 말할 수 있다.

## III. 첫 문예부흥기와 소설의 등장

1850년대는 아프리카계 아메리카 문학이 '첫 문예부흥기'를 맞이한 시기이다. 당시의 가장 중요한 문학적 쾌거는 자서전적 노예서사 형식으로부터 벗어나고자 한 노력과 함께, 소설, 드라마, 그리고 시의 형식을 갖춘 노예서사들이 나타난 것이다. 제임스 와이트필드James Whitefield의 시집 『미국과 다른 나라들의 시들』(*America and other Poems*), 아프리카계 미국문학사에서 최초의 소설로 평가받는 『클로틀, 대통령의 딸』(*Clotel, the President's Daughter*), 가장 빼어난 소설로 평가 받는 마틴 딜레이니의 『블레이크, 또는 미국의 오두막들』(*Blake, the Huts of America*), 그리고 『블레이크, 또는 미국의 오두막들』과 같은 해에 출간된 해리엇 윌슨의 『우리의 니그로 또는, 북부, 백인 2층집에 살고 있는 어느 자유노예의 삶으로부터의 스케치들』(*Our Nig or, Sketches From the Life of a Free Black,*

*In a Two-Story White House, North*) 등이 모두 1850년대에 출간된 작품들이다(Reid-Pharr 140).

『클로틀, 대통령의 딸』의 저자인 윌리엄 웰스 브라운은 켄터키Kentucky에서 출생한 흑백혼혈 작가로, 주로 세인트루이스St. Louis 주변에서 하인과 들판의 노예로 살면서 노예제도를 직접 체험한다. 하지만 브라운은 두 번의 실패 끝에 노예생활로부터 탈출한 뒤에, 퀘이커 교도의 이름 따서 '웰스 브라운'으로 개명하고, 뉴욕에서 지하철도의 승무원으로 일한다.

브라운은 반노예제도 운동에도 적극 참여한다. 브라운은 1843년에 반노예제도 강연을 시작하고, 1847년에 더글러스의 노예서사만큼 대중적 관심을 불러일으킨 『도망노예 윌리엄 웰스 브라운의 자필 서사』(*Narrative of William W. Brown, a Fugitive Slave. Written by Himself*)를 발표한다.

브라운의 『클로틀, 대통령의 딸』은 1860년까지 제목을 세 차례 바꾸어 출판된다. 「윌리엄 웰스 브라운의 인생과 탈출에 대한 서사」("Narrative of the Life and Escape of William Wells Brown")의 간단한 이야기와 함께 시작하는 이 소설은 진실성과 신뢰성을 생명으로 한 일인칭 시점의 자서전적 노예서사와 달리, 당시에 확인되지 않은 유명 정치인 토머스 제퍼슨Thomas Jefferson의 가십을 소재로 한 소설이다. 이 소설에서, 브라운의 작중인물들인 쿠어러Currer는 제퍼슨의 아프리카계 노예이자 내연의 처인 샐리 허밍스Sally Hemmings이고, 클로틀Clotel과 알디사Althesa는 실명을 확인할 수 없는 제퍼슨의 혼혈 딸들이다. 소설은 쿠어러와 두 딸들의 경매 장면으로부터 시작하여 비극적인 생을 마감하는 과정을 묘사하고 있다. 둘째 장 「남부로 가며」("Going to the South")에서 쿠어러와 알디사는 잔인한 노예상인에게 팔려간 뒤, 다시 남부의 농장 주인들에게 다시 팔린다(5). 쿠어러는 이후에도 같은 과정을 반복해서 겪다가 구원자의 손길이 미치기 직전 비극적인 죽음을 맞이한다. 알디사는 백인 농장에 다시 팔린 뒤 농장

주인과 결혼하지만, 남편과 함께 때 이른 죽음으로 인해 두 딸들이 노예로 팔려간다(5). 클로틀의 운명도 알디사와 별 차이가 없다. 클로틀은 노예경매장에서 백인 구원자를 만나 딸 메리Marry를 낳고 행복한 결혼생활을 누린다. 하지만 이 같은 삶도 잠시일 뿐, 정치적 야망을 가진 남편이 유력한 정치인의 딸과 결혼하고(17), 클로틀은 딸과 함께 노예로 전락한 뒤 제퍼슨의 집무실인 백악관 근처의 강에 투신한다.

이 소설에서 브라운은 아프리카계 여성노예에 대한 백인남성의 무책임한 성적 폭력과 그 결과물인 흑백혼혈들의 질곡, 고통, 그리고 비극적 최후를 통해 비판하기 위해 유명 정치인인 제퍼슨에 대한 가십을 작중인물화, 사건화 그리고 플롯화 하고 있다. 브라운의 이 같은 시도는 유명인의 부도덕한 사생활을 들춰내어 도덕성에 손상을 입히고, 그녀 또는 그가 속한 사회로부터 매장시키려는 폭로의 글들을 접해온 현대 독자들에게도 낯선 일이 아니다. 하지만 백인 중심사회의 이념적·정치적 기초를 마련한 중심인물이자 존경받는 권력의 핵심인물에 대한 아프리카계 노예 출신 작가의 이 같은 시도는, 오늘날의 엄청난 잠재적 파괴력과 달리, 당시에 천박성, 음해성, 그리고 허구성의 논란에 휩싸여 방어되고 유야무야된다. 게다가, 이 소설은 당시의 아프리카계 미국인들로부터 인정을 받지 못하는데, 브라운이 주요 백인독자층에게 영합하기 위해 피부가 희고 금발인 작중인물들로 내세웠다는 것과 음유적 전통으로부터 차용한 아프리카계 작중인물의 우스꽝스러운 골계와 코믹 릴리프comic relief를 활용했다는 것이 주된 이유이다.

하지만, 『클로틀, 대통령의 딸』의 가십이 최근 10여 년 전에 이루어진 제퍼슨 후손들의 사실 확인에 의해 가십이 아닌 사실로 확인된 것은 브라운의 문학적 성과를 더욱더 재조명할 수 있는 계기를 마련해준 것이나 다름없다. 우선, 이 같은 사실의 확인은 『클로틀, 대통령의 딸』에 대한 학문적 또는 독자적 관심을 이끄는 데에 저해 요소들로 작용한 천박성, 음해성, 그리고 허구성에 대한 논란을 잠재운 것이며, 훗날 밝혀질 사실을 은유와 가십으로 포장하여 당시의 순진한 독자들을 논란으로 유도하고, 진실을 알고 있는 일부 독자들에게는 아프리카계 노예의 정보력에 대한 놀라움을 갖게 하며, 존경받는 인물의 위선에 쓴웃음을 짓게 한 브라운의 문학성을 환기시켜준 것이다. 한편, 브라운이 이 소설에서 백인주인과 아프리카계 노예여성의 성적관계와 혼혈자식에 대한 아버지의 거부를 인종차별의 증거로 처음 제시한 것은 그의 또 다른 문학적 쾌거라고 말할 수 있다.

브라운에 이어, 마틴 딜레이니는 가정의 붕괴를 작중 주제로 다룬 작가다. 웨스트버지니아West Virginia에서 아프리카계 노예 아버지와 자유 아프리카계 어머니 사이에서 출생한 딜레이니는 아프리카계 신문들, 즉『미스터리』(The Mystery)와『북극성』의 편집인으로 명성을 얻는다.

딜레이니의 환상적인 소설『블레이크, 또는 미국의 오두막들』은 1859년 1월부터 7월까지『앵글로 아프리칸 매거진』(Anglo-African Magazine)에 연재되고, 같은 해에 윌리엄 로이드 개리슨이 출판사를 소개해준 덕택에 출간된다. 하지만 총 26장들 중에 1장부터 23장과 28장부터 31장만 당시에 출간되고, 이후에 나머지 장들을 합친 완판이『주간 앵글로 아프리칸』(The Weekly Anglo-African)에 연재된다. 이와 관련, 딜레이니의 소설이 왜 이처럼 나뉘어 출간되었는지 이유를 알 수 없다.

저서전적 노예서사들과 달리, 삼인칭 화자의 목소리로 전개되는 이 소설은 음란하고, 믿을 수 없는 주인에 의해 찢어진 가족을 다시 뭉치게 한다는 이야기다. 블레이크Blake는 아내와 아이를 찾기 위해 노예제도가 시행중인 남부, 아프리카, 인디안 지역, 그리고 최종적으로 쿠바 전역을 헤맨다. 이 과정에서, 작가가 가족의 재회 이외에 블레이크에게 부여한 또 다른 주제적 임무는 여행을 통해 미국 밖의 흑인들의 모습을 보다 넓은 의미에서 포착하고, 다른 많은 민족들을 아프리카계 미국인들과 전체적으로 교감할 수 있도록 하는 것이다.

『앵글로 아프리칸 매거진』에 연재된 이 소설의 배경은 도망노예처벌법의 의회통과 직후 남북전쟁 전의 미시시피Mississippi이다. 이 소설에서 프랭크스 부인Mrs. Franks은 동생처럼 생각할 정도로 믿음직한 노예인 매기Maggie를 사촌인 발라드 부인Mrs. Ballad에게 팔아야 하는 처지이다. 즉 프랭크스 대령이 매기를 발라드 부인에게 팔아야 한다고 단호하게 말했을 때에, 프랭크스 부인은 "당신도 제가 당신의 소중한 노예, 그녀의 남편인 헨리에게 집으로 돌아오면 그녀는 여기 있을 것이라고 약속한 것을 알고 계시잖아요. . . . 그는 귀가 전에 그녀가 쿠바로 보내질까봐 약간 불안해했어요, 그래서 그녀는 꼭 여기 있을 거라고, 제가 확신시켰어요"(8)라고 말한다. 프랭크스 부인의 이 같은 반응은 노예와의 약속을 깨서는 안 된다는 주인으로서의 양심을 강조한다. 하지만 프랭크스Mr. Franks 대령은 삼인칭 화자가 "분명 흥분했을 것이다"(8)라고 증언하듯이 아내의 제안을 묵살하고, 매기를 발라드 부인에게로 팔아버림으로써 주인과 노예의 신뢰를 파기한다.

발라드 부인은 매기를 사들인 뒤에 그녀를 쿠바의 아바나로 데려간다. 남부로 팔려온 서인도제도 출신 노예인 헨리 홀랜드Henry Holland(본명은 Henrico Blacus)는 이 사실을 모른 채 귀가한 다음에 아내가 쿠바로 떠난 것을 알게 되자, 실망과 함께 주인의 약속파기와 배신에 대해 분노하고, 저항적 태도를 취한다. 마마 주디Mamma Judy에게 "저는 한 때에 종교에 대한 믿음이 있었지만, 지금은 믿지 않아요. 저의 신앙은 스티븐 프랭크스와 같은 그런 위선적인 기독교도의 냉혹한 심장에 부딪쳐 좌초되었어요"(18)라고 토로하듯이, 헨리는 프랭크스 대령의 배신을 기독교적 도덕성의 파기로 해석하며, 이에 대해 분노할 뿐 아니라, 저항적 의지를 드러낸다. 즉 헨리는 프랭크스 부부가 외출하고자 할 때에, 프랭크스 대령에게 지난날엔 아내를 자신의 옆자리에 태우고 말을 몰았던 사실을 환기시키며, 지금은 아내가 없어서 마차를 몰수 없다고 단호하게 밝힌다(19).

프랭크스 씨는 헨리의 이 같은 태도를 못 마땅하게 생각하고, 그마저 팔아버리기를 결정한다. 노예들에 대해 동정적 태도를 보이는 프랭크스 부인은 헨리가 쿠바에서 아내를 만날 수 있도록 돕기 위해 쿠바로 떠나는 반 윈터스 부인Mrs. Van Winters에게 팔려가도록 할 계획을 세운다. 하지만 프랭크스 씨가 이 계획을 사전에 알아채고, 헨리를 잔혹한 노예주인인 리처드 크로Richard Crow에게 팔아버리려 한다. 헨리는 이를 알아채고 도망치기로 결심한다.

헨리는 노예오두막에 살고 있는 마마 주디, 대디 조Daddy Joe, 그리고 그들의 친구들의 도움을 받아 탈출한다. 노예오두막의 사람들은 프랭크스가 헨리에게 또 다른 기회를 주기 위해 팔려 한다고 말한 것을 믿는 척하고, 프랭크스를 칭송하여 안심시킨다. 헨리는 이 틈을 이용하여 어린 아들을 캐나다로 보내고, 출발 전에 친구들에게 대규모 노예반란이 일어날 것이며, 모든 주에서 조직화된 움직임이 있을 것이라고 말해준다. 헨리는 반란의 토대를 마련하기 위해 2년 동안 헌신적인 노력을 기울인다. 그리고 그의 탈출 후에 농장의 노예들도 도망을 치고, 백인주인들은 대규모 움직임이 있을 듯하다고 인식한다. 이런 와중에, 암스테드 소령Major Armsted과 발라드 판사Judge Ballaed가 만나서 인종과 노예제도에 대해 대화를 나눈다. 이 대화에서, 북부인인 암스테드는 인종에 대해 더 까다로운 태도를 보인다. 후에, 두 사람은 프랭크스 씨와 캡틴 그레이슨Captain Grason을 만난다. 그리고 그레이슨의 농장에서, 그들은 한 노예소년이 우스꽝스러운 유머로 즐겁게 해주지 않는다는 이유로 그레이슨에 의해 채찍질을 당하는 장면을 목격한다. 발라드 씨는 노예소년이 피를 흘리는 이 장면을 더 이상 볼 수 없어서 그레이슨의 채찍을 붙잡고 말리지만, 노예소년은 끝내 숨을 거둔다.

헨리는 자신의 식자능력과 농장들의 연결망에 대한 노하우를 활용하여 반란세력을 규합하기 위한 계획을 널리 알린다. 그는 별 의심을 받지 않고 남부의 주들을 여행하고, 노예오두막의 사람들에게 반란에 동참하도록 설득한다. 이 과정에서, 그는 많은 지지를 얻었고, 다수의 사람들이 누군가가 그들을 조직적 힘으로 만들어주기를 기대한다고 확신한다.

헨리는 혁명적 인물이 되어 여러 주들을 여행하며 반란의 씨앗을 뿌리고, 반란의 싹을 키워낸다. 그는 심지어 아칸소Arkansas의 인디언들을 방문하여 공감을 이끌어내기도 한다(88). 뉴올리언스New Orleans에서는 약간의 하락세가 있었지만, 15명의 노예들이 그를 지도자로 모시기 위해 대기한다(103). 헨리는 처음으로 조직의 기초를 마련한다. 하지만 한 사람이 그날 밤에 소동을 일으키고, 그 후폭풍은 너무나 가혹하게 다가온다. 뉴올리언스는 이 사건을 계기로 노예들과 인디언들에 대한 감시와 규제를 강화한다.

헨리는 여행을 끝낸 후에 마미, 대디, 앤디, 그리고 찰스를 캐나다로 보내기 위해 돌아온다. 그는 그들에게 탈출에 필요한 여러 가지 사항들, 즉 북극성을 어떻게 찾는지, 이끼들이 나무의 북쪽 면에서 어떻게 성장하는지, 그리고 나침판을 어떻게 활용하는지에 대해 가르쳐준다(130). 여행 중에 그들은 두 명의 도망자들을 만나고, 백인처럼 보이는 남성을 주인인 것처럼 위장하여 미주리Missouri로 향하는 배를 탄다. 헨리는 이 배의 백인 선원에게 부유한 백인들을 위해서 일하지 말아야 한다고 설득한다. 하지만 헨리는 추적자에 의해 체포된다.

다음 2부에서, 헨리는 하인의 신분으로 쿠바에 간 다음, 매기를 발견하고, 몸값을 지불하고 자유를 얻는다. 여기에서 그는 쿠바의 시인이자 반역자인 플라시도Placido의 지원을 받는 혁명군의 지도자가 된다. 그들은 쿠바정부를 전복하여 미국과의 합병을 저지할 계획을 세운다.

딜레이니가 이 소설을 통해 강조하는 것은 백인주인에 대한 불신과 이에 대한 저항의지이다. 딜레이니는 다소 과장된 면도 없지 않지만 백인주인의 배신에 대해 물리적 저항을 강조한다. 따라서 딜레이니가 소설을 통해 보여준 이 같은 의지는 앞서의 소설들보다 훨씬 더 정치적이고 전복적이다.

1850년대 아프리카계 미국문학의 또 다른 쾌거는 해리엇 윌슨과 해리엇 제이콥스와 같은 전직 노예출신 여성작가들의 등장이다. 이들은 노예여성들과 남성들의 굴욕적인 경험들을 재현하여 잠재적으로 전직노예들의 취약성을 독자들에게 이해시키는 데에 기여한다. 전직 노예 출신 남성 작가들이 '검둥이'Sambo로서 노예남성의 여성화뿐 아니라 성욕이 지나치고 강렬한 남성들을 경쟁적으로 인물화 하는 반면, 전직 노예여성작가들은 들판에서 육체노동을 했기 때문에 중산층 독자들의 눈에 성적 특징이 반영되지 않는 여성들을 인물화 한다. 그럼에도, 그들은 지나치게 성적이란 대중들의 부정적 반응을 피하지 못한다(Santamarina 232-44). 그들이 이 같은 비판을 받은 까닭은 여성의 프라이버시와 상충하는 문화규범과의 갈등으로부터 자유롭지 못한 가운데에 서사들을 써야 했기 때문이다.

해리엇 윌슨은 브라운과 달리 아프리카계 미국남성과 백인여성의 혼음과 혼혈에 대한 백인가정의 편견을 비판한다. 1859년 출간된 『우리의 니그로 또는, 북부, 백인 2층집에 살고 있는 어느 자유노예의 삶으로부터의 스케치들』은 백인여성의 배반으로 인한 아프리카계 미국남성과 백인여성의 실패한 사랑 이야기이다. 자서전적 노예서사들과 달리 삼인칭 화자의 목소리로 전개되는 이 소설에서, 뉴잉글랜드의 소도시에서 살고 있는 자유 아프리카계 미국남성인 짐Jim은 백인여성 맥 스미스Mag Smith와 결혼하여 세 명의 아이를 낳고 행복한 결혼생활을 한다. 스미스가 아프리카계 미국남성과 결혼한 이유는 "부모의 보호도, 친척의 보호도 받지 못하고, . . . 홀로 경험도 없이 인생의 파고를 넘기 위해 작은 배를 운항해야 하기 때문이며"(6) 아무도 그녀를 좋아하지 않기 때문이다. 이런 그녀에게 짐의 도움과 구애는 생명수와 다름이 없다. "보물, 즉 백인아내를 가진 것에 대해 긍지를 가진"(7) 짐은 보다 안락한 거처, 식사, 그리고 옷을 마련해주기 위해 노력한다. 하지만 짐과의 결혼은 그녀를 인종적 희생자로 만들어 남편은 물론, 아이들까지 부정하게 만든다. 결혼 후에, 스미스는 병이 들고, 아프리카계 미국남성과 결혼했다는 이유로 백인사회로부터 멸시를 받는다. 스미스는 주위의 백인들로부터 이 같은 멸시를 받자 짐이 죽기를 바라고, 우연인지 모르지만 짐은 병이 들어 곧 죽는다. 짐이 죽고 난 다음, 스미스는 세스Seth란 백인남성과 결혼한다. 삼인칭 화자가 "그녀는 보다 순수한, 보다 좋은 마음을 원하지 않았다. . . 영원한 악명의 어둠속으로 들어갔다"(17)고 밝히듯이, 그녀는 양심을 버리고, 새로운 삶을 살고자 한다. 세스는 아이들이 아프리카계 미국인임에도 불구하고 어느 정도 좋아하지만, 맥은 친자식들임에도 불구하고 아프리카계 미국인이란 이유로 좋아하지 않는다.

세스와 맥은 새로운 삶을 시작하기 위해 이사를 가기로 결정한다. 맥은 아이들을 팔아버리기로 한다. 하지만 아무도 사려고 하는 사람들이 없게 되자, 한 아이는 벨먼트 씨Mr. Bellmont에게 넘기고, 이 아이에게 프라도Frado란 이름을 지어준다. 4살의 프라도는 아름다운 여자아이이다. 벨먼트 부인Mrs. Bellmont과 그녀의 딸 메리Mary는 그녀를 잔인하게 대하는 데에 반하여, 벨먼트 씨와 그의 아들들 제임스James와 잭Jack은 친절하게 대한다. 삼인칭 화자가 "벨먼트 씨, 제임스, 그리고 잭은 프라도의 교육을 찬성한 데에 반해 벨먼트 부인과 메리는 반대한다"(31)고 밝히듯이, 프라도에 대한 벨먼트 가족의 태도는 대조적이다. 여성가족과 대조되는 남성 가족들의 이 같은 호의적 태도는 제임스와 잭을 통해 보다 더 분명하게 나타난다. 제임스는 프라도가 구타를 당하지 않도록 보호해주고, 잭은 프라도를 행복하게 해주기 위해 애완견을 사준다. 하지만 프라도는 제임스가 결혼하고, 잭이 학교에 다니게 되어 집을 비우자 벨먼트 부인과 메리에 의해 학대를 받는다. 이 같은 폭력은 프라도의 아프리카적 본성이 벨먼트 가정으로 대표되는 미국가정으로부터 소외되고 있음을 반복적으로 말해주며, 폭력은 또한 제퍼슨처럼 존경받는 저명인사들에 대한 가십을 암시해준다(Reid-Pharr 145).

이런 와중에, 제임스가 병에 걸려 집으로 돌아온다. 프라도는 지팡이에 의존하여 걸어야 하고, 침대에만 누워있어야 하는 제임스의 처지에 대해 슬퍼한다. 그럼에도, 제임스는 프라도가 학대를 당하지 않게 하기 위해 최선을 다한다. 하지만 제임스는 점점 몸이 쇠약해지고, 곧 죽는다. 그리고 프라도도 너무나 많이 맞아서 병이 든다. 프라도가 의사의 권고에 의해 침대에 누워있게 되자, 벨먼트 부인은 다시 그녀를 집으로부터 쫓아버린다. 프라도의 이 같은 운명은 무어 부인Mrs. Moore을 만나면서 개선된다. 무어 부인은 프라도를 친절하게 대해주며 함께 살도록 허락한다. 그리고 프라도는 무어 부인과 살던 중에 아프리카계 남성과 결혼한다.

윌슨에 이어, 해리엇 제이콥스는 남북전쟁 직전인 1860년대의 대표적인 노예서사 작가이다. 제이콥스는 윌슨의 소설보다 2년 후인 1861년에 자서전적 노예서사 『어느 노예소녀의 인생사들』(*Incidents in the Life of a Slave Girl*)을 출간한다. 이 노예서사에 따르면, 제이콥스는 1813년에 노스캐롤라이나North Carolina에서 출생한다. 어머니 델릴라Delilah와 아버지 일라이자Elijah는 제이콥스가 어렸을 때 사망했기 때문에, 제이콥스와 남동생 존John은 외할머니 몰리 호니블로Molly Horniblow에 의해 양육된다. 제이콥스는 첫 여주인인 마가렛 호니블로Margarat Horniblow의 지도하에 읽기, 쓰기, 그리고 뜨개질을 배우고 그녀에 의해 자유로워지기를 희망한다. 하지만 여주인은 제이콥스가 7살 때에 사망하며, 제이콥스를 닥터 제임스 노컴Dr. James Norcom에게 보내도록 유언을 남긴다. 이 결정은 제이콥스에게 고통과 고난의 삶을 가져다 준 결정이다. 후에 제이콥스의 서사에서 닥터 플린트Dr. Flint로 묘사된 닥터 노컴은 10대인 제이콥스를 성적으로 학대하고, 육체적으로 학대한다. 제이콥스는 새뮤얼 트레드웰 소여Samuel Treadwell Sawyer란 저명한 백인변호사와 애정관계를 시작하고, 그에게 두 아이를 낳아주는 것으로 노컴의 성폭력을 차단한다. 소여와의 관계에서 낳은 두 아이들은 조지프Joseph와 루이자 마틸다Louisa Matilda로, 그들의 주인은 법적으로 노컴이다. 제이콥스는 노컴의 끈질긴 성적 위협을 두려워하면서, 그리고 그가 아이들의 소유권을 포기하기를 기원하면서 1835-1842년까지 할머니의 집에 있는 작은 고방 속에 숨어 지낸다. 이 7년의 기간 동안, 제이콥스는 좁은 공간에서 앉아 있는 것 외에 아무것도 할 수 없다. 그녀는 이 같은 상황 속에서 읽고, 바느질하고, 지붕의 틈으로 아이들을 살펴보며 북부로 도망칠 기회를 기다린다.

제이콥스는 1842년에 배를 이용하여 뉴욕으로 갈 수 있게 되고, 거기에서 아이들과 재회한다. 하지만 그녀는 뉴욕에서조차도 도망노예처벌법을 피할 수 없다. 이 법은 노망노예가 잡혔을 경우, 원주인에게도 되돌려 보내져 다시 노예가 되도록 규정하고 있다. 1852년경에, 그녀의 고용주 코넬리아 그린넬 윌리스Cornelia Grinnell Willis는 다행히도 노컴에게 몸값을 대신 지불해주고, 그녀를 자유의 몸이 되게 해준다.

제이콥스에게 자서전을 쓰기도록 권고한 사람은 퀘이커교도 노예폐지론자이자 페미니즘 행동주의자인 에이미 포스트Amy Post이다. 포스트와의 인연은 시작된다. 제이콥스는 1840년대 후반에 오빠와 노예제도폐지운동에 참가하기 위해 뉴욕의 로체스터로 이주했을 때에 포스트를 만나서 친분을 쌓고, 그녀에게 자신의 과거에 대해 진솔하게 들려준다. 이와 관련, 포스트는 제이콥스의 고통스러운 이야기를 세상에 알리기 위해 해리엇 비처 스토에게 대필을 요청하지만 거절당한 후에, 제이콥스에게 직접 쓰도록 권고한다. 이 같은 우여곡절 끝에, 제이콥스는 1861년에 또 다른 후원자인 노예제도폐지론자이자 편집인 리디아 마리아 차일드Lydia Maria Child의 도움을 받아 린다 블렌트Linda Blent란 필명으로 노예서사를 출간한다.

『어느 노예소녀의 인생사들』은 린다 브렌트Linda Brent라는 필명으로 출판된다. 즉 「저자의 서문」("Preface by the Author")에서 제이콥스는 이 작품의 제목을 붙이고, '린다 브렌트'란 서명을 통해 이 작품의 작가가 브렌트란 것과 이야기가 브렌트의 경험을 기술한 것이란 것을 분명히 밝힌다. 하지만 이 작품이 제이콥스의 작품이란 사실을 증명한 사람은 진 페이건 옐린Jean Fagan Yellin이다. 옐린은 1981년에 제이콥스가 당대 유명한 노예제 폐지 운동가였던 에이미 포스트Amy Post와 주고받은 서신들을 발견하여 이를 근거로 제이콥스가 실존인물임을 확인하고, '린다 브렌트'가 그녀임을 확인한다(Earnest 222).

이 소설에서 제이콥스는 아프리카계 여성노예인 린다 브렌트가 겪은 노예제도의 억압과 폭력을 통해 남부 백인노예주인들을 비판하는 가운데, 이 같은 제도적 폭력에 굴하지 않는 노예가족관계의 힘과 아프리카계 여성노예의 모성적 힘을 강조한다. 자유를 얻기 전까지의 생활경험을 상세하게 설명할 때, 제이콥스는 독자들에게 노예기간 중에 겪은 성폭력의 역사를 아주 사실적인 묘사를 통해 밝힌다. 몇몇 남성 노예서사 작가들이 백인남성에 의한 아프리카계 노예여성의 성적 희생을 묘사하지만, 어느 누구도 제이콥스처럼 직접적으로 이 주제를 말한 적은 없다. 그녀는 직접 겪은 성폭력을 문서화 했을 뿐 아니라, 백인주인의 폭력을 피하기 위해 성을 어떻게 활용했는지를 상세하게 설명한다. 이 같은 상세한 묘사로 인해 명예를 손상시킬 위험에 처하지만, 제이콥스는 억압 속에 있는 남부 어머니의 곤경에 대한 공감대를 이끌어내기 위해 북부의 여성적 리더십에 호소한다. 사실, 이 서사의 전반에서 제이콥스는 가족과 모성의 중요성을 강조한다. 그녀는 7년 동안 숨어 지내는 동안, 그리고 뉴욕과 보스턴에 머물렀던 기간 동안, 할머니와 아이들을 만날 수 없었던 고통을 상세하게 설명하고 있다. 옐린이 지적한 것처럼 제이콥스의 노예서사는 투쟁, 생존, 그리고 자유에 대한 이야기라는 점에 있어서 다른 노예서사들과 유사하다. 그럼에도, 그녀는 또한 남성 중심적 노예서사 장르를 재구성하여 모성과 섹슈얼리티의 문제들을 수용할 수 있도록 유도한다.

이 소설의 열 번째 장 「노예 소녀의 삶에 나타난 위험스러운 여정」("A Perilous Passage in the Slave Girl's Life")에서 솔직히 털어놓은 것처럼, 그녀는 오랫동안 닥터 플린트의 끈질긴 성적 유혹과 협박에 시달리지만(88), 샌즈Sands 씨와의 관계를 통해 이 같은 유혹과 협박을 지혜롭게 피한다. 그리고 그녀는 노예시절 두 명의 아이를 낳게 한 백인남성과의 성적관계에 대하여 자신의 여성적 존엄성에 집착하지 않고 비교적 솔직하게 털어놓으며, 젊은 노예여성의 이야기를 흥미롭게 전개한다. 하지만 노예여성들의 성적 욕구에 대하여 독자적 관심을 원하지 않는 다른 노예여성 작가들처럼, 그녀는 출산 이후 서사의 초점을 노예제도로부터의 구원으로 돌린다. 즉 그녀는 서사의 초점을 자신의 구원에 맞추는 대신, 아이들의 구원에 맞추고, 서사의 이야기를 위험에 처하지만, 궁극적으로 승리하는 모성의 이야기로 만든다(Santamariana 242).

> 나의 가엾은 아이들은 두 개의 불 사이에 끼여 있다. 나의 옛 주인과 새 주인! 그리고 나는 힘이 없다. 내가 호소할 법적 보호 장치가 없다. 샌즈

씨는 엘렌이 당분간 롱아일랜드의 브루클린으로 이주한 그의 일부 친척들에게 가야 한다고 제안했다.

my poor children were between two fires; between my old master and their new master! And I was powerless. There was no protecting arm of the law for me to invoke. Mr. sands proposed that Ellen should go, for the present, to some of his relatives, who had removed to Brooklyn, Long. Island. (206)

제이콥스는 이 장면이 말해주듯 노예제도의 제도적 폭력하에 놓인 아이들을 향한 모성의 절규와 이를 방어하려는 모성의 의지를 보여주고자 한다. 이에 대해, 시오마라 산타마리아나Xiomara Santamariana는 "제이콥스가 아이들의 출생에 나타난 인종적·성적 불법성을 노예 어머니의 모성을 통해 반전시키고, 어머니로서 제이콥스의 개인적 역사를 집단적인 노예폐지의 명분과 연계된 이타주의적이고 행동주의적인 문맥으로 확장시켰다" (242)고 평가한다.

결국, 윌슨과 제이콥스의 서사들은 여성의 자아와 경험을 통해 노예 제도의 부당한 폭력을 고발한 서사들이다. 제이콥스는 남부농장 주인들의 성적타락을 10대 시절의 경험에 비추어 "음탕함과 공포의 분위기에서 노예소녀가 양육되고 있다"(Bruce Jr. 24 재인용)고 밝힌다. 즉 제이콥스의 이 같은 증언은 노예주인들의 성적 폭력을 통해 노예제도의 폭력을 고발하려 한 여성작가들의 의도를 반영한 것이다. 하지만 노예제도에 대한 정치적 비판과 요구가 강조되었던 당시의 아프리카계 미국문학의 분위기에서, 아프리카계 미국인의 내면적 문제들, 그리고 백인주인들과 노예의 긴밀한 관계들을 놀랍도록 선명하게 다뤘음에도, 그들의 작품들은 초기 아프리카계 미국여성작가들의 작품들처럼 아프리카계 미국문학의 정전으로부터 여백으로 밀려나는 운명을 겪는다. 당시의 아프리카계 미국비평계가 여성작가들의 작품들을 이처럼 홀대한 주된 이유는 성적 경험을 작품화하여 독자들의 관능적 미각을 자극했다는 도덕적 이유 때문일 수도 있지만, 보다 더 정확하게 말해서, 남북전쟁 이후 더욱 더 강조된 민족적 프로젝트를 벗어나 가정적 주제와 작중인물들을 다뤘기 때문이다(Reid-Pharr 149).

## IV. 맺음말

노예제도에 대한 노예서사 작가들의 비판과 요구는 미국 내 반노예제협회와 같은 아프리카계 미국인 정치단체들의 출현, 프레더릭 더글러스와 같은 아프리카계 지성이자 지도자의 출현, 그리고 자서전형식을 탈피한 윌리엄 웰스 브라운과 같은 작가의 출현과 함께 1850년대 문예부흥기로 이어진다. 1850년대의 이 같은 변화는 더글러스와 윌리엄 로이드 개리슨의 토론에서와 같이 정치적으로 노예제도에 대한 저항적 투쟁을 폐지를 주장하는 투쟁으로 바꾸고, 문학적으로 더글러스와 마틴 딜레이니의 토론에서와 같이 기존의 작품들에 대한 비판과 아프리카계 미국문학이 지향할 방향을 제시하며, 브라운의 소설처럼 노예서사의 장르를 자서전형식으로부터 소설형식으로 발전시킬 수 있도록 이끈다. 그리고 당시의 이 같은 변화는 또한 아프리카계 미국인들과 정치적·문화적 위상이 더 이상 백인사회의 종적구조에 머무를 수 없다는 인식을 확산시켜 10년 이후 남북전쟁의 명분을 축적하게 하는 데에 기여했다고 말할 수 있다.

더글러스의 노예서사는 이전의 노예서사들에서 발견할 수 없는 아프리카계 노예의 저항의지를 행동을 보여준 노예서사이다. 더글러스는 이를 통해 백인주인의 폭력에 무방비로 노출된 아프리카계 노예들에게 저항의식을 일깨우고, 필요에 따라서 공격적인 투쟁도 불사할 것을 요구한다.

브라운의 『클로틀, 대통령의 딸』은 1850대의 문학사적 의미를 더욱 더 빛나게 해준 노예서사이다. 브라운은 이 소설에서 노예서사 작가들의 일인칭 자서전적 서술형식에서 벗어나, 소설의 서술형식으로 빈번히 사용되고 있는 삼인칭 객관적 서술형식을 활용한다. 뿐만 아니라, 더글러스가 주종관계에서 개인적으로 연관된 백인주인을 저항의 대상으로 삼은 것과 달리, 브라운은 미국의 역사상 가장 영향력 있는 공적 인물에 대한 가십을 작중인물화, 사건화, 그리고 플롯화 하여 저항의 대상으로 삼고 있다. 그럼에도, 브라운의 소설과 관련하여 꼭 짚고 넘어갈 사항은 가십의 허구성과 소설의 허구성에 내재된 공통점과 차이점이다. 우선, 브라운이 소설의 소재로 활용한 가십은 진실이 아니라는 점에서 소설의 허구성과 맥락을 같이한다. 하지만 소설의 허구성은 작가의 창조적 상상력의 결과인 반면, 가십의 허구성은 집단이 일상적 삶에서 공유하는 뜬소문에 불과하다. 즉 가십의 허구성과 소설의 허구성은 질적인 차이와 더불어 근원적으로 맥을 달리한다.

딜레이니는 『블레이크, 또는 미국의 오두막들』에서 더글러스보다 더 광범위한 대상을 상대로 저항을 촉구한다. 뿐만 아니라, 딜레이니는 브라운보다도 더 직접적이고, 공공연하게 노예제도를 고착화한 백인사회에 대해 파괴적인 공격을 촉구한다. 딜레이니의 이 같은 요구는 백인주인의 폭력으로부터 벗어나기 위한 시도라기보다 그 제도적 권력을 전복시키고자 한 시도란 점에서 앞서의 노예서사들보다 진보적이고, 파괴적이다. 따라서 딜레이니의 소설은 남북전쟁이 시작되기 훨씬 전에 출간됐다면, 출간이 금지되고, 작가는 사회의 질서를 파괴하고자 한 범죄자가 됐을지도 모른다.

딜레이니의 노예서사와 달리, 해리엇 윌슨의 『우리의 니그로 또는,

북부, 백인 2층집에 살고 있는 어느 자유노예의 삶으로부터의 스케치들』은 시각을 거국적인 공적 배경과 대상으로부터 아프리카계 미국인과 백인 부부의 가정으로 축소하여 인종편견으로 인해 초래된 가정파괴를 다룬 소설이다. 백인 어머니를 통해 인종적 편견과 모성의 상실을 그린 소설이다. 뿐만 아니라, 이 소설은 금기시 됐던 아프리카계 미국인과 백인의 결혼을 공공연화 했다는 점에서 앞서의 노예서사들과 차이를 보인다. 하지만 딜레이니는 가정파괴의 원인을 백인아내의 인종편견으로 제시함으로써 백인사회의 해묵은 인종편견을 비판한다. 즉 백인아내는 백인사회로부터 소외됐을 때에, 그녀를 돌봐준 아프리카계 미국남성과 결혼하지만, 백인사회의 멸시에 굴복하여 남편을 저주하고, 둘 사이의 자식들조차 거부함으로써, 부부의 인연조차도 인종적 편견을 해소하기 어렵다는 사실을 보여준다.

해리엇 윌슨에 이어, 가정을 배경으로 한 노예서사는 해리엇 제이콥스의 자서전적 노예서사 『어느 노예소녀의 인생사들』이다. 제이콥스는 이 노예서사에서 백인남성에 의한 아프리카계 노예여성의 성적 희생을 묘사함과 동시에, 여성의 모성애를 강조함으로써 여성작가 특유의 글쓰기를 보여준다. 즉 이 노예서사는 앞서의 노예서사들과 달리 인종적 편견과 폭력을 아프리카계 여성의 성적 위험에 비춰 공개하고, 이 같은 위험을 어머니의 강한 모성애를 통해 극복해 가는 과정을 추적한 아프리카계 여성작가의 노예서사이다.

제3부

# 재건시대와 후기재건시대의 아프리카계 미국문학

## I. 머리말

　　재건시대Construction Age와 후기재건시대Reconstruction Age[3])의 아프리
카계 미국문학은 민담을 통해 아프리카계 미국인들의 문화적 · 사회적 정
체성과 의식을 발굴하고, 복원하려 한다. 동시대적 관점에서, 민담은 인종
적 · 계급적 · 성적 차원과 상관없이 집단들이 가치 · 믿음 · 태도 · 감정 ·
전통 · 역사와 소통할 수 있게 하는 매체로 여겨진다. 댄 벤-아모스Dan
Ben-Amos는 민담을 "소집단 속에서의 예술적 소통," 로버트 배런Robert
Baron과 니콜라스 스피처Nicholas Spitzer는 "비공식적 배경 속에서 집단들이
개인적으로 친밀하게 공유하고, 집단들의 주체성을 상징화하기 위한 활동
들 중 가장 공개적인 활동"(Moody-Turner 200 재인용), 그리고 에드워드

---

3) 남북전쟁 이후, 남부의 주들을 미합중국으로 재통합한 1865-1877년 사이의 기간을 '재건시대'
　라고 칭하고, 1878년 이후부터 대략 20세기 전까지를 '후기재건시대'라 칭한다. '재건시대'는
　해방된 아프리카계 미국인들의 기대를 저버리고 슬픔과 절망을 갖게 한 시대이며, 미국정부가
　부커 티 워싱턴 같은 당시의 아프리카계 지도자를 활용하여 해방된 아프리카계 미국인들을
　백인사회에 종속적으로 통합하여 흑백의 통합을 정책적으로 추구했던 시대이다(McDowell
　151-54). 반면, '후기재건시대'는 아프리카계 미국인들의 인종적 · 문화적 · 정치적 주체성과
　긍지를 추구했던 시대이다(Moody-Turner 203).

아이브스Edward Ives는 "노래, 퍼포먼스, 그리고 예술작품은 문화와 문화의 일부인 하위문화 내에서 이해되어야 한다"(Moody-Turner 201 재인용)고 강조한다. 하지만 설리 무디 터너Shirley Moody-Turner는 민담에 대한 이 같은 정의들에 대해 공감하면서도, 아프리카계 미국인들과 작가들의 민담을 정치적·사회적·문화적 문맥에서 재해석한다. 무디 터너에 따르면, 아프리카계 미국인들과 작가들의 민담은 시공간적으로 현대사회로부터 고립된 사람들의 노래와 이야기들을 표현해주는 모호한 개념임과 동시에, 인종적 차원에서 '정복에 반대하는 식민담론의 산물'이다. 뿐만 아니라, 민담은 집단적 주체성과 역사를 지속시킨 신앙, 관습, 이야기, 그리고 이야기로, 공동체와 전통의 중요한 관계를 나타내준다(200-01).

무디 터너의 해석이 말해주듯, 후기재건시대의 아프리카계 미국작가들은 아프리카계 미국인들의 민담을 공동체적 목소리의 발산, 전통적 가치의 유지, 인종적 불평등에 대한 저항, 자기-정의에 대한 갈망의 표현, 메시지의 코드화, 집단적 지혜의 전달, 그리고 지배적 권력에 대한 전복적 의지를 발산하기 위한 표현수단으로 활용했다. 트루디어 해리스Trudier Harris가 "아프리카계 민담은 가장 아프리카적인 문학의 바탕"(2)이라고 밝힌 것처럼, 아프리카계 미국작가들에게 민담은 문학적 표현의 소재와 형식이나 다름없다. 이와 관련, 1950년대의 대표적 아프리카계 미국작가인 랠프 엘리슨Ralph Ellison은 민담에 대해 "세상을 인간화하려는 집단의 시도로," "의식들rites, 태도들, 관습들, 그리고 기타 등등"(172)이라고 언급하고, "특정 집단이 인간조건의 한계라고 발견한 느낌·사고·행동의 경계들을 묘사하고, 이 같은 지혜를 생존하려는 집단의 의지를 표현하는 상징들을 투영하며, 집단이 살고 죽는 그런 가치들을 구체화 한다"(172)고 밝힌다. 엘리슨의 이 같은 정의와 해석은 보다 구체적으로 민담이 미학적 동기에 의해서만 나타나는 것이 아니라, 항상 아프리카계 미국인들의 생존

survival, 재현representation, 자기결정self-determination, 그리고 자유의 이슈들에 중심을 둔 사회적·문화적·정치적 소통의 가장 중요한 부분들 중 하나임을 말해준다.

민담은 특히 후기재건시대의 미학적·사회적 표현수단으로 재해석·재창조된다. 후기재건시대 작가들이 이처럼 그들의 전통적 민담을 재해석·재창조한 까닭은 노예해방의 모순을 비판하고, 노예해방 이후의 미국 사회가 취한 일련의 인종적 억압과 폭력에 대응하고자 했기 때문이다. 무디 터너에 따르면, 남부 동맹 주들은 1888년에 윌리엄 웰스 뉴웰William Wells Newell의 주도로 『미국 민속회』(American Folklore Society)가 창립하고, 아프리카계 미국인들에 대한 민속연구를 인간의 사회적·문화적 발달의 원시적·비문명적 단계에 대한 보다 완전한 그림이 될 것이라고 주장한다. 아프리카계 미국인들의 민속에 대한 『미국 민속회』의 이 같은 주장은 표면적으로 순수한 해석으로 간주될 수 있지만, 사실은 인종차별의 관습화와 인종체계의 서열화를 기획하기 위한 해석이나 다름없다. 즉『미국 민속회』의 이 같은 주장은 사회적 다위니즘Darwinism에 바탕을 둔 주장으로, '짐 크로' 법안'Jim Crow' law[4])을 옹호하고 유지시키는 데에 중요한 역할을 한다(Moody-Turner 202). 뿐만 아니라, 문학과 연극 분야에서, 농장문학plantation literature과 순회가면극minstrelsy의 등장을 가능하게 하는 데에도 중요한 역할을 한다. 당시의 영국계 미국작가들은 농장문학을 통해 노예제도의 진실을 삭제해버리고, 남부의 가부장제를 옹호하며, 낭만적 또는 온정주의적 인종차별주의를 지탱시켜준 이상화된 과거를 창조한다(Moody-Turnere 203). 아프리카계 미국인으로 분장한 백인배우들의 무대인 순회가면극은 흑인의 민속적·문화적 전통을 패러디한 대중연극으로

---

4) 자세한 내용을 이해하기 위해 본서 「노예역사 연보」의 1881년을 참고하기 바람.

(202), 아프리카계 미국인들을 정신적·육체적 불구자, 또는 부적응자로 묘사하여 아프리카계 미국인들의 이미지를 저급하고 열등한 존재로 정형화한다.5)

재건시대의 프레더릭 더글러스Frederick Douglass에 이어, 후기재건시대의 아프리카계 미국작가들은 영국계 미국작가들의 농장문학과 순회가면극의 전통을 거부하며 흑인민담의 발굴과 재창조를 통해 노예제도 시절 억압되고 왜곡된 아프리카계 미국인들의 인종적·문화적 정체성과 정신의 부활을 이끈다. 무디 터너에 따르면, 당시 폴 로런스 던바Paul Laurence Dunbar, 폴린 홉킨스Pauline Hopkins, 프랜시스 엘런 왓킨스 하퍼Frances Ellen Watkins Harper, 그리고 찰스 체스넛Charles Chesnutt 등의 아프리카계 미국작가들은

---

5) 에디 타포야Eddie Tafoya에 따르면, 순회가면극은 남북전쟁 이후 수십 년 동안 상투적인 인물 sterotype을 만든다. 집 쿤Zip Coon은 잘 차려입은 아프리카계 남성이지만, 항상 희극적 보복comic uppance을 당한다. 마미Mammy는 다른 사람의 자녀들을 즐겁게 키우는 모성적 할머니이다. 사파이어Sappire는 화가 나 있고 거센 아프리카계 여성이다. 하지만 가장 눈에 띄는 상투적 인물은 '다키'Darky 또는 '쿤'Coon이다. 이 인물은 고정된 눈과 입술을 가지고 있으며, 다리를 질질 끌며 걷고, 게으르며, 말을 또박또박할 수 없고, 무식하며, 겁쟁이다. 노래를 부르고 춤을 추며 백인을 즐겁게 해준 대가로 받는 작은 즐거움에 의해 감동받는다. 이런 상투적 인물은 20세기에 이르러 링컨 페리Lincoln Perry의 영화 주인공 스테핀 페치Stepin Fetchit와 베니Benny의 최초 상황희극에서 베니의 시종인 에디 로체스터 앤더슨Eddie "Rochester" Anderson 의 역할로 이어졌다.

순회가면극은 3막 구조이다, 하지만 아프리카계 미국인의 인종적 정체성을 훼손시킨 가장 중심적인 장은 첫 장이다. 이 장에서, 세 명의 배역들이 'Ministrel Line'라 불리는 반원형의 형태로 앉는다. 즉 화장을 전혀 하지 않고, 사회자라고 불리며, 호스트와 진행자 역할을 하는 백인이 중앙에 위치하고, 그의 양쪽에 불에 태운 코르크·바셀린·알코올을 섞은 분장재를 이용하여 피부색을 검게 하고, 곱슬머리 가발을 쓴 두 명의 백인 코미디언들이 위치한다. 'end man'(순회가면극의 양 끝에 있는 어릿광대)으로 알려진 이 코미디언들은 탬버린을 연주하는 미스터 탬보Mr. Tambo의 역할 또는 캐스터네츠를 연주하는 미스터 본스Mr. Bones의 역할을 한다. 그들은 현실감각을 잃은 태도로 다리를 끌고, 말도 제대로 못하며, 눈을 제멋대로 돌리는 조크의 과녁이다. 백인들에게 이런 극을 만들도록 영감을 준 사람들은 아프리카계 노예들이다. 아프리카계 노예들은 백인주인의 억압과 폭력을 직접적으로 비판할 수 없던 노예제도 시절에 백인주인의 약점이 될 만한 말이나 동작을 흉내 내며 간접적으로 비판하고 웃음을 통해 노예생활의 고통을 해소했지만, 백인주인들은 아프리카계 노예들의 이 같은 행위 속에 내재된 의미를 파악하지 못하고, 이를 아프리카계 노예의 전형으로 왜곡한다(xvi).

아프리카계 미국인들의 민담 속에 내재된 사회적·정치적 의미를 인식하고, 이를 전략적으로 교묘하게 왜곡한 영국계 미국작가들의 문학작품들에서 빈번히 발견할 수 있는 비양심적인 도용과 서툰 모방에 도전하며, 전통적인 흑인민담의 발굴과 재창조를 통해 아프리카계 미국인들의 정치적·문화적 주체성과 고유성을 복원하고자 한 작가들이다(203). 이와 관련, 본 장은 재건시대와 후기재건시대 문학의 이 같은 특징들에 대해 폴 로런스 던바, 폴린 홉킨스, 그리고 찰스 체스닛의 작품들에 비춰 논의한다.

## II. 농장문학과 가면극의 전통을 넘어

재건시대와 후기재건시대의 대표적인 작가인 찰스 체스닛은 토머스 던 잉글리시Thomas Dunn English, 어윈 러셀Irwin Russel, 조지 터커George Tucker, 프랜시스 홉킨슨 스미스Francis Hopkinson Smith, 토머스 넬슨 페이지Thomas Nelson Page, 그리고 조엘 챈들러 해리스Joel Chandler Harris 등과 같은 영국계 미국작가들의 농장문학 전통을 거부한 대표적 작가이다(McDowell 157). 농장문학은 전통적으로 노예제도의 고통스러운 현실을 외면한 채, 남부의 가부장제 옹호, 그리고 낭만적이면서도 온정주의적인 인종차별주의를 강조하고(Moody-Turner 203), 남북의 통합과 국민적 불안을 해소하기 위해 언어·플롯·주인공·배경·상징어·주제 등을 옛 남부농장과 문화를 배경으로 낭만화 한다(Jarret 172). 이와 관련, 폴 로런스 던바, 폴린 홉킨스, 그리고 찰스 체스닛 등과 같은 아프리카계 미국작가들은 사회적·정치적 전면에서 문화적·문화적 재현을 둘러싼 지배권력 구조를 비판하고, 보다 구체적으로 아프리카계 민담 전통에 대한 무자비한 착취와 서툰 모방에 도전하며, 풍부한 민속전통을 강조하기 위한 방법으로서 민담을 활용한다.

던바는 전국적인 명성을 얻은 아프리카계 미국시인으로, 시골에 거주하는 아프리카계 미국인들의 방언을 시어로 활용한 시인이다. 던바는 1893년에 첫 시집 『오크와 아이비』(*Oak and Ivy*)를 출간하고, 1906년에 발표한 시집 『말린디가 노래할 때』(*When Malindy Sings*)에서 햄튼 연구소 카메라 클럽Hampton Institute Camera Club과 조깅 이어롱Joggin' Earlong에 의해 촬영된 사진들을 활용하여 아프리카계 미국인들의 시골생활을 묘사한다. 던바는 또한 소설 『신들의 장난』(*The Sport of the Gods*)을 통해 노예해방의 모순과 허구를 비판한다.

던바의 소설은 38년 동안 농장에서 부유한 백인 모리스 오클리 Maurice Oakley의 집사로 일했던 집사 베리 해밀턴Berry Hamiton에 대한 이야기이다. 해밀턴은 농장을 탈출한 뒤에 자유를 얻지만, 아무런 도움도 받지 못하고 방황하다가 결국 주인에게로 돌아간다. 해밀턴은 아내인 패니 Fannie, 두 아이들—아들 조Joe와 딸 키티Kitty—과 함께 오클리의 집으로부터 지근거리에 있는 오두막에서 살았다. 하지만 이 소설의 3장에서 해밀턴의 운명은 새로운 전기를 맞는다. 오클리의 가족이 파리로 떠나는 오클리의 남동생 프랜시스 오클리Francis Oakley를 위한 작별 만찬을 하는 동안, 금고에서 980달러가 사라지는 사건이 발생한다. 모리스 오클리는 해밀턴을 믿으려 하지만, 프랜시스 오클리는 모리스 오클리에게 "검둥이들은 점점 믿을 수 없어지고 만족스럽지 못합니다"(18)라고 말하며 해밀턴에게 죄를 뒤집어씌운다. 따라서 모리스 오클리 역시 곧 이 일이 해밀턴의 소행이라고 확신하고, 해밀턴을 고발한다.

해밀턴은 도둑으로 몰려 10년 동안의 중노동 선고를 받는다. 뿐만 아니라, 오클리 부부는 패니·조·키티도 오두막에서 추방한다. 패니와 아이들은 일할 곳을 찾기 위해 노력하지만 헛수고였고, 뉴욕으로 이주하기로 결심한다. 뉴욕에서 조는 일을 시작하며, 배너 클럽Banner Club을 드나든다.

조는 이 클럽에 드나들며 해티 스털링Hattie Sterling이란 연예인과 데이트를 시작한다. 어머니의 허락하에, 해티는 키티가 가수와 배우로서 일할 수 있는 자리를 찾도록 도와준다. 하지만 조가 급속히 타락하여 알코올 중독자가 되자, 해티는 조와의 관계를 끊어버린다. 조는 완전히 타락하여, 해티의 목을 졸라 숨지게 한다. 조는 살인을 고백하고 투옥되고, 남편과 아들을 모두 감옥에 둔 패니는 절망에 빠진다. 이때, 키티는 패니에게 깁슨Mr. Gibson이란 남성과 결혼하겠다고 말한다.

한편, 예술가가 되기 위해 파리로 떠난 프랜시스 오클리는 형에게 편지를 보내 자신이 금고에서 돈을 훔쳤다는 사실을 고백하고, 해밀턴을 감옥에서 석방시켜야 한다고 제안한다. 하지만 오클리는 동생의 명예를 지켜주는 것이 더 중요하다고 생각하고, 해밀턴을 감옥에 방치한다. 사건의 진실보다 동생의 명예를 더 중요시한 오클리의 이 같은 태도에도 불구하고, 해밀턴의 이야기는 배너 클럽에서 조의 지인인 스캑스 씨Mr. Skaggs의 귀에 우연히 들어간다. 이 이야기를 엿들은 스캑스는 뉴욕의 『유니버스』(*Universe*)에 기고하는 작가로, 해밀턴의 무죄를 밝히면, 인기 있는 기고가가 될 것이란 기대와 함께 사건의 진실을 밝히기로 결심한다. 스캑스는 이를 위해 먼저 해밀턴의 고향을 방문하여 모리슨 오클리와 대화를 시도한다. 이때, 그는 손더스 대령Colonel Saunders이란 사람을 만나 해밀턴이 무죄란 말, 돈은 평범하게 사라졌다는 말, 그리고 비밀을 보호하기 위해 모리스 오클리가 돈을 항상 비밀 호주머니 속에 넣어가지고 다닌다는 말을 듣는다. 스캑스는 이 같은 말을 들은 뒤 오클리의 집에 들어가기 위해 프랜시스로부터 받은 편지를 휴대하고 있다는 거짓말을 한 다음에, 모리스의 비밀 호주머니로부터 프랜시스의 편지를 탈취한다(16장 「스캑스의 이론」("Skaggs's Theory"). 삼인칭 화자는 이어지는 장인 「황색의 잡지」("Yellow magazine")에서 스캑스의 이 같은 행동에 대해 "스캑스 씨는 모리스 오클리를 상대로 손상될 증거를 획득하는 방식에 대해 양심의 가책이 없었다"(161)고 밝힌다. 스칵스의 이 같은 노력 덕택에, 해밀턴은 5년 동안의 감옥생활을 끝내고 석방된다. 해밀턴은 석방 후에 아들, 딸, 그리고 아내를 만난다. 아내가 새로운 남자와 결혼한 사실은 해밀턴을 절망으로 몰아넣었고, 해밀턴은 급기야 아내의 새로운 남편을 살해하고자 계획한다. 해밀턴이 이처럼 절망적인 상황에 처해 있을 때에, 다행히도 깁슨은 경마장에서 싸움을 벌이던 중에 사망한다. 마지막 장인 18장 「베리가 발견한 것」("What Berry Found")에서 해밀턴 부부는 도시의 혹독한 삶 때문에 좌절한 채, 결국 도시생활을 청산하고 고향의 오두막으로 되돌아가기로 결정한다. 오클리 부부도 지난날의 잘못을 사과하고, 해밀턴 부부에게 옛날에 그들이 살던 오두막을 되돌려주겠다고 말하며 귀향을 간청한다. 이 소설은 꼬인 문제의 해결과 함께 해피엔딩으로 끝나는 듯하다. 하지만 던바가 이 소설을 통해 제시한 메시지는 무엇보다도 노예해방에도 불구하고 아프리카계 미국인들은 여전히 남부 백인주인들의 양심 없는 인종편견과 계급의식에 종속되어 있다는 것이며, 노예해방을 주도한 북부의 도시들 또한 아프리카계 미국인들에겐 고난의 공간 또는 남부의 노예제도 속으로 몰아내는 공간이란 것이다.

던바에 이어, 홉킨스는 1902년에 발표한 『하나의 피에 대하여』(*Of One Blood*)를 통해 아프리카적 정신과 연관된 민담형식이 아프리카계 미국인들의 문화적 전통을 어떻게 보여줄 수 있는지를 밝힌다. 홉킨스가 편집인으로 활동한 『유색인 미국 잡지』(*Colored American Magazine*)를 통해 1902년 11월과 12월, 그리고 1903년 1월에 각각 연작형태로 발표된 이 소설은 아프리카 역사의 탐구를 통해 아프리카계 미국인으로서의 존재 의미를 발견하는 혼혈 의학도 루얼 브리그스Reuel Briggs에 대한 이야기이다. 아프리카계 노예 어머니와 백인 아버지 사이에서 출생한 브리그스는 이 같은 혈통적 배경과 함께 아프리카계 미국인으로서의 존재의미뿐만 아니라, 혈통과 인종에 대한 고통스러운 진실과 이제까지 듣지 못한 자신의 역사를 찾기 위해 고대의 땅인 에티오피아Ethiopia로 여행을 떠난다. 그리고 그는 이곳에서 "에티오피아인들은 그들이 거주한 모든 나라들에서 우월감을 보였고, 그들의 이름은 유럽·아시아·아프리카 전역에서 빛나게 됐다. 이 특별한 종족의 아버지는 쿠시Cush, 즉 노아Noah의 손자이다"(98)라고 밝히듯, 아프리카 역사를 접하며 자신을 발견한다(87). 이와 관련, 홉킨스는 이 소설에서 민담의 발굴과 재창조를 통해 상상적 공간을 아프리카로 확대하고, 제국주의자들에 의해 유린되기 이전의 아프리카 사회가 성취한 문명의 절정을 보여준다(Moody-Turner 203).

홉킨스에 이어, 찰스 체스넛은 단편집 『여성 마법사』(*The Conjure Woman*)에서 아프리카계 미국인들의 민담에서 흔히 사용되는 유머형식을 인종적 억압과 폭력에 대한 아프리카계 미국인들의 저항의지와 의식을 표현하기 위한 표현양식으로 재창조하는 한편, 아프리카계 미국인들에 대한 관습적 표현들을 비판한다. 특히, 체스넛은 영국계 미국작가들의 농장문학에 대해 전복적 태도를 취한 작가로, 아프리카계 미국인들의 민담 속에 등장하는 '속이기 유머'trick을 노예제도 시절은 물론, 노예해방 이후에도 지속된 제도적 폭력에 저항하기 위한 아프리카계 미국인들의 '생존수단'으로 재해석한다.

체스넛은 아프리카계 미국인의 인종적·문화적 정체성에 반하는 농장문학의 문제점을 의식하며 동료작가이자 친구인 조지 워싱턴 케이블 George Washington Cable에게 보낸 서신에서 "농장문학의 향수적인 전통형식에 순응하는 작품을 기대하는 어떤 독자에게도 굴복하지 않을 것이며, 특히 전직 노예들의 유형적 처리에 굴하지 않겠다"(Jarret 169 재인용)고 밝힌다. 체스넛은 또한 아프리카계 미국인들의 민속과 문화를 패러디한

백인의 순회가면극을 거부한 작가이다. 무디-터너의 견해에 따르면, 순회
극단무대의 연극은 백인배우를 아프리카계 미국인으로 분장시켜 아프리
카계 미국인들의 전통적인 민속과 문화를 패러디한 대중적 무대이다
(202). 다시 말하면, 이 극단의 연극은 사실상 아프리카계 민담을 반영한
연극이라기보다 백인의 이미지, 정의, 상징, 그리고 의미를 반영한 연극이
다. 따라서 체스넛은 순회극단에 의해 도용되고 왜곡된 아프리카계 미국
인의 주체성과 고유성을 재고하고, 아프리카계 미국인들의 민담을 통해
노예제도에 대한 비판, 노예제도의 고통스러운 현실, 아프리카계 미국인
들의 주체성과 의식, 그리고 자유를 향한 열망 등을 재해석·재창조하고
자 한다. 이와 관련, 체스넛이 주목한 주된 이슈는 아프리카계 미국인들
의 인종적 주체성, 시민의식, 그리고 평등의 이슈들이 논의되었던 영역
(Moody-Turner 201), 그리고 아프리카계 미국들의 생존, 재현, 자기결정
self-determination, 자유를 위한 사회적·문화적·정치적 소통의 영역이다
(Ellison 172).

체스넛의 단편집 『여성 마법사』는 1887년과 1889년에 『애틀랜틱 먼
슬리』(*Atlantic Monthly*)에 게재된 「마법 걸린 포도나무」("The Goophered
Grapevine"), 「포 샌디」("Po' Sandy") 그리고 「마법사의 보복」("The
Conjurer's Revenge") 등 세 편의 단편과 1888년과 1896년에 게재된 네
편의 다른 단편들로 구성되어 있다. 체스넛은 이 단편집의 이야기들에서
조얼 챈들러 해리스의 『리머스 아저씨: 그의 노래들과 말씀들』(*Uncle
Remus: His Songs and Sayings*)처럼 아프리카계 미국인들의 일상과 민담
에서 빈번히 발견할 수 있는 방언과 화자를 통해 이야기를 전개한다.

　　"이 근처에 살아요?" 그를 편안하게 해주고 싶어서 내가 물었다.
　　"예, 나리. 저는 저 너머 럼버튼 대로에 있는 사구 뒤편에 살고 있습죠."

"Do you live around here?" I asked, anxious to put him at his ease.

"Yas, suh. I lives des ober yander, behine de nex' san'-hill, on de
Lumberton plank-road." (3)

이 장면은 「마법 걸린 포도나무」에서 포도밭을 사려는 백인 부부가 노예
제도 시절 포도밭의 노예였던 작중화자를 처음 만나는 장면이다. 체스넛
은 이야기의 나머지 부분도 이 장면에서처럼 전직 노예인 화자를 통해 아
프리카계 미국인 특유의 방언으로 진행한다. 체스넛이 이처럼 아프리카계
방언을 사용한 목적은 사회집단들 내부와 그 사이에서 계급과 지적 차이
를 보여주기 위해서이며, 인종과 인종차별주의에 대한 백인들의 정서를
자극하기 위해 미세한 도덕적·정치적 메시지들을 전달하기 위해서이다
(Jarrett 170). 이와 관련, 휴스턴 베이커Houston Baker는 "체스넛의 『여성 마
법사』를 아프리카계 민담의 전통적인 사기꾼 이야기인 토끼 이야기의 전
형적 사례"(40)라고 평하고, "『여성 마법사』의 실질적인 힘은 해리스의 장
단rhythm을 열정적으로 재생한 데에 있지 않고, 이야기들을 강조해주는 강
렬하고 심오한 형식의 재해석에 있다"(41)고 평한다. 베이커의 이 같은 평
은 체스넛이 이 단편집의 이야기들을 통해 아프리카계 민담의 형식적 변
형과 독창성을 보여주었음을 말해준다.

체스넛은 이 단편집에서 노예제도 시절의 남부농장을 목가적으로 표
현하고 향수를 자극하는 해리스의 유머를 노예제도의 억압과 노예들의 생
존투쟁을 그린 풍자적 유머로 재창조한다. 체스넛의 화자인 엉클 줄리어스
Uncle Julius는 해리스의 작중화자인 엉클 리머스Uncle Remus와 맥을 달리하
는 화자이다. 엉클 리머스는 아이들을 주위에 모아놓고 남부의 방언으로
이솝의 이야기들처럼 교훈적인 동물 이야기, 노래, 그리고 민속이야기를
들려주는 친절한 전직 노예 할아버지이다. 그리고 그는 남북전쟁 전의 과

거와 남북전쟁 후의 현재를 교차시키며, 때때로 남과 북, 문맹과 비문맹, 텍스트적인 것과 대화적인 것, 그리고 전전시대와 전후시대의 많은 이분법적 요소들이 긴장 속에 상호작용하는 이야기방식을 통해 정보를 전달한다 (Carpio 318). 즉 엉클 리머스의 이야기는 작고 온순한 동물인 브러 래빗Br' Rabbit이 상대적으로 크고 강한 동물인 브러 폭스Br' Fox, 브러 옥스Br' Ox, 그리고 브러 베어Br' Bear 등을 재치와 속임수로 압도하며 그들을 골려주는 이야기이다. 반면, 엉클 줄리어스는 엉클 리머스와 달리 엷은 피부색과 기민한 성격의 소유자이며, 생존을 위해 백인을 속여먹는 이야기를 해주고, 자신도 이런 목적으로 남을 속이는 계략가이다. 뿐만 아니라, 엉클 줄리어스의 이야기는 노예제도의 상투적인 인물을 통해 노예제도를 코믹하게 풍자하고, 노예제도 이후 재건시대에 나타난 아프리카계 미국인들의 비참한 삶을 고발한다는 점에서 엉클 리머스의 동물우화와 많은 차이를 보인다.

「마법 걸린 포도나무」에서 엉클 줄리어스는 포도밭에서 일하는 아프리카계 노예가 생존을 위해서 백인주인을 속인 이야기를 들려준다. 백인주인은 포도밭에서 일하는 노예들이 포도를 훔쳐 먹자 이를 막기 위해 아프리카계 여성마법사를 불러 포도를 먹으면 시름시름 앓다가 죽게 만드는 마법을 포도나무에 걸게 한다. 하지만 신참 노예인 헨리Henry는 이런 사실을 모른 채 포도를 훔쳐 먹고 마법에 걸린다. 이야기의 반전은 헨리가 마법으로부터 벗어나기 위해 햄을 사들고 마법사를 찾아갔을 때, 마법사가 마법을 치유해주고 포도를 먹어도 되는 방법을 알려주면서부터 시작된다. 헨리는 마법사의 충고대로 봄에 포도나무 수액을 머리에 바르고, 주인 몰래 포도를 마음껏 먹을 수 있게 된다. 그런데, 헨리가 마법사의 충고대로 행한 뒤 묘하게도 대머리인 그의 머리카락이 자라난다. 뿐만 아니라, 그의 몸 역시 이전과 달리 포도나무처럼 계절의 주기에 따라 봄이 되면 생기가 나고, 여름이면 왕성하다가 가을이면 쇠잔해지는 현상을 보인다. 이와 관련, 백인주인은 헨리의 육체적 변화를 눈여겨보고, 봄이나 여름에 그를 비싼 값으로 판 다음, 겨울에 그를 싸게 되사들이는 방법으로 이익을 얻는다. 하지만 백인주인의 이 같은 탐욕은 포도생산을 무리하게 늘리려는 또 다른 탐욕으로 발전하여 포도밭을 황폐하게 만들고 자신도 죽음을 초래한다. 즉 그는 북부출신의 포도압축기 판매원이 물건을 팔기 위해 전해준 비과학적인 방법으로 포도밭의 생산성을 향상시키려 하지만, 오히려 포도밭을 황폐하게 만들고, 이로 인한 손해를 복구하려고 남북전쟁에 출전했다가 전사한다.

한편, 이 이야기에서 생존을 위한 헨리의 재치와 속임수는 이 같은 이야기를 들려주며 백인 부부를 속이려는 화자의 속임수와 맥락을 같이 한다. 즉 화자인 엉클 줄리어스가 백인 부부에게 포도가 마법에 걸렸다고 말해준 것과 황폐한 포도밭의 부활가능성이 거의 없는 것처럼 말해준 것은 모두 속임수이다. 화자가 이처럼 백인 부부를 속인 까닭은 포도밭이 그들에게 넘어갈 경우 그의 생존을 위한 터전을 잃을 수 있기 때문이다. 엉클 줄리어스는 노예제도 시절 이 포도밭에서 일했던 노예였고, 노예해방 이후 관리할 주인이 없어 몇 그루의 포도나무밖에 남지 않은 포도밭에 의지하여 살고 있다. 이 같은 상황에서, 백인 부부가 포도밭을 사들이면, 그는 더 이상 포도밭에 의지하여 살아갈 수 없다.

체스넛의 이 같은 계략가trickster는 서아프리카의 요루바Yoruba 신화와 요루바 신화에 뿌리를 둔 브러 래빗과 다른 동물들의 '기지 대결'wit battle 속에 등장하는 계략가와 맥을 같이 한다. 헨리 루이스 게이츠Henry Louis Gates에 따르면, 요루바 신화 속에 등장하는 이수Esu는 다리의 길이가 각각 달라 절룩이며 걷는다. 이수는 신의 메신저로, 인간에게 신의 의지를 해석해주고, 인간의 욕망을 신에게 전달해준다. 그는 천상과 지상을 연결해주는 안내자이며, 문체style와 철필stylus의 대가이다. 남성적 생성과 신비적 장해물의 마스터이다. 그는 거대한 남성성penis에 의해 몰두된 부동의 교섭자로 진실과 이해, 신성한 것과 속세적인 것, 텍스트와 번역, 주어와 서술어를 연결시켜주는 계사copula이다. 그는 계략가의 기질을 지녔다. 이런 특징들의 부분적 요소로는 개성, 풍자, 패러디, 아이러니, 매직, 불확정성, 개방성, 모호성, 성욕, 운명적 가능성, 불확실성, 분열과 화해, 배반과 충성, 닫힘과 열림, 감금과 탈출 등을 포함한다. 하지만 이런 특징들을 지배적인 것으로 보는 것은 실수다. 이수는 이런 특징들과 함께 다른 많은 특징들을 소유하고 있다. 그는 이런 고전적인 명상적 특징과 대립적 힘들의 통일의 복합성에 대한 아이디어를 모두 지닌 인물이다.

이수의 여러 특징은 몇 가지 소스들, 즉 이수-엘레그바라Esu-Elegbara의 설화적 찬양시, 이파Ifa 예언시들인 오두이파Odu Ifa, '이수 노래들'에 대한 서정시들, 그리고 인간·자연·우주의 기원신화들로 간주되는 전통적인 산문설화들로부터 나온 것이다. 이수에 대한 대부분의 문학은 일상적 언어를 초월한 번역과 언어의 기원들, 본질, 그리고 기능에 관심을 둔다. 때문에, 이수의 담론은 은유적으로, 이중적 목소리이다(Gates 7).

이 신화에서 신들은 인간들이 항상 바치던 제와 음식을 바치지 않기 때문에 굶어 죽을 지경에 이른다. 사냥을 좋아하는 올로쿠Oloku가 영양antelope 한 마리와 고기를 잡아오지만 배고픔을 해결하기엔 역부족이고, 다툼만 일어난다. 에주Edju가 나서서 예마야Yemaya에게 방법을 알려달라고 요청하지만, 예마야는 방법이 없다고 말해준다. 샤우크파나Shaukpanna는 전염병으로 인간에게 복수를 하고, 샹고Shango는 번개로 복수를 한다. 그러나 인간들은 죽음을 두려워하지 않는다. 16명의 신들은 더욱더 굶주림을 겪는다. 에주는 오런간Orungan에게 찾아가 해결책을 달라고 요청한다. 오런간은 열여섯 개의 야자열매로 만들어진 큰 물건이 있다고 말하고, 그들을 얻어서 의미를 이해한다면, 인간의 선량한 의지를 다시 얻을 수 있다고 말해준다. 에주는 야자나무들이 있는 곳을 찾아가 열매들을 바라보지만 어떻게 할지 모른다. 이때 계략가인 원숭이가 나타나 에주에게 세상 모든 곳을 돌아다니며 그들의 뜻을 물어보라고 말한다. 그럼 열여섯 장소에서 열여섯 개의 대답을 들을 것이고, 그런 다음에 신에게 돌아가서 전하라고 말하고, 인간에게도 그가 들은 것을 말하여 두려움을 가지도록 하라고 말한다. 원숭이의 말대로, 에주는 신에게 *그가* 들은 말들을 전하고, 신은 좋다고 대답한다. 원숭이의 이 같은 계략에 따라, 신은 인간에게 길흉에 대한 지식을 알려주고, 인간은 이에 따라 대비를 할 수 있게 되어 다시 일을 하며 신에게 두려움과 함께 제물을 바치게 된다(Gates 14).

요루바 신화의 이 같은 계략가와 계략은 아프리카인들의 민담 속에 등장하는 '기지 대결'로 재창조됐다. 해럴드 코어랜더Harold Courlander에 따르면, 이 같은 동물 이야기들은 아프리카계 미국인들의 신화 속에 등장하는 이야기 형식을 취하고 있다. 브러 또는 버 래빗Brer or Buh Rabbit과 다른 동물들의 '기지 대결' 이야기는 아프리카인들의 신화에 뿌리를 둔 이야기이고, 브러 래빗은 아프리카인들의 신화 속에 계략가로 등장하는 토끼hare, 거북, 또는 거미와 동일하거나 비슷하다. 즉 브러 래빗의 엉뚱한 장난과 곤경은 사실상 요루바 신화의 거북, 그리고 아나시드Anasid와 아샨티Ashanti 신화의 거미와 동일하다. 브러 래빗의 상대도 명칭의 차이에도 불구하고 비슷하다. 아프리카의 신화 속에 등장하는 브러 래빗의 상대는 아프리카의 숲 속에 살고 있는 약탈자 · 표범 · 코끼리 또는 기타 관대한 동물들이고, 아프리카계 미국인들의 신화 속에 등장하는 브러 래빗의 상대는 여우 · 늑대 · 곰 또는 사자이다. 하지만 두 신화 속에 등장하는 브러 래빗의 상대들은 모두 육체적으로 브러 래빗보다 더 강하고, 일반적으로 더 약탈적인 동물들이란 점에서 차이를 보이지 않는다. 뿐만 아니라, 스토리텔링은 수년의 세월에도 불구 아프리카계 미국인들의 신화 속에 대단히 생생하게 살아있고, 래빗과 폭스의 기본적인 대결형식은 신세계와 인간조건과 관련된 수많은 이야기에 영감을 줬다. 두 신화의 차이점을 굳이 따지면 도덕성의 메시지와 결말부분에서 발견할 수 있다. 아프리카의 신화는 상대적으로 도덕성을 강조하고, "지금 토끼가 영리하지 않은 건가요?" 또는 "지금 브러 래빗 또는 브러 울프 중 누가 가장 영리한 건가요?"란 질문과 함께 끝을 맺는다. 반면, 아프리카계 미국인들의 신화는 도덕성을 상대적으로 덜 강조하고 이 같은 결말을 삭제한다.

동물 주인공들의 행동들과 특징들은 자주 인간적인 성격과 기묘한 유머whimsy를 자주 반영한다. 토끼, 늑대, 그리고 악어는 인간형태로 간주되고, 특정한 상황에서 개인적인 인격으로 간주된다. 신화 속에서 토끼는 노예 또는 소작인이고, 늑대 또는 곰은 주인 또는 기타의 동물들은 주인이다. 신화들 중 일부에선, 동물 캐릭터가 다른 이야기들에서 인간이 하는 것과 똑같은 역할을 한다. 그리고 어떤 신화에서는 브러 래빗이 전혀 등장하지 않고, 매와 독수리, 여우와 늑대, 또는 흑인Coon과 상대방Possum이 등장하기도 한다(Courlander 466-67).

「브러 쿤이 때 거리를 얻다」("Brer Coon Gets His Meat")는 브러 래빗이 흑인 쿤을 도와서 음식을 마련하게 해준 이야기이다. 브러 래빗과 브러 쿤은 모두 어부이다. 래빗은 낚시로 고기를 잡고, 쿤은 개구리를 잡는다. 쿤은 집에서 배고파하는 아이들과 늙은 부모를 위해 개구리를 잡으려고 나가지만, 개구리가 모두 도망쳐 잡을 수가 없다. 빈손으로 돌아오자 늙은 부모가 그의 머리를 때렸고, 의기소침하여 집을 나온 뒤 거리 아래쪽으로 걸어 내려간다. 이때 브러 래빗은 쿤에게 왜 그러느냐고 묻고, 사정을 들은 브러 래빗은 꾀를 내어 브러 쿤을 도와주기로 약속한다. 브러 래빗은 브러 쿤에게 죽은척하고 강의 모래사장에 누워있게 하고, 브러 쿤이 죽었다고 소리친다. 모든 개구리들이 강 밖으로 나와 브러 쿤 주위에 모인다.

브러 래빗은 개구리들에게 자신을 올드 샌디Old Sandy라고 소개하고, 자신이 지금 아주 깊숙한 곳에 갇혀있으니 구덩이를 파서 꺼내 달라고 요청한다. 개구리들은 브러 래빗의 이 같은 요청에 따라 구덩이를 파기 시작했고, 브러 래빗은 개구리들이 튀어나올 수 없을 만큼 구덩이를 깊게 파도록 유도한다. 최종적으로 래빗은 "너희들이 튀어나올 수 있니?"라고 물으며 개구리들이 튀어나올 수 없을 만큼 깊게 구덩이를 판 것을 확인하고, 쿤에게 '샌디 일어나서 고기를 잡아'라고 말한다. 브러 래빗의 이 같은 기지와 계략은 「우물 속의 브러 래빗」("Brer Rabbit in the Well")에서도 살필 수 있다. 「우물 속의 브러 래빗」은 브러 래빗이 브러 폭스를 골려주는 이야기이다. 뙤약볕이 내리쬐는 어느 날에 브러 래빗, 브러 폭스, 브러 쿤, 그리고 브러 베어는 곡식을 심기 위해 들판에 나가 땅을 판다. 한참 일을 하던 도중, 브러 래빗은 피곤하여 시원한 곳에서 낮잠을 자고 싶어진다. 하지만 브러 래빗은 게으르다는 말을 듣지 않으려고 슬며시 빠져 나온 뒤 시원한 우물이 있는 곳으로 간다. 그리고 두레박으로 물을 길어 올려 마신 뒤, 두레박 속으로 들어가 우물 깊숙한 곳으로 내려간 뒤에 잠을 잔다. 하지만 이를 눈치 챈 동물은 브러 폭스이다. 브러 폭스는 브러 래빗이 도망칠 때부터 줄곧 감시한 뒤, 도망치는 브러 래빗의 뒤를 밟아 브러 래빗이 두레박을 타고 우물 속으로 들어가서 잠을 자는 것을 발견한다. 브러 폭스는 이번에야말로 브러 래빗을 골려줄 수 있게 되었다고 생각하고, 일단 브러 래빗에게 "브러 래빗, 누가 너를 그 아래로 내려보내주었니?"(Courlander 467)라고 질문한다. 이때 브러 래빗은 "누구?" "나?" "나는 지금 낚시를 하는 중이야"(Courlander 467)라고 둘러치며, 동료들을 위해 저녁 거리를 마련하는 중이라고 속인다. 브러 폭스는 이 소리를 듣고 고기가 많으냐고 묻고, 브러 래빗이 그렇다고 말하자 자신도 우물 속으로 들어갈 수 있는 방법을 알려달라고 말한다. 이에 브러 래빗은 자신보다 몸무게가 더 나가는 브러 폭스를 반대편 두레박에 타게 한 뒤, 두레박이 폭스 쪽으로 기울어질 때에 무사히 우물 속으로부터 탈출한다.

　브러 래빗 이야기는 이처럼 재치 있는 계략을 바탕으로 전개되지만, 「브러 래빗의 악어 튀김」("Bre Rabbit's Gator Fry")은 계략 이외에 잔인한 복수와 폭력을 보여준다. 이 이야기에서, 언제나 상냥한 악어는 교회에서 항상 열심히 기도를 하고, 타인들에게 달콤한 말을 하며, 브러 래빗의 새끼를 잡아먹는다. 브러 래빗은 이에 분노하여 악어에 보복을 결심한다. 브러 래빗은 물가에서 유유자적한 악어를 찾아가 오늘 이 근처에서 커다란 잔치를 벌이겠다고 말하며, 악어와 가족을 초대한다. 음식과 음악을 준비하여, 다른 동물들도 브러 래빗을 도와준다. 악어와 가족이 오자, 브러 래빗은 그들을 볏짚 더미에 앉도록 권하고, 재미있는 잔치를 벌인다. 브러 래빗의 보복은 잔치가 무르익어갈 무렵이다. 브러 래빗은 슬쩍 짚더미에 성냥으로 불을 붙이고, 곧 "불이야! 불이야!"(Courlander 472)를 외친다. 결국 악어와 악어 가족은 불에 타 프라이가 되어버린다. 「브러 래빗의 악어 튀김」에 나타난 재치 있는 계략과 잔인한 폭력은 「가로장 울타리」("Rail Fence")에서도 살필 수 있다. 이 이야기에서, 브러 폭스는 브러 래빗의 새끼를 먹기 위해 잡아서 나무에 묶어놓는다. 브러 래빗은 여우에게 "너 나를 어쩌려고 해?"(Courlander 475)라고 질문하자, 브러 폭스는 "우선 너를 터스컬루사Tuscaloosa로 데리고 가서 소녀들에게 내가 너를 잡은 것을 자랑할 거야"(Courlander 475)라고 말한다. 브러 폭스가 브러 래빗을 터스컬루사로 데리고 가던 중에, 큰 옥수수 밭 가장자리를 따라 이어지는 울타리에 이르자, 브러 래빗은 브러 폭스에게 지름길로 가자고 제안하며, 울타리를 통과해서 곧장 가자고 말한다. 브러 래빗은 이에 동의한 브러 폭스에게 "저 밧줄을 잠시 느슨하게 들어올려, 그럼 내가 울타리를 어떻게 통과하는지에 대해 알려줄게"(Courlander 476)라고 말한다. 브러 폭스는 브러 래빗을 의심하며 로프의 끝을 약간 늦춘 다음 브러 래빗에게 먼저 담의 중간쯤에 있는 구멍으로 뛰어 들어가게 한다. 브러 래빗은 들어간 뒤, 브러 폭스에게 자신이 들어온 구멍으로 들어오라고 말한다. 브러 폭스는 머리를 긁적이며, 구멍이 너무 작다고 말한다. 이에 대해, 브러 래빗은 할 수 있다고 유도하고, 브러 폭스는 로프를 약간 늦췄고, 브러 래빗은 울타리를 약간 들어 올려주겠다고 말하며, "머리를 집어넣을 만큼 되었어. 터스의 소녀들에게 보여주어야 하잖아"(Courlander 476)라고 유혹한다. 브러 폭스는 상황을 살피기 위해 구멍으로 머리를 들이밀고, 이때 브러 래빗은 울타리를 들어 올리는 대신 눌러버린다. 그리고 브러 폭스는 "너 터스의 아름다운 소녀들을 만나야 하지 않니?"(Courlander 476)라고 놀려대며 도망치고, 브러 폭스는 "브러 래빗, 네가 나를 질식시키고 있어"(Courlander 476)라고 하소연한다.

아프리카계 미국인들은 이처럼 아프리카의 신화에 바탕을 툰 전통적 이야기를 백인주인을 골탕 먹이기 위한 표현양식으로 활용하여 노예제도와 인종차별로 인한 고통을 해소하고, 저항적 태도를 보여준다. 그리고 챈들러 해리스가 아프리카인들과 아프리카계 미국인들의 신화와 전통적 이야기를 통해 도덕적 교훈을 전달하고자 한 것과 달리, 체스넛은 이를 통해 노예제도와 인종차별의 폭력에 대항일 수 있도록 아프리카계 미국인들의 인종적·문화적 의식과 긍지를 일깨우고, 복원하고자 한다.


## III. 맺음말

후기재건시대의 문학은 우선 노예제도의 현실을 삭제하고, 남부의 가부장제와 낭만적 또는 온정주의적 인종차별주의를 이상화시킨 재건시대의 남부농장문학과 아프리카계 미국문화를 백인의 인종우월주의적 관점에서 왜곡한 순회극단을 거부한다. 이와 관련, 던바, 홉킨스, 그리고 체스넛은 노예해방에도 불구하고 아프리카계 미국인들이 겪는 고통을 노예제도의 연장선 위에서 추적하고, 노예해방의 모순을 비판한 대표적 작가들이다.

던바는 『신들의 장난』을 통해 노예해방에도 불구하고 백인주인의 비양심적인 인종편견과 북부 도시의 자본주의적 권력에 의해 오갈 데 없는 아프리카계 미국인 가족의 '남부로의 귀향'을 통해 노예해방의 이 같은 문제점을 고발한다. 이어, 홉킨스는 『하나의 피에 대하여』를 통해 아프리카계 미국인의 뿌리 찾기를 통한 인종적 정체성의 복원을 추구한다. 이와 관련, 홉킨스의 소설은 사회학적 시각을 통해 노예제도와 노예해방의 문제점을 다룬 던바의 소설과 달리, 인종적 실존의 탐구란 점에서 철학적 존재론을 인종적 시각으로 재해석한 소설이라고 말할 수 있다. 반면에, 체스넛의 소설은 던바와 마찬가지로 노예제도와 노예해방의 문제점을 다룬 소설이다. 하지만 체스넛은 던바와 달리 이 같은 주제를 아프리카계 미국인들의 전통적인 유머형식을 통해 재창조하는 한편, 위트와 비유적 언어를 통해 풍자한다. 체스넛의 이 같은 풍자는 계략가의 '속임수'를 생명으로 하고 있다는 점에서 상대방에 대해 비양심적이고 정당하지 못한 행위로 평가될 수 있다. 하지만 체스넛은 이 같은 도덕적·양심적 문제를 굶주림에 시달릴 정도로 곤경에 처한 아프리카계 노예 또는 해방된 아프리카계 노예의 불가피한 생존수단으로 제시함으로써 독자들의 이해를 구한다. 체스넛는 또한 앞서의 작가들과 달리 백인주인을 압도하는 노예의 기지와 전략을 통해 무지하고 복종적인 아프리카계 미국인이 아닌 백인주인의 부당한 폭력에 저항하고 지혜로 압도할 수 있는 아프리카계 미국인의 모습을 강조한다. 즉 체스넛의 이 같은 아프리카계 미국인은 재건시대의 모순을 적극적 태도로 극복하고자한 후기재건시대 작가의 의지를 반영해준다.

체스넛은 또한 재건시대에 미국문학의 주류로 자리매김한 영국계 미국작가들의 농장문학과 순회가면극을 거부했다는 점에서 후기재건시대의 대표적인 작가이다. 농장문학과 순회가면극은 노예제도를 합리화하기 위해 남부농장의 목가적인 향수를 불러일으키며, 백인주인을 자비로운 보호자로 미화한다. 이와 관련, 체스넛은 노예제도를 옹호하고 아프리카계 미국인의 주체성과 삶을 왜곡한 농장문학과 순회가면극의 전통을 거부하고, 아프리카계 민담의 전통적 유머형식을 통해 백인사회의 제도적 폭력과 억압을 비판한다.

끝으로, 후기재건시대로부터 시작된 이 같은 전복적·실험적 태도는 할렘 르네상스 시대를 맞이한 뒤, 공간을 범대서양적 영역으로 확대하며, 아프리카계 미국인들의 문화와 예술의 부활과 재창조를 본격화 하는 토대를 마련했다고 평가할 수 있다.

# 제4부

# 할렘 르네상스: '뉴 니그로'의 문학적 이슈, 흑인성의 부활

## I. 머리말

할렘 르네상스Harlem Renaissance 시대는 일명 '뉴 니그로'New Negro 시대이다. '뉴 니그로'의 접두어 '뉴'New는 과거의 관습에 대한 거부와 변화를 나타내주는 수식어이며, 보다 넓은 의미에서 전복적·진보적·실험적 의미를 나타내는 수식어이다. 헨리 루이스 게이츠Henry Louis Gates에 따르면, '뉴 니그로'란 용어를 처음 사용한 사람은 재건시대의 아프리카계 지도자 부커 티 워싱턴Booker T. Washington이다. 부커 티 워싱턴은 노예제도 시대를 '올드 니그로'Old Negro 시대, 그리고 노예제도 이후 시대를 '뉴 니그로' 시대로 각각 분류했다(Stephens 213). 하지만 '뉴 니그로' 문학의 적용범위를 논의할 때, 게이츠의 이 같은 견해는 용어의 출처를 밝힌 것에 지나지 않다. 미셸 스티븐스Michelle Stephens는 '뉴 니그로' 시대의 적용범위를 할렘 르네상스 시대로 제한한 다음, 당시의 아프리카계 미국문학을 '뉴 니그로'의 이념과 이상을 추구한 문학으로 평한다. 이에 대해, 진 앤드루 재럿Gene Andrew Jarrett은 '뉴 니그로' 문학의 적용범위를 남북전쟁 이후 후기재건시대post-Reconstruction와 할렘 르네상스 시대로 확장한 다음, 당시의 아프리카계 미국문학에 나타난 새로운 변화를 '뉴 니그로' 문학의 특징들로 접근한다. 즉 재럿은 후기재건시대의 대표적인 아프리카계 미국작가들인 찰스 체스넛Charles Chesnutt과 폴 로런스 던바Paul Laurence Dunbar의 경우 아프리카계 미국인들이 남북전쟁 중에 '올드 니그로'로부터 '뉴 니그로'로 변화할 것이라는 낙관적·낭만적 기대를 가졌다고 전제한 뒤, '뉴 니그로' 문학에 기여한 작가들을 체스넛과 던바로부터 할렘 르네상스 시대의 윌리엄 에드워드 버가트 듀보이스William Edward Burghardt Du Bois와 알레인 로크Alaine Locke로 확대한다.

재럿이 부분적이지만 스티븐스의 견해를 이처럼 수정한 것은 스티븐스가 알레인 로크의 저서 『뉴 니그로』(New Negro)를 의식하며 '뉴 니그로'의 의미와 시대적 범주를 논의한 것에 대한 비판적 입장을 피력한 대목이다. 랭스턴 휴스Langston Hughes가 1920년대에 발표한 「청춘」("Youth")에서 "우리에겐 내일이 있다./우리 앞에 찬란한/불꽃처럼"(CP 39)이라고 묘사한 것처럼, 로크는 할렘 르네상스 시대를 아프리카계 미국인들의 희망찬 낙관적 시대로 제시한다. 즉 로크는 1925년 발표된 이 저서에서 새로운 어떤 것, 즉 눈에 보이지 않고 통계에 잡히지도 않는 것이 20세기 미국의 인종사회에 왔다고 밝히며, 듀보이스가 독자를 역사의 땅인 조지아로 데려간 것과 달리, 새로운 철학으로 약동하는 보다 젊은 세대의 땅인 할렘으로 안내한다(헬블링 87). 즉 그는 이 저서에서 전후시대 아프리카계 미국인들에게 미국에서 산다는 것에 대하여 자부심을 갖게 하고자 한다(88). 하지만 '뉴 니그로'의 의미에 대한 로크의 이 같은 정의는 사실상 할렘 르네상스의 절정기에 무르익었던 문화적 부활에 고무된 한 아프리카계 지성의 새로움에 대한 찬양 또는 기대를 반영한 것에 가깝다. 훗날 그는 "그들이(재능을 갖춘 신세대) 아무리 국제적으로 명성을 떨쳐도 . . . 무자비한 실업이라는 현실 앞에서는 아무 소용이 없다"(헬블링 89 재인용)고 밝히고, '뉴 니그로'의 의미에 대한 지난날의 낙관론이 현실과 괴리가 있음을 시인하고, 이를 수정한다.

로크가 이처럼 할렘 르네상스에 대한 낙관적 비전을 수정한 것은 표면적으로 할렘 르네상스 작가들에게 백인의 재정적 후원을 주선한 것에 대한 비판에 대응하기 위한 것이지만, 역설적으로 할렘 르네상스 시대가 초기의 기대와 달리 인종적 편견과 경제적 빈곤 속에 시달려야 했음을 말해준다. 이와 관련, 게이츠의 평가는 할렘 르네상스를 포괄적으로 이해할 수 있게 해준다. 게이츠는 할렘 르네상스의 탄생에 대해 "좌절이 아닌 자유, 폐쇄성이 아닌 개방성, 모방이 아닌 창조, 구걸이 아닌 선언이 할렘 르네상스를 탄생시켰고, 부활시켰다"(23)고 밝힌다. 그리고 그는 할렘 르네상스를 공간에 비유하여 "할렘 르네상스는 상상력이 풍부한 개인들의 노력이 불충분하게 실현된 것이 아니라, 아프리카계 미국인들의 총체적인 경험과 의식으로부터 나온 '당당한 전략의 복합적인 장,' 즉 피부가 검은 사람의 영원한 집이자 공간"(23)이라고 평가한다. 그의 이 같은 평가는 휴스와 로크의 낙관적 기대를 다시 언급하는 듯하다. 하지만 그는 할렘 르네상스가 부분적으로 로크의 좌절을 담고 있지만, 아프리카계 미국인들에게 영혼의 안식처였음을 분명히 밝혀준다.

할렘 르네상스 작가들은 미국정부의 흑백 통합 프로젝트에 대한 실망과 탄압에 맞서기 위해 인종적 평등과 인종차별주의의 철폐를 강조한 공산주의를 미국사회의 인종차별주의를 개선시킬 수 있는 대안으로 선택한 작가들이다. 일명 '재건 프로젝트'Reconstruction project로 불리는 미국정부의 지역적·인종적 통합 프로젝트는 아프리카계 미국인들에게 백인들과 동등한 사회적 지위와 경제적 활동을 제공하기보다 그들을 백인사회에 종속적으로 통합하여 슬픔과 절망을 안겨준다(McDowell 151-54). 미국정부의 통합 프로젝트가 이 같은 결과를 초래한 것은 결국 할렘 르네상스 작가들에게 정부의 정책에 대한 불신과 실망과 함께 대안으로 마르크스주의와 공산주의를 선택하게 만든다. 할렘 르네상스의 초기 작가인 클로드 매케이Claude McKay는 1922년부터 일 년 동안 소련에 체류하고, 국제공산당 회의인 코민테른에 참석하여 미국의 인종차별과 자본주의 폐단을 비판하는 연설을 한다. 휴스도 매케이처럼 공산당에 가입하고, 1932년부터 일 년 동안 소련에 체류한다. 그들이 이처럼 진보주의적 태도를 취한 까닭은 마르크시즘과 공산주의의 계급투쟁론을 아프리카계 미국인들의 인종불평등을 해결하기 위한 대안으로 여겼기 때문이다.

하지만 미국정부는 할렘 르네상스 작가들의 진보주의적 태도를 체제에 대한 도전으로 간주하고 검열과 탄압을 강화한다. 초대 국장인 에드거 후버Edgar Hoover의 미국연방수사국은 이 같은 임무를 수행한 미국정부의 대표적인 기관으로, 1924년 할렘 르네상스의 절정기부터 1972년 '흑인 예술 운동'Black Arts Movement의 절정기까지 무려 48년 동안이나 미국 내 진보주의 성향의 지식인들과 작가들은 물론, 아프리카계 지식인들과 작가들의 국내 활동과 해외여행을 지속적으로 검열하고 방해한다(Maxwell 254). 예컨대, 공산당에 가입한 당시의 대표적인 아프리카계 지식인들이자 작가들인 휴스와 매케이뿐 아니라, 다른 많은 '뉴 니그로' 시대 작가들, 그리고 '뉴 니그로' 시대 이후의 작가들인 리처드 라이트Richard Wright와 제임스 볼드윈James Baldwin은 연방수사국의 감시와 탄압을 받은 대표적 작가들이다(Maxwell 257). 이와 관련, 본 장은 할렘 르네상스 작가들이 추구한 정치적·문학적 주제들과 특징들에 대해 논의한다.

## II. 흑인성의 부활

할렘 르네상스 시대는 앞서의 시대들보다 더 본격적이고 성공적으로 아프리카계 미국인의 정치적·사회적·문화적 주체성과 지위를 재평가하고 확장시키려 한 시대이다. 할렘 르네상스 시대의 이 같은 공적은 국제적 환경의 변화와 무관하지 않다. 제1차 세계대전 이후의 국제관계와 민족문제를 논의한 베르사유 평화회담에서 제창된 민족자결주의는 아프리카계 미국인들에게 자유시민의 비전을 제시하고, 인종적·문화적 평등주의를 강조한 러시아의 볼셰비키Bolsheviki 혁명은 그들에게 인종적 주체성에 대한 비전을 제시한다. 할렘 르네상스는 초기에 범 아프리카 의회Pan-African Congress를 창립한 듀보이스Dubois와 듀보이스의 '전국 유색인 지위 향상 협회'NAACP(National Association for the Advancement of Colored People)를 비판한 마커스 가비Marcus Garvey의 주도로 진보적 정치성향을 보인다. 하지만 점차적으로 미국 밖의 범대서양 지역들을 망라하는 예술운동으로 전환하여 아프리카계 미국인들의 문화적·지적 의식을 상징하는 메타포로 발전한다.

할렘 르네상스 작가들은 미국문학에 상존하고 있는 백인의 인종우월주의와 인종차별주의를 심의하고, 아프리카계 미국인들의 자각적인 주체성을 창조하고자 한다. 그들은 또한 아프리카계 미국인들뿐 아니라 다른 지역의 흑인들이 도덕적·지적·문화적으로 향상될 수 있다는 것을 보여주고자 한다(Stephens 214). 즉 당시에 클로드 매케이, 랭스턴 휴스, 그리고 도러시 웨스트Dorothy West 등과 같은 작가들은 아프리카계 미국인들의 권리신장을 위해 흑인민족주의로부터 한 발 더 나아가 마르크시즘적 진보주의를 추구한 작가들이다. 그들 중, 자메이카 출신인 매케이는 한때 공산당에 가입하고 1932-1933년 동안 옛 소련에 머물렀던 휴스보다 훨씬 더 진보적이고, 듀보이스가 이끌었던 '전국 유색인 지위 향상 협회'에 대해서도 회의적인 입장을 취한다.

매케이는 아프리카계 미국인들뿐 아니라 다른 지역 흑인들의 삶에 나타난 비극적 현실을 사실주의 시각으로 접근하며 흑인성의 부활을 추구한 작가이다. 매케이의 이 같은 경향은 무엇보다 그의 정치적 행보를 통해 살필 수 있다. 인종적 불평등과 할렘과 같은 빈민굴의 숨 막히는 삶으로부터 탈출하고자 한 매케이는 정치적으로 공산주의의 프롤레타리아 혁명론을 흑인문제를 해결하기 위한 대안으로 믿는다. 하지만 그는 흑인의 인종적 불평등과 질곡에 대하여 아무런 대안도 제시하지 못하는 미국 공산당을 포기하고, 프롤레타리아 혁명의 중심지인 옛 소련으로 향한다. 그는 1922년 제4차 그리고 1928년 제6차 국제공산당 대회Comintern Congress에서 아프리카계 미국인들과 다른 지역 흑인들의 위상과 투쟁에 대하여 연설한다. 하지만 이때 그가 지목한 투쟁대상은 할렘 노예서사들의 의해 비판된 노예제도가 아니라 자본주의이다. 즉 그는 아프리카계 미국인들이 겪는 인종불평등의 원인을 자본주의의 횡포 때문이라고 규정한다. 그리고 미국공산당이 유색인들을 자본주의 횡포에 맞서 계급투쟁을 폭넓게 전개하도록 이끌지 못한다고 비난한다(Stephens 217).

매케이는 1923년 러시아를 떠난 후 파리에서 세계 여러 곳으로부터 온 추방자들, 특히 미국의 모던작가들 중 잃어버린 세대의 작가들과 합류한다. 하지만 그는 모더니스트들의 고뇌에 동참하기보다 '뉴 니그로의 이상'을 구현하고자 한다. 1929년 출간된 『밴조』(Banjo)는 그의 이 같은 이상을 반영한 소설이다. 1920년대 마르세유의 늬우 항구Nieux Port를 배경으로 한 이 소설은 플롯이 없이 일명 '비치 보이'로 불리는 흑인들을 그린 피카레스크 소설이다. 미국의 남부에서 출생하고 밴조Banjo로 더 잘 알려진 링컨 아그리파Lincoln Agrippa는 관광가이드가 되어 레이Ray를 마르세유로 안내하며 이곳의 지저분하지만 활력이 넘치는 내면을 공개한다. 레이는 밴조의 안내로 골목길·술집·가정집·움막이 얽혀있는 미로를 목격하며 화려한 항구도시의 내면에 자리한 프랑스의 어두운 속내를 고발하고, 새로운 환경을 극복하는 법을 배운다.

당시의 마르세유는 생계비를 벌기 위해 항구지역으로 다양한 인간들이 몰려든 곳이다. 매케이는 이곳을 작중배경으로 설정하고, 이곳에 거주하는 흑인들의 무기력하고 따분한 일상, 그리고 때때로 고난을 극복해가는 모습을 사실주의적 시각을 통해 생생하게 추적한다. 이야기가 펼쳐지는 주요 공간은 사람, 음악, 다채로운 향기로 가득 찬 작은 술집들과 매춘굴들이다. 작중주인공은 1920년대 초에 마르세유의 늬우 항구에서 부랑자 생활을 하는 전직 흑인선원들과 부두 노동자들이다. 모두가 미국, 서인도 제도, 그리고 프랑스와 영국의 아프리카 식민지들로부터 온 사람들이다. 약간은 교육을 별로 받지 못한 노동자들과 전직 농노들이다. 다수의 등장인물들과 달리, 주요 작중인물들은 영혼을 가지고 있지 않다. 밴조와 레이 같은 주요 작중인물들은 할 일 없이 어슬렁거리고, 술집과 매춘굴을 오가며, 목적 없는 삶을 살아간다. 그들의 일상은 흑인 우범지역에서 작은 술집들을 드나들며 노래하고 춤추고 마시며 배회하는 것이다. 하지만 매케이가 이 소설을 통해 전달하고자 하는 메시지는 왜 그들이 백인들의 전유물과도 같은 유명 관광지의 부랑자들로 살아가야 하는가이다.

매케이는 이 소설로 인해 할렘 르네상스 작가들로부터 많은 비난을 받는다. 비난의 주된 이유는 소설 속에서 흑인들을 부랑자들로 묘사함으로써 흑인들의 품위와 자존심을 손상시켰다는 이유 때문이다. 하지만 매케이가 이 소설에서 사실주의적 시각을 통해 제기하고자 하는 것은 유럽 백인들의 인종적·문화적 우월주의에 의해 고통 받는 흑인들과 흑인들의 삶이다. 매케이가 작중화자를 통해 "프랑스인들은 술집들 안에서 우리를 차별하지 않기 때문에 검둥이들을 이해한다고 생각한다"(261)고 지적하듯이, 이 소설에서 그가 문제 삼은 이슈는 흑인성에 대한 백인들의 인식부족과 위선이다.

매케이가 이 소설에서 주장한 또 다른 주요 이슈는 '아프리카로의 귀환'이다. 작중화자가 레이에 대하여 "그는 항상 세네갈 인들과 다른 서아프리카 인들이 민족적 온기와 감정으로 이야기하는 소리를 들을 때 비천하게 느꼈다"(312)고 밝힌 것처럼, 매케이는 흑인들의 방랑과 소외를 지켜보며, 그들의 육체적·정신적 고향인 아프리카로의 귀환 또는 아프리카적 주체성의 복원을 강조한다. 매케이의 이 같은 구호는 국제적 호응을 이끌어내는 계기를 마련한다. 즉 1930년대부터 1950년대에 이르기까지 네그리튀드Negritude를 주도한 세네갈의 레오폴 상고르Léopold Senghor와 마르트니크Martnique의 에메 세자르Aimé Césaire는 매케이의 이 같은 구호를 적극적으로 수용하며『밴조』를 '프랑스어권 흑인시학을 위한 영감의 출처'(a source of inspiration for their Francophone black poetics)라고 평한다(Stephens 218).

매케이가 이처럼 정치적 문제의식과 비전을 바탕으로 흑인성의 부활을 추구한 것과 달리, 정치성을 배격하고 흑인문화를 바탕으로 흑인성의 부활을 가장 성공적으로 추진한 할렘 르네상스의 대표적인 작가들은 랭스턴 휴스와 조라 닐 허스턴Zora Neale Hurston이다. 휴스턴 베이커는 아프리카계 미국문화의 형식을 문학담론의 키워드로 사용하는 이유에 대하여 "인간집단이 가치 있는 '영혼의 저장소'라고 주장한 일련의 개념들 또는 순간적·변형적인 일련의 비슷한 이미지들, 형태들, 가정들, 그리고 전제들을 표시하기 위해서이다"(17)라고 밝힌다. 베이커의 이 같은 언급은 할렘 르네상스 시대의 '뉴 니그로' 문학이 흑인문화의 부활을 통해 아프리카계 미국인들의 영혼과 정신을 재창조하려 했음을 말해준다.

휴스는 매케이와 같은 정치적 여행 대신 미국 주변의 흑인국가들에 대한 문화탐방을 통해 아프리카, 카리브, 그리고 북미 흑인들의 전통 음악을 문학적으로 재해석한다. 키스 레너드Keith Leonard에 따르면, 할렘 르네상스 기간인 1920년대는 재즈Jazz, 블루스Blues, 영가Spirituals 등과 같은 전통적 흑인음악이 아프리카계 미국문학에 처음 등장한 기간이고(289), 흑인음악의 등장은 아프리카계 미국작가들과 예술가들의 감수성을 보다 활발하게 해준 한편, 영혼의 심연으로부터 힘과 아름다움을 끌어내게 하고, 아프리카계 미국인들의 영혼과 의식을 되살릴 수 있게 해준다(286).

휴스의 문화탐방은 또한 그에게 흑인들의 사회적·경제적 빈곤을 목격할 수 있게 해준다. 즉 휴스는 아이티 여행에서 흑인들의 사회적·경제적 빈곤을 목격하는데, 그의 이 같은 경험은 그에게 아프리카계 미국인들의 노예역사를 주변국들의 흑인들이 겪고 있는 식민역사를 통해 되살려내게 하고, 동시에 그 후유증의 고통을 사실주의적 시각으로 직시할 수 있게 해준다(Stephens 218-22). 한편, 휴스는 쿠바 여행에서 흑인사회의 전통적인 가부장제도와 일부다처제를 목격한다. 하지만 그는 흑인사회의 이 같은 제도를 흑인성의 일부로 용인하는 태도를 취한다. 즉 그는 이 지역의 가부장제도에 대하여 허스턴의 비판적 시각과 달리 "그들은 미국에서 가능하지 않은 방식으로 흑인성의 아름다움을 보여줄 수 있다"(*Wonder As I Wander* 10)고 평한다.

휴스는 흑인음악의 다중성과 복잡성이 억압적인 사회규범에 어떻게 저항력을 발휘하는지를 직접 경험하고, 이 경험 속에 흑인음악의 형식적·주제적 가능성을 뿌리내리게 한 시인이다(Leonard 291). 휴스는 1926년 에세이 「니그로 예술가와 인종차별 장벽」("The Negro Artist and the Racial Mountain")에서 재즈를 흑인의 고유한 일상으로 설명하며, "니그로의 영혼 속에 맥박 치는 영원한 '탐탐'tom-tom(아프리카 원주민의 북소리), 즉 백인의 세계에서 지하철의 세계, 그리고 일터에서 따분함에 저항하는 반항의 '탐탐'이고, 즐거움과 웃음의 '탐탐'이며, 미소 속에 삼켜진 고통의

'탐탐'"(Leonard 291 재인용)이라고 밝힌다.

휴스의 블루스 시들은 전통적 형식을 갖춘 블루스 시들과 전통형식을 재창조한 블루스 시들로 나눌 수 있다. 시집 『지연된 꿈의 몽타주』(*Montage Of A Dream Deferred*)의 「드림 부기」("Dream Boogie")는 전통적인 3연 12행 12마디 형식을 거부했지만, 첫 행의 진술, 둘째 행에서 첫 행의 재진술, 그리고 셋째 행에서 앞 행들의 진술에 대해 대답하는 전통적 형식을 취한 시이다.


굿 모닝 아저씨!
들어본 적이 있나요
지연된 꿈을 연주하는
부기우기의 나지막한 울림소리를?

잘 들어봐요
그들의 발소리도 들릴걸요
쿵쿵 계속 박자를 맞추는—

*당신은 생각하나요*
*그게 행복한 박자라고?* . . .

맞아,
나는 행복해!
다 잊어버려!


Good morning, daddy!
Ain't you heard
The boogie-woogie rumble
Of a dream deferred?

Listen closely:

You'll hear their feet

Beating out and Beating out a—


*You think*

*It's a happy beat? . . .*


Sure,

I'm happy!

Take it away! . . . (*CP* 388)


한편, 「지연된 꿈」("A Dream Deferred")은 휴스가 즉흥연주를 주고 받는 재즈의 잼 세션방식을 활용한 대표적 시이다.


지연된 꿈은 어떻게 되는 거지?


그 꿈이 말라비틀어지는 건가,

햇볕 속의 건포도처럼?/

아니면 상처처럼 곪아터져—

흐르는 걸까?

썩은 고기처럼 냄새를 풍기고 있나?

아니면 상처처럼 곪아터져—

딱딱한 설탕 껍데기로 굳어 가는가?


아마 그 꿈은 무거운 짐처럼

축 늘어져 있을지도


*아니면 그게 폭발이라도 하는 건가?*

What happens to a dream deferred?

Does it dry up
like a raisin in the sun/
Or fester like a sore —
And then run?
Does it stink like rotten meat?
Or crust and sugar over —
like a syrupy sweet?

Maybe it just sags
like a heavy load.

　*Or does it explode?* (*CP* 426)

　이 시는 꿈의 실현을 목적에 둔 세 사람의 대화로 진행된다. 이들의 대화는 약간의 경제적 여유로 해결할 수 있는 사소하고 기본적인 것들이다 (독고 20). 하지만 이 시에서 지연된 꿈은 언제까지 계속될지 기약이 없기에 고통스럽다.

　휴스에 이어, 허스턴은 아프리카계 미국여성작가로서의 여성적 글쓰기를 보여준 할렘 르네상스의 대표적 작가이다. 허스턴은 1837년에 발표한 장편 『그들의 눈들은 신을 바라보고 있었다』(*Their Eyes Were Watching God*)의 서두에서 "이것은 여성으로부터 시작되었다"(1)고 언급하는데, 그녀의 이 같은 언급은 이 소설이 아프리카계 미국여성작가의 글쓰기임을 밝혀준다. 이 소설에서 허스턴은 프란츠 파농Frantz Fannon이 "미국사회에서 아프리카계 미국여성들의 성gender과 인종race은 정치·사회·

경제·문화에 이르는 전 분야에 걸쳐 구속과 불평등의 조건이다"(97)라고 언급했듯이, 아프리카계 미국여성들의 삶을 이중적 희생의 관점에서 접근한다. 그리고 캐롤 데이비스Carole Davies가 "이중적 희생은 문학을 통하여 문제의식으로 표출되었다"(8)고 지적한 것처럼, 허스턴은 아프리카계 미국여성들의 이 같은 이중적 희생을 이 소설에서 인종적·성적 문제의식으로 제시한다.

하지만 허스턴의 여성적 글쓰기는 당시 아프리카계 남성작가들과 비평적 담론들로부터 투쟁적 정치성을 결여했다는 비판에 시달린다. 리처드 라이트는 이 소설을 "인종적 주제나 사상의 메시지를 결여한 작품"(17)이라고 비난했고, 로레인 베설Lorraine Bethel은 "자기 확신을 결여하고, 비이성적이며 추상적인 천박한 작품"(178)이라고 비난했다. 이 소설이 아프리카계 여성작가 특유의 글쓰기로 평가받은 시점은 1960년대에 페미니즘이 등장하면서부터이다. 즉 엘리스 워커Alice Walker와 엘리자베스 미스Elizabeth Meese는 이 소설을 각각 "성적차별을 거부하고 흑인여성의 정체성을 강조한 작품"(12), 그리고 "인종적·성적 차별이 존재하는 미국사회에서 흑인여성의 강력한 저항을 보여준 작품"(263)이라고 평가한다. 워커와 미스의 이 같은 평은 허스턴이 아프리카계 미국남성작가들의 주된 메뉴인 인종적 희생에 대한 저항의식에 머물지 않고, 여성 특유의 글쓰기를 통해 인종적 희생과 성적 희생을 동시에 고발하고 있음을 주목한 결과이다.

허스턴은 이 소설을 흑인민담의 전형적인 이야기 전달 방식인 스토리텔링 방식으로 전개한다. 이때 이야기 전달자는 작중 주인공인 제이니 Janie이고, 제니의 이야기를 듣는 작중인물은 피비Pheoby란 아프리카계 미국여성이다. 이 이야기에서 백인의 노예였던 내니Nanny는 딸 리피Leafy를 학교에 보내기 위해 노예해방 이후에도 백인 집에서 노예생활을 한다. 그녀가 이처럼 노예생활을 연장하면서까지 딸을 교육시키려 한 까닭은 백인주인의 강요된 노동뿐 아니라 백인남성주인의 성적 폭력을 견디며 살아온 아프리카계 여성노예의 이중적 희생을 딸에게 대물림하지 않기 위해서이다. 하지만 내니의 이 같은 소망은 리피가 그녀처럼 백인남성주인의 성폭력으로 인해 제니를 출산함으로써 물거품이 된다. 내니와 리피가 반복적으로 백인남성주인의 성폭력에 노출되었던 것은 파농의 언급처럼 아프리카계 미국여성들이 노예제도 시절과 그 이후에도 노예생활의 과중한 노동뿐 아니라 백인남성주인의 성폭력에 시달렸음을 말해준다.

내니는 딸에게 걸었던 소망이 이처럼 좌절되자 현실주의자로 변화하여(Rosenblatt 29), 제이니를 경제적 교환대상으로 취급한다(Willis 49). 노예제도의 고통과 딸에게 걸었던 기대의 좌절을 경험한 내니는 자본주의적 부가 제이니에게 행복한 삶을 가져다 줄 것이라는 믿음과 함께 그녀를 부유한 로건 킬릭스Rogan Killicks와 결혼하도록 강요한다. 내니의 이 같은 강요는 로건의 자본주의적 부를 현실적 목적으로 착각한 데에서 비롯되었고, 그 결과, 딸에 이어 제이니를 또 다시 인종차별과 가부장적 폭력으로 내몬다. 로건은 노예제도 시절 백인주인처럼 "내가 알고 있는 한 흑인여성은 세상의 노예거든요"(14)라고 말한다. 로건의 이 같은 언급이 말해주듯, 그는 제이니를 사랑하는 아내가 아니라 자본주의적 부를 생산하기 위한 도구로 취급한다.

제이니는 할머니의 강요된 결혼과 남성의 가부장적 억압과 폭력에 대해 복종만을 하는 여성이 아니다. 로건과의 사랑 없는 결혼생활을 더 이상 지속할 수 없다고 판단한 제이니는 결국 두 번째 결혼 상대인 조 스탁스Joe Starks와 탈출하여 새로운 결혼생활을 시작한다. 하지만 제이니가 선택한 이 결혼 역시 실패로 끝난다. 조는 로건처럼 "자본주의 숭배자"(Todd 111)이며, 가부장적 남성이다. 조는 자본과 권력의 상관관계를 맺고, 자본을 통해 아프리카계 미국사회의 지도자가 되려 한다. 그리고 조의 이 같은 의식과 야망은 제이니를 구속하는 폭력이나 다름없다. 조는 아프리카계 미국사회의 지도자가 되겠다는 소망을 이루지만, 제이니에게는 가계를 내어준 다음, 그녀를 아프리카계 미국사회로부터 소외시키고 공개적으로 무시한다. 즉 조는 제이니에 대해 "제이니는 연설을 할 줄 모르는 사람이고, . . . 그녀가 있어야 할 곳은 가정입니다"(43)라고 말하는데, 그의 이 같은 태도는 제이니에 대한 사회적 · 정치적 억압이나 다름없다(Stepto 145).

한편, 제이니는 조의 이 같은 행동에 대하여 초기에 침묵으로 일관하지만, 조가 건강악화로 인해 자주 성을 내고, 공개적으로 조롱하자 이에 맞서 조의 사회적 권위와 가부장적 남성성을 공격한다. 즉 제이니는 조가 그녀를 늙은 암탉이라고 조롱하자 이제까지의 침묵을 공격적 태도로 전환한다.

> 당신이 이 주변에서 허풍을 떨고 다니지만,
> 목소리 큰 것밖에 없어. 흥! 나더러 늙어
> 보인다구! 바지를 내려보면, 당신도
> 인생의 변화를 실감할걸.

> You big-bellies round here and put out a lot of brag,
> but 'tain't nothin' to it but yo' big voice. Humph!
> Talkin' 'bout me lookin' old! When you pull down yo' britches,
> you look lak de change uh life. (79)

제이니가 조와의 결혼생활을 청산하고, 여성의 자아를 추구하며 사랑을 이룬 것은 티 케이크Tea Cake와의 결혼을 통해서이다. 이 결혼은 2년 동안 이어졌지만, 제이니가 자아인식과 사랑을 이룬 결혼이다. 티 케이크는 조와 달리 제이니와 요리를 하고 낚시를 함께 하는 등 그녀를 진정한 사랑의 동반자로 대한다. 뿐만 아니라, 조가 제이니의 머리가 나쁘다는 이유로 그녀에게 체스를 가르쳐주지 않은 것과 달리, 티 케이크는 그녀의 머리를 사랑스러운 눈빛으로 바라보고 그녀에게 체스를 가르쳐준다(103). 농장에서 일하는 모습도 자연스럽고 조화로운 모습이다(Kubitchek 111). 물론 티 케이크와 제이니에게 위기가 없었던 것은 아니다. 위기의 원인은 서로에 대한 오해와 질투이다. 티 케이크가 넌키Nunkie란 소녀에게 친절을 베풀자 제이니는 "작은 불안의 씨앗이 나무로 자라나게 될 수 있다는 불안감을 드러낸다(136). 그리고 티 케이크가 이를 적극적으로 뿌리치지 못하자 폭력을 불사하는 싸움을 벌인다. 한편 제이니가 같은 마을의 터너 부인Mrs Turner의 남동생과 친하게 지내자 티 케이크가 이를 문제 삼아 폭력을 행사한다. 하지만 티 케이크와 제이니가 이 같은 위기를 극복하는 데에 가장 중요한 역할을 것은 무엇보다도 상호간의 존중과 사랑이다.

이 소설의 결말부분은 티 케이크와 제이니에게 갑자기 닥친 천재지변을 통해 그들의 상호 존중과 사랑을 확인해주는 부분이다. 티 케이크와 제이니는 마을에 허리케인이 밀어닥치자 이를 피하기 위해 마을을 떠난다. 하지만 피난 도중 불행하게도 티 케이크는 위험에 처한 제이니를 구하려다 미친개에게 물려 광견병에 걸린다. 이때 제이니는 티 케이크의 비이성적 행동을 중단시키기 위해 '살해'라는 극단적 선택을 하지만, 그의 죽음을 포옹하며 그동안 베풀어준 사랑에 대해 고마움을 표한다.


## III. 맺음말


할렘 르네상스 시대를 주도한 작가들은 전통적인 흑인민담의 정치적·문화적·도덕적 의미를 인식하고, 흑인민담의 발굴과 재창조를 통해 아프리카계 미국인들과 다른 지역 흑인들의 주체성·정신·의식을 강조한다.

할렘 르네상스 시대의 문학은 휴스턴 베이커가 '뉴 니그로'를 대중적·도시적·국가적·국제적 관점에서 아프리카계 미국문학의 모더니티를 알리는 헌정사라고 평가한 것처럼(91), 새롭고 독창적인 문학으로 발전한다. 초기에 매케이는 진보주의적 정치성향을 토대로, 아프리카계 미국인들과 다른 지역 흑인들의 고통과 방황을 사실주의적 시각으로 포착한다. 즉 매케이는 현실적 문제의식과 함께 정치성을 강조한 작가라는 점에서 문화의 부활을 추구한 다른 할렘 르네상스 작가들과 차이를 보인다. 따라서 그의 이 같은 정치적·문학적 경향은 미셸 이본 고든Michelle Yvonne Gordon이 "아프리카계 미국문학의 진보적·대중적 마르크시스트 전통의 뿌리들은 시카고 르네상스가 아니라 할렘 르네상스에서 시작됐다"(277)고 밝힌 것처럼, 시카고 르네상스Chicago Renaissance 시대의 진보주의적 정치성과 사실주의를 키워낸 뿌리나 다름이 없다.

할렘 르네상스 시대의 문학은 매케이의 이 같은 경향으로부터 벗어나 아프리카계 미국문화의 부활과 재창조를 추구한 문학으로 발전한다. 할렘 르네상스 작가들 중 휴스는 재즈와 블루스 같은 흑인음악을 문학적으로 재해석하여 아프리카계 미국인들의 주체성, 정신 그리고 의식을 고취시키고, 이를 미국 밖으로 확산시킨다. 휴스에 이어, 허스턴 역시 범대서양 지역들을 순회하며 흑인민담과 예술을 수집한 흑인 고유의 유머형식을 문학적으로 재해석한다. 하지만 허스턴은 아프리카계 여성작가로서 휴스와 달리 여성 글쓰기를 통해 가부장제도와 여성의 무비판적 의식을 비판하고, 아프리카계 미국여성의 자아실현을 추구한다.

# 제5부

# 할렘 르네상스와 모더니티*

## I. 머리말

모더니즘 시대의 아프리카계 미국문학은 할렘 르네상스Harlem Renaissance를 기반으로 아프리카계 미국문학을 일대 전환기로 이끌었음에도 불구하고 모더니즘에 대한 정전적 기록에서 배제되거나 저평가되어 왔다. 이에 대해 칼라 캐플런Carla Kaplan은 미국문학의 정전적 권위를 대표하는『노튼 전집: 미국문학』(*The Norton Anthology: American Literature*)을 예로 들어 여섯째 판이 새로운 모더니즘 역사를 밝히고자 했지만, 그 또한 여전히 보수주의적 시각으로부터 벗어나지 못했다고 평가한다. 캐플런의 이 같은 입장은『노튼 전집』이「모더니즘에 대한 소개」("Introduction to Modernism")를 많은 표제들로 분리함으로써 초래한 역기능을 문제 삼은 것이다. 캐플런은『노튼 전집』의 많은 표제분리에 대하여 일단은 긍정적인 측면에서 모더니즘을 변화하는 시대, 아프리카계 미국인들, 그리고 여성의 관점에서 상호문맥화 하는 데에 기여했다고 평가한다. 하지만 그는『노튼

---

* 본 장의 내용은 2013년『현대영미소설』제21권 1호에 발표한 필자의 논문「할렘 르네상스시대 아프리카계 미국문학의 모더니티」를 수정, 보완한 내용임.

전집』의 이 같은 기록방식으로 인해 아프리카계 미국문학 또는 여성 작가들이 상호문맥화 해온 모더니즘을 재조명할 장치를 상실하게 하고, 결국엔 모더니즘을 백인과 남성의 전유물로 고착화 했다고 비판한다(48). 이와 관련, 티. 비. 리드T. V. Reed는 「문학을 재역사화하며」("Re-Historicizing Literature")에서 정전을 "문학도들과 학자들을 위해 문학전통을 대표하기에 충분한 작품"(100)으로 정의하고, 1930년대 후반부터 1960년대까지 미국과 유럽에서 거대 비평적 담론을 이끌었던 뉴 크리티시즘New Criticism을 겨냥하여 사회적 편견이 배타적 정전의식을 초래했다(100)고 진단한다. 뉴 크리티시즘에 대한 리드의 이 같은 비판은 사회적 편견과 배타적 시각에 바탕을 둔 모더니즘의 정전의식을 거부하고, 문학의 다양성을 포용해야 한다는 요구를 반영하고 있다는 점에서 전복적이고 다원주의적이다. 따라서 모더니즘의 정전의식에 대해 전복적인 리드의 이 같은 시각을 미국문학의 모더니즘에 대한 논의에 적용할 때, 리드는 미국문학의 모더니즘에 대한 논의 역시 사회적·인종적·문화적 편견과 배타성으로부터 벗어나 미국문학의 새로운 정체성은 물론, 다민족적·다문화적 정체성을 바탕으로 재논의 해야 한다는 점을 분명히 해준다.

　　모더니즘은 문학적 맥락에서 전복적, 진보적, 그리고 혁신적 스타일을 지칭하는 문학 사상이자 사조이다. 피터 차일즈Peter Childs의 견해에 따르면 모더니즘은 진보적 미학, 기교적 실험, 연대기적 형식보다 공간적 또는 리듬적 형식, 자기-의식적 반응성, 중심화 된 인간주체의 사상을 향한 회의주의, 그리고 현실의 불확실성을 향한 지속적 탐구 등을 추구한 문학 사상이다(18). 하지만 캐플런은 블레어Blair의 견해를 바탕으로 "1930년대 동안 문학연구의 범주로서 시작한 이래로, 모더니즘은 악명 높게도 정의를 내리는 데 적합하지 않다"(40)고 밝힌다. 캐플런의 이 같은 견해는 모더니즘의 실질적 의미와 문학사적 명칭 사이에 나타난 모순적 간극을 의식한 견해일 수 있지만, 그보다 규범화되다시피 한 모더니즘의 시대적 정의와 특징들을 전복적으로 접근하려는 취지를 담고 있다. 이와 관련, 캐플런은 '모더니즘'을 '기성품 모더니즘'hand-me-down Modernism이라 칭하고, 모더니즘을 정의하는 데에 있어서 해결할 수 없는 세 가지 난제들을 제시한다. 첫째, 만약 '모던'modern을 '새로움'newness 또는 '현재성'nowness을 의미하는 용어로 이해한다면, 100년이 지난 지금 '모던'은 '새로운'new의 의미로 해석할 수 없다. 둘째, 모더니즘은 혹자가 그 중심을 발견하는 장소에 따라, 즉 혹자가 어느 지역에 서있느냐에 따라 대단히 달리 보일 수 있다. 셋째, 모더니즘의 기존관념은 '새로움' 또는 그 자체의 경계성에 대해 의문을 품게 만든다(42). 캐플런이 제시한 이 같은 난제들은 모더니즘을 기존의 규범적 인식과 관행으로부터 벗어나 새롭게 접근하려는 '뉴 모더니스트 연구들'The New Modernist Studies의 전복적이고 혁신적인 연구방법과 맥락을 같이한다. 바꿔 말하면, 모더니즘에 대한 그녀의 문제의식은 둘째 항과 관련하여 덜 알려진 전통을 회복하고, 첫째와 셋째 항과 관련하여 문학사의 윤곽을 재정의·재형태화하려는 '뉴 모더니스트 연구들'의 목표(Felski 24)와 일치한다.

　　모더니즘에 대한 '뉴 모더니스트 연구들'의 전복적·혁신적 연구방법은 모더니즘 시대에 등장한 아프리카계 미국문학을 모더니즘적 관점에서 재정의·재형태화 할 수 있는 길을 터준다. 레이먼드 윌리엄스Raymond Williams는 '기성품 모더니즘'으로부터 소외된 문학을 의식하여 "우리는 금세기의 광범위한 여백에 남겨진 채 무시당했던 작품들로부터 획득된 대체적 전통을 찾아야 하고, 기존의 전통과 대치시켜야 한다"(Kaplan 42 재인용)고 주장한다. 윌리엄스에 이어, 앤 아르디스Ann Ardis와 레슬리 루이스 Leslie Lewis는 '뉴 모더니스트 연구들'을 20세기 연구들의 방향전환을 재활성화 해주는 문학적 모더니즘에 대한 수정적 학문으로 규정한다(Kaplan

42 재인용). 모더니즘으로부터 소외된 영역에 초점을 맞춘 '뉴 모더니스트 연구들'의 이 같은 전복적·혁신적 시각은 특정한 지역의 인종적·문화적 산물인 모더니즘의 정전을 해체하여 다양한 지역, 인종, 문화로 확장하고자 하는 의미를 띤다. 이와 관련, 피터 니컬스Peter Nicholls는 "'뉴 모더니스트 연구들'이 각기 다양한 모더니스트 경향들의 지도를 제공하고, '기성품 모더니즘이 20세기 초 대단히 복잡한 일련의 문화적 발전들 중 어느 한 가닥만으로 구성된 것으로 보일 수 있도록 해준다"(7-8)고 밝힌다. 니컬스처럼, 펠스키Felski도 "'뉴 모더니즘'이 모더니즘 거장들의 작품들을 경건하게 다시 읽고, 모더니티에 대해 보다 광범위한 지형도들을 구축하려는 열망과 함께 고리타분한 정서를 비판한다"(24)고 지적한다. 결국 윌리엄스, 아르디스, 루이스, 니컬스, 그리고 펠스키의 이 같은 견해들은 '뉴 모더니스트 연구들'이 모더니즘을 영국계 미국문화, 사회질서, 그리고 이상의 산물로 규정하고, 모더니즘의 특징이나 기준이 더 이상 타민족들의 문화 및 문학을 평가하거나 정의할 수 없음을 말해준다. 그리고 '뉴 모더니스트 연구들'의 이 같은 입장은 모더니즘에 대한 시대적 정의와 특징들을 논의하는 데에 있어서 컨트롤 타워 역할을 해온 영국계―또는 유럽계―미국문화 및 문학의 거대 도시적 담론들을 해체하고, 상대적으로 소외되었던 지역, 민족, 그리고 문화의 주체성과 가치를 동등한 입장에서 재조명하여 모더니즘에 대한 논의를 활성화하고, 다양화할 수 있는 길을 열어준다고 말할 수 있다.

'뉴 모더니스트 연구들'이 이처럼 모더니즘 시대의 다양한 텍스트들을 정전적 확장과 복구의 시각으로 접근한 것은 모더니즘 작가들의 미학적·정치적·문화적 주장들을 재평가하고, 모더니즘을 다양한 이념적·학문적 시각들을 통해 재조명할 수 있게 해준다. 그리고 이 연구들의 전복적 비전은 또한 모더니즘 시대에 등장한 아프리카계 미국문학의 문학사적 의의를 유럽계 백인 문학과 동등한 위치에서 재조명할 수 있도록 해준다. 따라서 본 장은 모더니즘의 정전적 규범과 기준에 대한 '뉴 모더니스트 연구들의 전복적·확장적 시각을 바탕으로 모더니즘 시대 아프리카계 미국문학의 주제와 형식에 대해 논의한다.

## II. 아프리카계 미국지성들의 모더니티에 대한 논의

모더니즘에 대한 '뉴 모더니스트 연구들'의 전복적 문제의식과 시각은 모더니즘 시대에 등장한 아프리카계 미국문학의 텍스트들이 인종적·문화적 타자성과 모더니즘의 정전적 규범과 기준에 맞지 않는다는 이유로 무시되거나 평가절하 되었음을 말해준다. 이에 대해 아프리카계 미국문학에서 가장 주목해야 할 첫 뉴 모더니스트적 연구는 휴스턴 베이커Houston Baker의 『모더니즘과 할렘 르네상스』(*Modernism and the Harlem Renaissance*)이다(Kaplan 44). 베이커는 이 책에서 모더니즘의 정전적 규범과 기준을 거부하며, 20세기 초에 등장한 아프리카계 미국문학이 지역적이고 구시대적이며, 대담성·전복성·독창성·상상력을 결여했다는 왜곡된 주장들을 반박한다. 즉 베이커는 이 저서의 서문에서 당시의 아프리카계 미국문학을 '아프리카계 미국 모더니즘'African-American modernism으로 지칭하고, 카운티 컬른Countee Cullen, 클로드 매케이Claude McKay, 알레인 로크Allaine Lock, 넬라 라슨Nella Larsen, 랭스턴 휴스Langston Hughes, 그리고 진 투머Jean Toomer와 같은 1920년대 할렘 르네상스 작가들의 문학이 제임스 조이스James Joyce와 티 에스 엘리엇T. S. Eliot의 프로젝트와 다르다는 이유로 모더니즘의 정전적 토대 역할을 해온 일련의 환영적인 평가기준에 의해 평가될 수 없으며, 아프리카계 미국문학이 이에 굴복해서도 안 된다는 입장을 개진한다(xvi).

베이커는 이 책의 첫 머리에서 할렘 르네상스 운동을 모더니즘적 관점에서 재평가하기 위해 모더니즘을 실패한 운동으로 규정한 네이선 허긴스Nathan Huggins와 초기 비평가들을 비판한다. 이 비평에서 베이커와 초기 비평가들은 허긴스가 할렘 르네상스에 대하여 "정체성에 대한 자각과 탐색이 있긴 하지만, 여전히 윤리적인 편협함과 지방주의를 영속화하는 모습들을 목격할 수 있다"(308)고 평한 것에 강한 거부감을 보이며, 허긴스의 언어 '지역주의적인'에 대하여 "내 생각으로는 '낡은' 또는 '정체된'을 대신하는 언어"(X iv)라고 비판한다. 베이커의 이 같은 비판은 해럴드 크루스Harold Cruse를 겨냥한 비판이다. 크루스는 할렘 르네상스를 부정적인 시각으로 접근한 초기 비평가들 중 한 사람이다. 크루스는 할렘 르네상스의 아프리카계 지성들에 대하여 처음 "사회적 강자집단, 계층, 내부집단, 그리고 파벌들이 지배하는 미국에서 개인주의적 시각으로 그들 자신의 세상을 바라보았다"(22)고 평함으로써 할렘 르네상스의 지성들에게 후한 점수를 주는 모습을 보인다. 하지만 크루스는 후에 정반대의 입장을 취하며 할렘 르네상스의 지성들을 조롱조로 폄하한다. 크루스는 "할렘의 지성들은 백인들이 그들을 알아봐주는 것과 극진한 대접을 해주는 것에 너무 놀라고 감격해서 진정한 문화 운동을 . . . 결과적으로 과보호에 길들여진 응석받이가 되도록 방치했다"(22)고 지적하는데, 그의 이 같은 견해는 할렘 르네상스의 지성들과 작가들이 백인의 재정적 후원을 받은 것을 이유로 할렘 르네상스의 가치를 싸잡아 폄하한 것이다. 이와 관련, 마크 헬블링Mark Helbling은 『할렘 르네상스』(Harlem Renaissance)에서 크루스를 할렘 르네상스의 가치를 처음으로 인정한 비평가로 평하지만(12), 할렘 르네상스의 지성인들에 대한 크루스의 폄하를 "밑도 끝도 없는 전망은 무의미하고 모순적인 몸짓"(12)이라고 비판한다. 즉 헬블링이 크루스의 비판을 이처럼 한 마디로 일축해버린 것은 할렘의 지성들과 작가들이 비록 백인이 원하는 아프리카계 미국인의 '원시적인 감정의 격동적인 리듬'을 작품화하는 대가로 부유한 백인인 샬럿 오스굿 메이슨 부인Mrs Charlott Osgood Mason으로부터 재정적 도움을 받기는 했지만, 그들의 이 같은 행위가 경제적 현실을 타개하기 위한 궁여지책일지는 몰라도 할렘 르네상스의 가치를 훼손시킨 것은 아니라는 점을 분명히 해준다. 이와 관련, 메이슨 부인과 아프리카계 지성들 사이에서 가교역할을 한 알레인 로크는 "시와 예술에는 치료약도 없고 구제의 마법도 없다. 아무리 재능을 가진 신세대가 나타난다 할지라도. . . 실업이란 끔찍한 현실 속에서 아무 소용이 없다"(457)고 응수했는데, 그의 이 같은 입장표명은 크루스의 비판 속에 담긴 청빈주의 또는 순수주의가 결코 할렘의 지식인들과 작가들이 할렘 르네상스를 이끌어가는 데 최상의 선택이 아니었음을 말해준다.

베이커는 허긴스와 초기 비평가들의 이 같은 부정적 평가를 반박하며 아프리카계 미국문학 또는 문학적 담론을 아프리카계 미국인들의 민속과 민담 속에 자리한 '형식의 숙달'mastery of form과 '숙달된 형식의 미적 변형'deformation of mastery을 근거로 해석되어야 한다는 입장이다(15). 베이커의 형식은 그가 "나는 형식이란 용어를 사용할 때, 내용과의 차이를 환기시키고 싶지 않으며, 형식의 원초적 질서를 지속적이고 안정적인 실존으로 특권화 하는 형이상학적 함정을 떠올리고 싶지도 않다"(16)고 말한 것처럼, 고체 상태로 관찰되는 사물을 의미하지 않으며, 이를 초월한 이상적 실체도 아니다. 그것은 이 같은 존재론적 간극 또는 경계를 무너트리며 '상징적 의미를 부여하는 유동체'symbolizing fluidity(17)이다. 베이커의 형식은 또한 이 같은 유동적 의미와 더불어 아프리카계 미국인들의 전통적 가면극에서 사용되는 가면과 같은 실체이다. 이와 관련, 베이커는 형식이란 용어를 문학담론의 키워드로 사용하는 이유에 대해 "인간집단이 가치 있는 '영혼의 저장소'라고 주장한 일련의 개념들 또는 순간적·변형적인 일련의 비슷한 이미지들, 형태들, 가정들, 그리고 전제들을 표시하기 위해서 라고 밝힌 다음, 가면이 이런 관념들을 진행시켜 나가기 위해 가장 적절한 형식이다'(17)라고 주장한다. 형식에 대한 베이커의 이 같은 비유는 가면을 '관찰된 사물'thing observed이 아니라 '눈에 보이는 움직임'motion seen이라고 인식한 데에서 출발한다. 베이커에게 가면은 "아프리카인들과 아프리카 출신 흑인들의 억압된 성적 욕구, 익살스러운 유희, 본능적 충동해소, 거세불안, 그리고 발전의 거울단계뿐만 아니라, 아프리카 대륙의 거주자들과 이곳으로부터 건너온 후손들의 반박할 수 없는 인간성에 대하여 깊이 자리한 거부를 위한 '거주의 공간'space of habitation이다"(17).

베이커는 형식을 이처럼 재정의·재해석하며, 재건시대Reconstruction Age의 부커 티 워싱턴Booker T. Washington을 모더니즘이 추구해야 할 방향을 제시해준 아프리카계 지성이자 작가로 평가한다. 베이커의 이 같은 평가는 부커 티 워싱턴에 대한 아프리카계 미국사회의 엇갈린 평가를 재해석하고 있다는 것이라는 점에서 의미가 깊다. 이와 관련, 윌리엄 에드워드 버가트 듀보이스W. E. B. Du Bois는 베이커의 반박으로부터 자유롭지 못한 할렘 르네상스 시대의 아프리카계 미국 지성이자 지도자이다. 듀보이스는 『흑인대중의 영혼들』(*The Souls of Black Folk*)에서 "노예는 자유로워졌다. 잠깐 동안 태양빛 속에 서 있었다. 다음 다시 노예제도를 향해 돌아갔다"(McDowell 150)고 말하며, 노예제도를 중단된 역사가 아니라, 노예해방 이후에도 형태만 달리하며 여전히 계속되고 있는 역사로 규정한다. 노예해방 이후에 대한 그의 이 같은 인식은 부커 티 워싱턴의 수정주의에 대한 비판을 담고 있다. 워싱턴에 대한 그의 주된 비판적 이슈는 워싱턴이 『노예제도로부터의 향상』(*Up from Slavery*)에서 노예제도를 학교에 비유하며 노예주인들의 자비로운 면을 강조한 점이다. 이와 관련, 듀보이스는 노예제도의 억압과 고통을 상기시키며, 이 같은 역사가 노예제도의 폐지 이후에도 반복되고 있음을 강조한다. 하지만 베이커는 듀보이스의 이 같은 비판에도 불구하고 1895년 애틀랜타 국제박람회 흑인전시관에서 행한 부커 티 워싱턴의 연설을 아프리카계 미국인의 모더니즘이 나가야 할 기본적 방향을 제시한 것으로 평가한다(17). 즉 베이커의 이 같은 평은 부커 티 워싱턴을 듀보이스와 달리 "백인체제에 타협한 아첨꾼이 아니라, 지배문화의 언어를 통달하고 나아가 그것을 뒤엎은 원숙한 책략가"(헬블링 20)로 이해했음을 말해주는 것이다.

베이커는 이 논의에서 또한 아프리카계 미국문학의 모더니티를 20세기 초 영국계 미국작가들과 영국작가들에 대한 모더니즘적 잣대 또는 기준으로 판단해서는 안 된다는 점을 강조한다. 『모더니즘과 할렘 르네상스』의 서문에서 베이커는 "전통적으로 모더니즘은 20세기 초의 영국, 아일랜드, 그리고 영국계 미국작가들과 예술가들의 작품들을 의미한다"(13)고 언급했는데, 그의 이 같은 언급은 영국계 미국 모더니즘 작가들과 영국 모더니즘 작가들의 실험적 형식이 아프리카계 미국문학의 모더니티를 판단하기 위한 잣대가 될 수 없음을 밝혀준다.

한편, 베이커는 부커 티 워싱턴의 연설을 기점으로 아프리카계 미국문학의 모더니티에 대한 논의를 시작하지만, 할렘 르네상스 시대의 지성들과 작가들이 아프리카계 미국문학의 모더니티를 완성시켰다고 평가한다. 베이커의 이 같은 평가근거는 할렘 르네상스 시대의 지성들과 작가들이 아프리카계 미국인들의 역사, 현실, 그리고 의식을 정치적·사회적·문학적 이념과 운동으로 승화시킨 '뉴 니그로'The New Negro 운동을 지적으로 담론화 하고, 문학적으로 재해석한 데에서 찾을 수 있다. 베이커는 '뉴 니그로'를 대중적, 도시적, 국가적, 그리고 국제적 관점에서 아프리카계 미국문학의 모더니티의 헌정사로 평가한다(91). 그의 이 같은 평가는 할렘 르네상스가 '뉴 니그로' 운동을 동력으로 아프리카계 미국문학의 모더니티를 완성했다는 것을 밝혀준다.

베이커는 할렘 르네상스 시대에 아프리카적 음성을 가장 정확하게 보여준 아프리카계 미국지성을 듀보이스라고 평하고, 그의 『흑인대중의 영혼들』의 메타포인 베일veil을 아프리카계 미국인들을 인종차별의 경계 선 뒤에 위치시키는 인종적 소외의 장해물로 해석한다(57). 베이커는 이 같은 평과 더불어 듀보이스의 문학적 기교를 논의하며 "듀보이스의 텍스트에서 문화는 서구적 언어들로 묘사되었다"(100)고 평하고, "변형적 대학 프로젝트deformative university project를 위해 최상의 백인작가들에게 능수능란한 호소를 했다"(100)고 평한다. 이와 관련, 듀보이스에 대한 베이커의 평은 사실만을 간결하게 전달할 뿐, 긍정적이지도 부정적이지도 않다. 어떻게 보면, 베이커의 이 같은 평은 문학적 기교에 있어서 듀보이스가 유럽 지향적 태도를 보인 것을 적극 수용함으로써 아프리카계 미국문학의 모더니티를 논의하는 데 있어서 그의 평이 국제적 고립 또는 배타성을 보이지 않았다는 것을 사사해준다고 말할 수 있다.

듀보이스는 1897년 발표한 일종의 선언문인 「인종들의 보존」("The Conservation of Races")에서 민족을 구별할 때, 신체적 차이가 아니라, 정신적인 또는 심리적인 차이로 구분해야 한다고 강조하고, 하나의 민족으로 묶는 것은 내면적이고 정신적인 결속력이라고 강조한다(12). 그의 이 같은 견해는 피부색에 따라 민족의 능력과 우수성을 평가한 백인사회의 인종우월주의를 비판하고, 아프리카계 미국인이 미국의 앵글로 색슨계의 과거 속에 뿌리를 둔 여러 전통과 가치를 초월하여 경험과 인식으로 묶인 잠재적으로 강력한 민족 혹은 하나의 독립된 민족임을 밝혀준다(헬블링 52-53). 즉 듀보이스는 아프리카계 미국인이 미국에서 태어나 미국인이 되었지만 인종의 단결을 위해, 그리고 인종적 불평등에 저항하기 위해 물리적인 힘, 지적인 재능, 그리고 정신적 이상을 보존하는 것이 아프리카계 미국인의 의무임을 강조한다(12).

　　듀보이스는 또 다른 선언문인 「흑인 민중의 분투」("Strivings of Negro People")에서 아프리카계 미국인들을 심리적 관점에서 '이중적 의식'의 소유자들로 정의한다. 이에 대해 듀보이스는 "이것은 매우 특이한 느낌이다. 다른 사람의 눈 속에서 자기 자신을 바라보는 느낌, 흥겨운 경멸과 동정의 시선으로 바라보는 세상의 잣대로 자신의 영혼을 재단하는 느낌"(194)이라고 밝히며, 아프리카계 미국인의 의식 속에 내재된 아프리카적인 것과 미국적인 것의 이율배반적 관계를 밝힌다. 듀보이스의 이 같은 견해는 미국인이면서 아프리카인인 아프리카계 미국인들이 가지고 있는 두 개의 영혼, 두 개의 생각, 두 개의 화해할 수 없는 주장과 갈등을 말하는 것으로, 인종적 정체성을 혼동시키는 딜레마에 대한 표현으로 여겨질 수 있다. 하지만 헬블링의 해석은 대단히 전향적이고 미래지향적이다. 헬블링은 다른 비평가들의 견해를 정리하며, 아프리카계 미국인의 의식에 대한 듀보이스의 정의에 대해 아프리카계 미국인들의 도덕적 심리와 사회의식을 일반화하고, "아프리카계 미국인이 집단적 의식 또는 정체성을 구축함으로써, 경멸적이고 적의에 찬 타인의 시선이 아니라 자신의 눈으로 스스로를 바라보게 하려는 그의 노력을 헤아릴 수 있도록 소중한 통찰력을 제공해준다"(56)고 해석한다. 이와 관련, 베이커 역시 『흑인의 영혼』(The Souls of Black Folk)의 끝 부분에서 듀보이스가 아버지의 노래를 회상하며 "벽돌과 회반죽으로 만들어진 동굴 속에서 . . . 노랫소리와 인생에 대한 본능과 가슴 떨리는 고음과 깊은 어둠의 저음들이 가득 울려 퍼진다"(헬블링 73 재인용)고 회상한 장면을 "아프리카 자아와 미국자아가 하나로 융합하는 모습을 그렸다"(58)고 평한다. 베이커의 이 같은 평은 듀보이스의 '이중적 의식'이 아프리카계 미국인의 의식적 분열과 갈등을 담아낸 표현이 아니라, 단결과 통합을 지향하는 자기 주체적 의식을 고양하기 위한 표현임을 밝혀준다.

하지만 듀보이스에 대한 베이커의 논의는 듀보이스의 예술관을 간과한 것인지도 모른다. 마크 톰프슨Mark Thompson의 견해에 따르면, 듀보이스는 아프리카계 미국인들에 대한 예술적 표현을 단순한 재현이 아니라, 서구전통의 기교적·형식적 숙달에 의해서 성취될 수 있다는 입장을 취한 반면, 가비는 자기창조와 자기만회를 강조하며 예술을 전체적인 인간 또는 니그로를 창조하기 위한 시도로서, 작동을 결코 멈추지 않는 미학적 대상으로서 생산되고 소비되는 것이란 입장을 취한다(247-50). 듀보이스와 가비의 이 같은 논쟁은 큰 맥락에서 아프리카계 미국문학의 모더니즘 시대로 일컬어지는 할렘 르네상스 작가들과 지성들이 범 대서양적·국제적 입장과 지역적·민족주의적 입장, 선전적 역할과 미적 역할, 그리고 형식주의와 비형식주의 등과 같은 대립적 요소들을 예술적으로 수용하기 위해 얼마나 치열하게 논의했는지를 보여준다. 그럼에도, 베이커가 듀보이스를 평할 때 가비의 이 같은 공격을 전혀 언급하지 않은 것은 이 사실에 대한 정보부재의 탓이라기보다 아프리카계 미국문학의 모더니티에 대한 그의 논의가 폐쇄적이지 않다는 것을 말해준다. 즉 베이커는 앞서의 논지에서 밝힌 것처럼 유럽 거장들의 모더니즘을 비판하며 아프리카계 미국문학의 모더니티를 아프리카계 미국문화에 나타난 형식을 통해 논의한다. 베이커의 이 같은 논의는 듀보이스의 국제주의적인 예술관보다 가비의 지역적·민족주의적 예술관에 더 가깝다. 하지만 베이커가 듀보이스에 대한 가비의 공격을 접어두고, 듀보이스를 아프리카적 음성을 가장 정확하게 보여준 할렘 르네상스 시대의 지성으로 꼽은 것은 그가 듀보이스의 예술관을 '뉴 니그로'의 국제주의적 이념의 실천과 아프리카계 미국문학의 향상을 위한 노력으로 이해했음을 말해준다.

베이커는 듀보이스를 이처럼 평가하며, 알레인 로크와 듀보이스의 차이점을 논의한다. 『모더니즘과 할렘 르네상스』의 후반부를 장식한 이 논의에서 베이커는 듀보이스가 역사의 공간인 조지아로 향했다면, 로크는 새로운 철학이 약동하는 젊음의 땅 할렘으로 행했다고 평한다. 그리고 베이커는 '뉴 니그로'의 이념적 · 실천적 범주 안에서 듀보이스의 『모더니즘과 할렘 르네상스』를 디오라마diorama, 그리고 로크의 『뉴 니그로』(New Negro)를 아프리카계의 담론적 가능성들 확대하고 확장해주는 광범위한 파노라마로 평한다(73). 베이커의 이 같은 평은 아프리카계 미국인들의 역사와 현실에 대한 듀보이스와 로크의 담론적 특징들을 두 예술적 장르의 특징들처럼 같은 맥락에서 해석하고 있음을 말해준다. 하지만 파노라마가 실제 환경에 가깝도록 무대 도처에 실물이나 모형을 배치해 전체와 부분의 관계를 명백히 하는 데에 비해, 디오라마는 주위 환경이나 배경을 그림으로 하고 모형 역시 축소 모형으로 배치한다는 점을 고려할 때, 듀보이스의 '뉴 니그로'적 담론이 로크의 경우에 비해 상대적으로 정적, 가상적, 그리고 비확장적임을 말해준다. 이와 관련, 베이커는 로크의 '뉴 니그로'적 세계를 남부의 농촌지역, 인종으로 격리된 할렘, 그리고 가면극의 난센스적인 우주도 아닌, 자기-의식적 열망하는 개인들, 즉 그들의 노력들을 민족자결과 문화적 표현을 위한 범세계적 노력들과의 공존물로 간주하는 개인들의 국가로 해석한다(77). 하지만 베이커는 로크의 '뉴 니그로'적 담론을 정상적이지만, 의도에 있어서 기형적이란 입장을 취한다. 베이커의 이 같은 입장은 로크가 아프리카계 미국인들의 대중운동을 19세 빅토리아 시대 성인들sages의 형식규범을 통해 보여주고 있다는 것과 그의 세계가 아프리카 미국적인 요소들을 담고 있는 남부의 농촌지역들로부터 이탈해 있다는 것에 바탕을 두고 있다. 즉, 베이커는 "로크가 일반적인 미국적 이상들과 아프리카계 미국인들의 삶의 외적대상들과 같은 시공간 속에 걸쳐있다는 것들에 동의하지만, 내적인 대상들은 여전히 쉽지 않은 형성과정 속에 놓여있다"(79)고 지적한다.

  할렘 르네상스에 대한 베이커의 이 같은 논의는 모든 논의가 그렇듯이 당시의 아프리카계 미국문학이 지향해야 할 특징과 목표를 모두 완벽하게 다뤘다고 말할 수 없다. 따라서 베이커의 논의도 부분적인 비판과 수정을 요구받은 것이 사실이다. 특히 마크 헬블링은 베이커의 논의를 상당부분 수용하면서 부분적으로 수정하는 입장을 취한다. 헬블링은 베이커가 할렘 르네상스의 역사적·문화적 윤곽을 드러내기 위해 매로니지marronage, 즉 '노예 신분에서 벗어난 사람들이 독립적인 공동체를 결성하기 위해 뭉친다'는 뜻을 가진 이용을 통해 할렘 르네상스를 일반화했다고 지적한다(24). 헬블링의 이 같은 지적은 베이커가 로크의 『뉴 니그로』에 나타난 뉴 니그로를 매로니지적 자아self-in-marronage로 해석한 것에 대한 문제제기이다. 헬블링은 매로니지적 자아를 인종차별의 나라에서 정치적·경제적·이론적 교의에 맞서는 범국가적 통합 공동체를 의미한다고 해석하고, 이 용어가 갖는 공동체적 경계성과 배타성을 경고한다. 그리고 이에 대하여 헬블링은 베이커의 견해를 수정하기 위해 아프리카 미국인의 자아에 대한 제임스 클리퍼드James Clifford와 조지 허친슨George Hutchinson의 논의를 소개한다. 클리퍼드와 허친슨은 할렘 르네상스의 아프리카계 미국적 정체성과 특징을 논의하는 데 있어서 베이커의 타 인종에 대한 저항의지와 인종적 경계선을 무너트린다. 헬블링에 따르면, 클리퍼드와 허친슨은 아프리카적 자아의 정체성의 권위가 인정되도록 하기 위해 늘 언제나 존재하는 아프리카적 자아는 별로 중요하지 않고, 대신 할렘 르네상스의 윤리적·문화적 경계선의 권위가 인정받도록 하는 노력이 더 중요하다는 입장이다(25). 따라서 클리퍼드와 허친슨의 이 같은 입장은 베이커의 경우와 달리 다원주의를 표방하고 있는 동시대의 인종적 또는 민족적, 그리고 문화적 정책과 시각을 반영해준다.

## III. 할렘 르네상스 문학의 새로운 시도들

　베이커가 아프리카계 미국문학의 모더니티를 환성시킨 시대로 평가한 할렘 르네상스 시대는 '뉴 니그로'의 정치적·사회적·문화적 이념과 결합하여 당시의 지성들이 추구한 문화적·예술적 주체성과 의식을 복구하고 재조명하고자한 시대이다. 미셸 앤 스티븐스Michelle Ann Stephens가 '뉴 니그로' 사상을 본격적으로 논의한 시대라고 정의하듯이, 이 시대는 아프리카계 미국문화의 부활을 통해 아프리카계 미국인들의 주체성, 정신, 의식을 고양시키고, 그들의 삶 속에 자리매김한 시대이다(213).

　할렘 르네상스 작가들은 모더니즘 시대에 창작활동을 했음에도, 실험적 형식과 기교를 창조하고자 했던 영국계 미국문학과 유럽문학의 모더니즘 작가들과 달리, 인종적 타자라는 이유로 무시되고 왜곡된 아프리카계 미국인들의 주체성, 정신, 그리고 의식을 복구하고 재창조하고자 한다. 즉 그들은 아프리카계 미국인들의 질곡과 고통을 중단되지 않은 현실로 인식하고, 이 같은 문제의식과 개선방안을 다양한 문학적 형식들을 통해 주제화, 인물화, 그리고 사건화 한다. 그럼에도, 간과할 수 없는 사항은 그들이 미국과 유럽의 백인중심 문학을 변화시킨 모더니즘 작가들과 견줄 수 있을 만큼 아프리카계 미국문학의 변화를 위해 새로운 전기를 마련한 것이다.

　할렘 르네상스 작가들은 범 대서양적transatlantic 또는 초국가적 transnational 교류와 협력을 통해 백인 작가들 못지않게 언어적-리듬적 실험, 상호 텍스트적 의미화intextual signifying, 아프리카적 신화 만들기Africanist myth-making, 패러디적 모방paradic mimicry, 혁명적 열기, 그리고 새로운 것과의 자기 동일시 등을 추구한다(Kaplan 50). 당시의 대표적인 작가들인 휴스는 미국의 주변국들인 쿠바와 아이티 등지를 여행하며 이 지역의 예술인들과 교류한다. 특히, 쿠바 시인인 구일런Guillen과 그의 교류는 구일런이 블루스와 재즈 시들을 쓰는 데에 많은 영향을 끼친다(Stephens 219). 휴스에 이어, 허스턴도 미국 주변국들을 여행하며 많은 문학적 교류를 갖는다. 허스턴은 멕시코 벽화화가인 미구엘 코바루비아스Miguel Covarrubias와 교류하고, 소설가이자 시인인 진 투머 역시 시각예술과 교류하여 새로운 서사형식을 창조한다(Sherrard-Johnson 228). 이 밖에도, 1900년 파리 박람회에서 듀보이스에 의해 설계 감독된 미국 니그로 전시관은 흑인 시각예술의 모더니티를 보여준다. 시각예술과 할렘 르네상스 작가들의 이 같은 교류는 할렘 르네상스를 상호 인종적·국제적 이방인 운동으로 자리 매김하는 데에 중요한 역할을 한다(228).

할렘 르네상스와 함께, 모더니즘 시대에 아프리카계 미국문학을 이끈 대표적 작가는 휴스이다. 휴스는 마르셀 프루스트Marcel Proust, 제임스 조이스, 버지니아 울프Virginia Woolf, 그리고 윌리엄 포크너William Faulkner 등과 같은 모더니즘 작가들이 '의식의 흐름'Stream of Consciousness과 '플래시백'flashback 같은 서술적 기교를 통해 자아의식을 탐구하기 위해 많은 공을 들인 것과 달리, 사실주의적 관점에서 아프리카계 미국인의 자아를 탐구한다. 즉 휴스는 1941년 출간한 단편집 『백인들의 방법들』(*The Ways of White Folks*)에 수록된 「경매에 내놓은 노예」("Slave on the Block")와 「가엾고 어린 흑인 아이」("Poor Little Black Fellow")에서 유럽계 모더니즘 작가들이 불확실성 속에서 추구한 초현실주의적 자아탐구가 아닌, 인종불평등의 현실과 흑인본성에 대한 백인들의 오류와 위선을 고발하는 데에 주제적 초점을 맞추고 있다. 이와 관련, 휴스의 주제와 형식을 놓고 모더니즘 작가들의 전위적·실험적 시각과 형식에 못 미친다거나 시대적 흐름을 역행한다고 말하는 것은 곤란한 시각이 아닐 수 없다.

휴스는 1957년 출간한 『심플이 소유권을 주장한다』(*Simple Stakes a*

*Claim*)에 붙인 서문에서 "나는 미국에서 인종문제가 진지한 일이라는 걸 인정한다. 하지만 그것이 항상 진지하게만 쓰여야 하는가?"(Carpio 321 재인용)라고 반문했는데, 그의 이 같은 반문은 인종문제의 진지성을 인정하면서도, 표현양식까지 진지해야 하는지에 대한 반문이다. 즉, 글렌다 카르피오Glenda Carpio는 윌리엄 웰스 브라운William Wells Brown, 찰스 체스닛Charles Chesnutt, 조라 닐 허스턴Zora Neale Hurston, 그리고 조지 슐러George Schuyler가 모범적인 의미에서 아프리카계 미국인적 특징을 보여주려 한 것과 달리, 휴스의 경우 유머작가들처럼 인종적 갈등과 이 같은 갈등이 미국인의 마음을 식민화하는 강박 관념적 형태들이 어떻게 모든 사람으로부터 현실감각을 빼앗아갈 수 있는지를 보여준 작가라고 평한다(322).

휴스는 「경매에 내놓은 노예」에서 샬럿 메이슨 부인의 재정적 후원을 받으며 토로한 그의 비참한 심정을 담아낸다. 휴스는 메이슨 부인으로부터 재정적 후원을 받은 것에 대하여 "메이슨 부인이 원시적 정서의 역동적 리듬을 더 이상 느끼지 못하자 그녀의 소중한 아이를 다그쳤다"(헬블링 17 재인용)고 고백함으로써, 당시의 아프리카계 미국 지성들과 작가들이 문학 활동을 위해 현실적 문제와 얼마나 고뇌에 찬 싸움을 해야 했는지를 밝혀준다. 이 단편에서 보헤미안적인 백인 피아노 음악작곡가 마이클 캐러웨이Micheal Caraway와 화가 앤 캐러웨이Anne Caraway는 아프리카계 미국인의 회화와 음악에 지대한 관심을 가지고 수집을 하며, 흑인들과 우정을 쌓으려고 노력하던 끝에, 아프리카계 가정부 에마Emma가 병에 걸려 죽자 그녀의 조카 루서Luther를 정원관리사로 고용한다. 그들은 메이슨 부인처럼 흑인 청년인 루서를 정글(141)로 간주하며 그의 "육체 속의 실체"(141)를 예술적으로 묘사하려 한다. 뿐만 아니라, 그들은 루서를 통해 남부 흑인의 노동요, 흑인영가, 그리고 발라드를 배우려 한다. 특히, 앤은 이 이야기의 제목을 상기시키는 '경매에 내놓은 흑인'이란 작품을 완성하기 위해 루서의 원시적인 흑인성을 그리기 위해 잠자는 루서를 깨우기도 하고, 누드모델을 강요하기도 한다. 루서가 이 같은 요구에 응하며 "노예가 되기 전에/무덤에 묻히면 좋겠네/그리고 예수 그리스도에게 돌아가/거기서 자유로워지고 싶네"(143)란 노래를 부르듯이, 앤과 마이클은 사실상 루서를 예술적 노예로 취급한다. 이런 와중에, 루서의 구원자 역할을 하는 사람은 40세의 아프리카계 가정부 매티Mattie이다. 매티는 루서를 앤의 강요로부터 벗어나게 하기 위해 할렘의 밤 생활로 이끈다. 이로 인해, 루서는 할렘의 사보이Savoy를 들락거리며 실력 있는 댄서가 되어가고 연상인 매티를 사랑한다. 마이클과 앤은 이런 루서를 바라보며 루서가 처음과 달리 아프리카계 미국인의 원시성을 잃어간다고 생각하지만, 자유와 보헤미안적 예술을 추구하기 때문에 그를 해고하지 못한다. 하지만 마이클의 어머니가 방문했을 때, 루서는 평상시와 다름없이 앤의 모델 역할을 해야 하는 줄 알고 서재에 왔다가 우연히 마주친 마이클의 어머니가 "나는 흔한 검둥이들을 싫어해"(144)라고 험담을 하자 이에 "나도 가난한 백인들을 싫어해요"(144)라고 맞받아친 일로 인해, 결국 해고당한다. 이 이야기에서 휴스는 루서와 매티가 단짝이 되어 거리낌 없이 행동하는 모습에 대한 앤과 마이클의 반응을 통해 아프리카계 미국인의 흑인성을 알지 못하면서 정신적·물질적 동정과 친절을 수단으로 아프리카계 미국을 다시 구속하려는 백인들의 위선과 허영을 비판한다. 즉 휴스는 이 같은 루서와 매티에 대해 "그들은 지금 아주 솔직하게 서로서로 함께 살았다"(143)라고 묘사하며, 이를 보는 앤과 마이클에 대하여 "그들은 루서는 물론, 매티와 다르다는 것에 자부심을 느꼈다"(143)고 묘사한다. 휴스의 이 같은 묘사는 아프리카계 미국인에 대한 앤과 마이클의 관심과 호의가 아프리카계 미국인에 대한 무지와 결합된 위선임을 밝혀준다.

휴스는 「가엾고 어린 흑인 아이」에서도 백인들의 무지와 위선을 비판한다. 이 이야기에서 백인들인 펨버튼Pemberton 부부는 가정부 부부가 죽자 그들의 성실성과 헌신을 기억하며, 기독교인의 의무로서 가정부의 어린 아들인 아니Arnie를 거두기로 한다. 아니는 영리한 아프리카계 소년이지만 아프리카계 미국인이 한 명도 없는 백인사회에서 이방인이고, 아프리카계 미국사회에서도 경험부족으로 인해 이방인이다. 하지만 작중화자가 아니에 대해 "매우 감사하고 매우 고독하다"(327)고 밝힌 것은 펨버튼 부부의 동정이 표면적으로 나타난 것과 달리 아니의 아프리카계 미국인적 정서를 충족시켜주지 못했음을 말해준다. 그 대표적인 예로, 이 단편의 결말부분에서, 펨버튼 부부는 아니를 흑인사회에 적응시킨다는 명분으로 함께 유럽여행을 떠난다. 하지만 파리에서 아니가 사회에 공감하며, 아프리카계 친구들과 함께 하려 하자 펨버튼 부부는 아니의 선택을 허용하지 않는 이중적 모습을 보인다. 결국, 휴스는 이 이야기를 아니가 펨버튼 부부의 만류를 뿌리치고 흑인사회를 선택하는 것으로 끝맺음하며, 동정적 자비를 베푸는 것만이 아프리카계 미국사회에 진 과거의 빚을 갚는 길이라고 여기는 백인사회의 그릇된 인식을 비판한다.

한편, 시인으로서 휴스는 '몰개성'impersonality을 강조한 엘리엇의 모더니즘과 달리 아프리카계 미국인의 주체성 또는 고유성을 강조한다. 휴스는 아프리카계 미국문학의 저명한 비평가인 알레인 로크가 『뉴 니그로』의 서문에서 '뉴 니그로'의 의미를 정의한 시라고 평한(McDowell 162) 「청춘」("Youth")에서, "우리에겐 내일이 있다./우리 앞에 찬란한/불꽃처럼"(*CP* 391)이 말해주듯, 새롭고 보다 완벽한 시대로 안내하는 미래지향적 억양(MacDowell 163)과 함께, 아프리카계 미국인의 주체성, 정신, 그리고 의식을 강조한다. 하지만 할렘 르네상스의 아프리카계 미국문학에 남긴 휴스의 가장 큰 발자취는 흑인음악 형식들을 시적 리듬으로 재해석한 그의 재즈 시와 브루스 시에서 찾을 수 있다. 키스 레너드Keith Leonard는 휴스의 재즈 시들과 블루스 시들이 발표된 1920년대를 재즈, 블루스, 영가 등의 흑인음악이 아프리카계 미국문학에 처음 등장한 기간이라고 소개하고(289), 휴스에 대하여 "재즈에 담긴 흑인의 다중성과 복잡성이 어떻게 억압적인 사회규범에 저항할 수 있는지를 입증하기 위해 직접 겪은 경험 속에 재즈의 형식적·주제적 가능성을 뿌리내리게 했다"(291)고 평한다.

1925년과 1926년에 각각 출간된 시집 『따분한 블루스』(*The Weary Blues*)와 『유태인에게 멋진 옷들』(*Fine Clothes to the Jew*)에 수록된 휴스의 초기 재즈 시들은 후렴구, 전통적인 발라드 연, 블루스의 서정성, 그리고 재즈의 즉흥성 및 다중성 등을 담고 있다. 이 시집에 수록된 「재저니어」("Jazzonia")는 후렴구처럼 반복되는 "오, 은빛 나무!/오, 영혼의 반짝이는 강들!, "오, 노래하는 나무!/오, 영혼의 반짝이는 강들!", 그리고 "오, 반짝이는 나무!/오, 영혼의 은빛 강들!"(*CP* 34) 등이 말해주듯 정해진 악보 없이 물처럼 자연스러운 흐름 속에 다채롭고 혼돈스러운 리듬을 연출하는 재즈의 혼잡성과 다중성을 환기시킨다. 그리고 낙관적 비유어들인 후렴구의 수식어들은 카바레를 카르페디엠Carpe Diem의 분위기와 함께 휴식의 공간 또는 치유의 공간으로 만들며, 인종차별과 빈곤 속에서 개인적 삶의 즐거움과 풍요로움을 느끼게 한다(Leonard 292). 한편, 휴스는 블루스 형식을 재해석한 「따분한 블루스」("The Weary Blues")를 통해 흑인들의 역사적·현실적 고통, 슬픔, 고뇌, 그리고 절망을 담아낸다. 이 시에서 휴스는 토니 모리슨Toni Morrison의 소설 『재즈』(*Jazz*)의 배경이기도 한 할렘의 레녹스 거리에서 위치한 한 클럽에서 흘러나오는 아프리카계 연주자의 리듬을 블루스의 전통적인 형식인 열두 마디 형식, 즉 첫 행의 진술, 둘째 행에서 첫 행의 재진술, 그리고 셋째 행에서 앞 행들의 진술을 종합하는 형식으로 묘사한다. 즉 졸린 것 같은 당김음의 음조를 단조롭게 흘러내며,/감미로운 저음을 향해 오락가락하며,/나는 한 니그로가 연주하는 소릴 들었다(CP 50)는 첫 연의 시 구절이 말해주듯, 휴스는 아프리카 연주자의 블루스 리듬을 통해 아프리카계 미국인들의 따분한 삶을 묘사한다.

휴스에 이어, 할렘 르네상스 시대의 아프리카계 미국문학을 아프리카계 미국인들과 다른 지역 흑인들의 토속 문화를 바탕으로 특성화시킨 작가는 조라 닐 허스턴이다. 허스턴은 인종적 경계선color line에 대하여 정치적이라기보다 자의적이고 개성적이다. 허스턴은 "노예제도는 과거 60년 동안이다. 수술은 성공적이었고 환자는 좋아지고 있다, 감사합니다"(MacDowell 163 재인용)란 그녀의 언급이 말해주듯, 듀보이스와 달리 노예제도를 중단된 역사로 보고 있으며, 노예제도로부터의 상처와 고통이 성공적으로 치유되고 있다는 입장을 보인다. 허스턴의 이 같은 입장은 노예제도부터 아프리카계 가정의 가부장이 되어가는 절정상태를 구도화한 자서전이며, 그의 성공신화를 보여주려 한(Ross 159) 부커 티 워싱턴의 자서전『노예제도로부터의 향상』에서 노예제도를 '학교'에 비유한 일을 상기시킨다. 하지만 데보라 맥도웰은 "노예제도를 경험하지 못한 세대인 허스턴의 문학이 과거에 연연한 정치성보다 문학적 개성을 더 강조했다"(163)고 평한다.

스티븐스가 "자율적인 흑인문화 형식 속에 내재한 수사적 음역rhetoric register을 확장시킨 작가"라고 평한 것처럼(224), 허스턴은 아프리카계 미국인들과 다른 지역 흑인들의 삶 속에 내재된 언어와 민속이야기를 문학적으로 재해석하여 흑인의 주체성, 정신, 그리고 의식을 발굴하고 고양시킨 작가이다. 허스턴은 할렘 르네상스가 한창이었던 1925-1927년 바너드 대학Barnard College에서 인류학과 인종학을 공부하고, 카리브 지역의 아이티Haiti와 자메이카Jamaica 등지를 여행한다. 그녀는 이 기간 동안 만난 사람들로부터 흑인대화의 행위적 범주와 흑인언어의 비유적 능력을 말해주는 "시그니파잉signifying 형식들을 통해 자메이카 속담들이 일상의 흑인대화에 배어있는 심적 경향, 삶에 대해 세련되고 비꼬는 것 같은 접근을 보이는 철학, 아이러니, 유머를 풍부하게 갖추고 있다는 것을 발견한다 (Stephens 224).

아프리카계 미국인들과 다른 지역 흑인들의 민담과 유머형식에 대한 허스턴의 관심이 구체화된 작품은 1837년 발표한 장편『그들의 눈들은 신을 바라보고 있었다』(*Their Eyes Were Watching God*)이다. 허스턴은 이 소설을 흑인민담의 스토리텔링 방식으로 전개하며, 작중 주요 인물들인 내니Nanny, 내니의 딸인 리피Leafy, 그리고 손녀인 제이니Janie를 통해 어머니와 딸의 거듭된 노예생활과 백인주인에 의한 성적 희생을 고발하고, 노예해방 이후 손녀가 세 번의 결혼을 통해 여성적 자아를 실현해나가는 과정을 소개한다. 뿐만 아니라, 제이니가 두 번째 남편인 조 스탁스Joe Starks를 공격하는 장면을 통해 아프리카계 미국인들과 다른 지역 흑인들의 전통적 유머형식을 보여준다. 제이니의 첫째 남편인 로건 킬릭스Rogan Killic이 그녀를 경제적 교환대상으로밖에 여기지 않은 것처럼(Willis 49), 조는 본질적으로 "자본주의 숭배자"(Todd 111)이며, 가부장적 남성이다. 조는 자본주의적·정치적 야심을 모두 이룬 다음에, "제이니는 연설을 할 줄 모르는 사람이고, 나는 그런 걸 기대해서 제이니와 결혼한 것이 아니며, 그녀가 있어야 할 곳은 가정입니다"(43)라고 말하며 그녀를 구속하고 무시한다. 조의 이 같은 태도와 행동에 대해 제이니는 침묵으로 일관하지만, 건강이 좋지 않은 조가 자주 성을 내며 그녀를 늙은 암탉이라고 조롱했을 때에 침묵을 멈추고 맞대응한다.

> 당신이 이 주변에서 허풍을 떨고 다니지만,
> 목소리 큰 것밖에 없어. 흥! 나더러 늙어
> 보인다구! 바지를 내려보면, 당신도
> 인생의 변화를 실감할걸.

You big-bellies round here and put out a lot of brag,
but 'tain't nothin' to it but yo' big voice. Humph!
Talkin' 'bout me lookin' old! When you pull down yo' britches,
you look lak de change uh life. (79)

이 장면에서, 제이니의 위트 넘치는 비유적 언어와 공격성은 아프리카계 미국인들과 다른 지역 흑인들의 전통적인 유머형식을 환기시킨다.6) 즉 제이니는 조의 무기력을 성적 능력에 비유하여 공격하는 한편, 이를 상대방에게 자각하도록 촉구하기 위해 비유적으로 바지를 내려 보라고 말한다. 따라서 제이니의 이 같은 비유적 언어는 상대방을 당황 또는 곤혹스럽게 만들고, 동시에 주위 사람들에게도 같은 느낌을 줄 수 있지만, 이 같은 느낌의 뒤끝에 웃음을 유도한다.

## IV. 맺음말

모더니즘 시대에 등장한 아프리카계 미국문학은 할렘 르네상스라는 거대 문화운동을 바탕으로 다양하고 광범위한 문화적·문학적 족적을 남겼음에도 모더니즘의 논의범주와 문화시장으로부터 소외되어왔다. 아프리카계 미국문학의 이 같은 소외는 그것의 질적 수준이나 배타적 경향 때문이라기보다 모더니즘의 시대적 정의와 특징들을 논의하는 데에 절대적 역할을 해온 영국계 미국문학의 백인 중심적 담론들과 기준에 의해서이다. 이에 대하여 본 장이 논지의 주된 화두로 제시한 '뉴 모더니스트 연구들'

---

6) 허스턴의 유머에 나타난 흑인들의 전통적 유머형식은 본서 제10부에서 보다 상세하고, 구체적으로 논의함.

의 전복적·탈정전적 담론들은 모더니즘에 대한 논의를 활성화하고 다양화하여 모더니즘적 담론들에서 배제된 아프리카계 미국문학의 정체성과 가치를 확대된 시각을 통해 재조명하게 해준다. 즉 이 연구들은 아프리카계 미국문학뿐 아니라 페미니즘, 사회주의에 대하여 모더니즘과의 관계를 설정하고, 모더니즘작가들의 미학적·정치적·문화적 주장들을 재평가하여 모더니즘을 이념적·학문적으로 다양한 시각들을 통해 재조명할 수 있게 해준다.

모더니즘 시대에 할렘 르네상스와 함께 등장한 아프리카계 미국문학의 주된 탐구대상은 모더니즘 문학의 특징들, 즉 진보적 미학, 기교적 실험, 탈연대기적 시점, 자기-의식적 반응성, 중심화 된 인간주체에 대한 회의주의, 그리고 현실의 불확실성을 탐구하기보다 인종적 주체성과 가치의 부활을 위한 문화적·정치적 정체성이다. 아프리카계 미국작가들의 이 같은 경향은 인종적 주제성과 가치의 억압 또는 상실을 경험해보지 못한 유럽계 백인작가들로부터 기대할 수 없는 것이다. 즉 그들은 아프리카계 미국의 역사와 현실 속에서 직간접적으로 인종적 주제성과 가치의 억압 또는 상실을 경험한 작가들이다. 그리고 그들의 이 같은 경험은 그들로 하여금 아프리카계 미국인들이 겪은 역사적·현실적 상처와 고통의 발굴과 치유를 작가로서의 임무와 문학적 목표로 승화시키게 한다.

모더니즘과 동시대에 등장한 아프리카계 미국작가들은 아프리카계 미국인들의 역사적·현실적 상처와 고통하고 발굴하고 치유하기 위해 아프리카계 미국인들의 고유한 문화를 문학적으로 재해석하여 인종적 주체성과 가치를 고양시키고자 한다. 이들 작가 중 휴스와 허스턴은 모더니즘을 이끈 영국계 백인작가들과 달리 아프리카계 미국인들의 주체성, 정신, 그리고 의식을 고양하기 위해 노력한 작가들이다. 휴스는 단편들 속에서 유럽계 모더니즘 소설가들과 달리 아프리카계 미국인들의 인종적 불평들을 사실주의적 직관을 통해 묘사한다. 그리고 시인으로서 그는 또한 아프리카계 미국인들의 전통적 음악인 재즈와 블루스를 문학형식으로 재창조한다. 휴스가 이 같은 음악형식들을 문학적으로 재해석하여 표현양식으로 활용한 것은 '뉴 니그로' 시대 아프리카계 미국인들의 주체성, 정신, 그리고 의식을 부활하고 고양하기 위해서이다. 휴스에 이어, 허스턴은 미국 밖에 거주하는 흑인들의 민담들로부터 전통적인 흑인들의 유머형식을 발견하고, 이를 문학적 표현양식으로 재창조한다. 『그들의 눈들은 신을 바라보고 있었다』에서 제이니의 유머는 상대방의 인격적·성적 자존심을 동시에 꺾어놓으려는 공격성을 보이지만, 다른 한 편으로 비유적 언어와 함께 위트와 해학이 넘치는 유머이다.

할렘 르네상스 작가들의 이 같은 문학적 특징들이 유럽계 모더니즘 문학의 특징들과 차이가 있다는 이유로 문학시장에서 외면된 것은 모더니즘을 특정 지역과 인종의 거대담론에 바탕을 두고 정전화한 데에 따른 결과이다. 이와 관련, 모더니즘에 대한 '뉴 모더니스트 연구들'의 전복적 주장들은 모더니즘의 정의와 기준을 외연적으로 확대하자는 것이 아니라, 모더니즘 시대에 다양한 지역과 문화를 주체로 등장한 문학을 각각의 특징에 따라 재조명하자는 것이다. 그리고 모더니즘 시대에 등장한 아프리카계 미국문학 역시 이 같은 시각에서 재조명되어야 한다는 것이다.

# 제6부

# 시카고 르네상스: 정치적 참여와 투쟁

## I. 머리말

아프리카계 미국문학 연구들은 대체로 아프리카계 미국문학의 대표적인 문예부흥운동들인 할렘 르네상스Harlem Renaissance(1919~1929 또는 1933)와 시카고 르네상스Chicago Renaissance(1930~1950년대)의 관계를 논의하는 데 있어서 시카고 르네상스를 저평가하거나 할렘 르네상스와 단절된 르네상스로 접근한다. 미셸 이본 고든Michelle Yvonne Gordon은 할렘 르네상스와 시카고 르네상스의 역사적 유대성을 연구한 에세이 「시카고 르네상스」("The Chicago Renaissance")에서 대다수 아프리카계 미국문학 학자들이 할렘 르네상스와 1960-1970년대의 흑인 예술 운동Black Arts Movement만을 아프리카계 미국문학의 연구에서 주목해야 할 창조적 시대들로 인정한다고 밝힌다(276). 그리고 트루디어 해리스Trudier Harris 역시 동시대의 대표적인 아프리카계 여성작가인 토니 모리슨Toni Morrison의 문학적 계보를 논의할 때 할렘 르네상스의 대표적 작가들인 랭스턴 휴스Langston Hughes와 조라 닐 허스턴Zora Neale Hurston을 아프리카계 미국문학 전통의 충실한 발굴자로, 반면 시카고 르네상스를 주도한 리처드 라이트Richard Wright를 아프리카계 미국인들의 정치적·인종적 의식을 결여한 작가로 비판하고, 라이트 이후의 작가인 랠프 엘리슨Ralph Ellison을 할렘 르네상스 작가들을 계승한 작가로 평가한다(53).

아프리카계 미국문학 연구들이 할렘 르네상스와 시카고 르네상스를 이처럼 단절된 시각으로 접근한 까닭은 시카고 르네상스를 할렘 르네상스와 차별화하려 한 라이트의 시도에서 찾을 수 있다. 시카고의 브론즈빌Bronzeville 또는 일명 사우스 사이드South Side를 거점으로 문예부흥운동을 주도한 라이트는 1937년 가을에 발간된 『새로운 도전』(*New Challenge*)의 특별 호에서 할렘 르네상스와 차별화된 새로운 흑인문학 운동을 추구하겠다고 선언한다. 이 잡지는 도러시 웨스트Dorothy West가 할렘 르네상스의 부활과 정치화를 위해 창간한 『도전』(*Challenge*)의 후신이다. 하지만 시카고 르네상스에 참여한 작가들이 이 잡지에 대하여 정치성의 결여를 문제삼자 웨스트는 이 잡지의 이름을 『새로운 도전』으로 개명하고, 잡지의 편집방향도 당초의 목표였던 할렘 르네상스의 부활로부터 시카고 르네상스의 이념과 목표를 반영하는 쪽으로 전환한다. 그리고 웨스트는 이 같은 변화를 보여주기 위해 라이트의 「흑인문학을 위한 청사진」("Blue Print for Negro Writing"), 랭스턴 휴스, 랠프 엘리슨, 그리고 알레인 로크Alain Locke의 소품들과 함께 사우스 사이드 작가단체South Side Writers' Group 소속 작가들의 시, 이론적 작품, 편집영향, 그리고 문화비평을 특집으로 게재한다. 이들 중, 특히 라이트의 「흑인 문학을 위한 청사진」은 많은 아프리카계 미국문학 연구들에 의해 할렘 르네상스와 시카고 르네상스의 차별화를 강조한 선언문으로 주목받아오고 있다.

새로운 현실을 묘사하기 위해, 새로운 청중에게 연설하기 위해, 소위 할렘 문학단체에서 필요했던 것보다 더 많은 단련과 의식을 요구한다. 주제가 보다 복잡하고 의미 있게 다루어질 뿐 아니라, 작가들의 새로운 역할은 질적으로 다르다. 니그로 작가들의 새로운 위상은 그의 기교의 위상에 대한 보다 빈틈없는 정의와 그 자체의 기능적 자율에 대한 보다 빈틈없는 강조를 요구한다.

흑인작가들은 그들의 기교의 매개체를 통해 다른 전문가들처럼 인간 사에서의 의미 있는 역할을 하려고 모색해야 한다.

To depict this new reality, to address this new audience, requires a great discipline and consciousness than was necessary for the so-called Harlem School of expression. Not only is the subject matter dealt with far more complex and meaningful, but the new role of the writer is qualitatively different. The Negro writers' new position calls for a sharper definition of the status of craft, and a sharper emphasis upon its functional autonomy.

Writers should seek through the medium of their craft to play as meaningful a role in the affairs of men as do other professionals. (10)

라이트가 이처럼 주장한 이유는 시카고 르네상스의 절박한 현실적 배경에서 찾을 수 있다. 시카고 르네상스의 출발 지역인 시카고의 브론즈빌 또는 사우스 사이드는 1930년대 대공황Great Depression의 여파로 어려워진 아프리카계 미국인들과 작가들이 이주한 곳이다. 하지만 이곳은 당초의 기대와 달리 아프리카계 미국인들과 작가들에게 시련과 고통을 안겨준 곳이다. 아프리카계 미국인들과 작가들의 이 같은 고통과 시련은 도시의 경계선 내에서만 거주를 허용하는 '북부의 격리정책'Northern Segregation 때문이다. 시카고는 대규모의 인구유입에도 불구, 이 같은 정책을 고수하며, 새로 유입된 아프리카계 미국인들에게 도시의 경계선 밖에서 거주하는 것을 허용하지 않는다. 이로 인해, 브론즈빌을 찾은 아프리카계 미국인들과 작가들은 인구과밀 현상과 빈곤에 시달려야 했고, 이 같은 악조건에 대한 그들의 불만은 이곳을 민중적 저항의식을 결집하는 장소로 만들었다. 미셸 고든에 따르면, 시카고 르네상스 기간 동안 양산된 문화, 예술, 문화기관들의 설립은 '북부의 격리정책'으로 인해 대부분 브론즈빌의 경계선들 안에서 이뤄졌고, 많은 작가들은 브론즈빌 내부의 인종적 계층, 문화적·성적·정치적 갈등들, 아프리카계 엘리트 계층의 지배적인 인종적·정치적 견해에 비판적 초점을 맞춘다(273). 물론, 그들의 이 같은 시각은 지역성에 편중된 시각이 아니다. 그들은 브론즈빌에서 아프리카계 미국인들이 겪는 빈곤과 인종차별주의를 미국의 모든 아프리카계 미국인들의 문제로 해석한다.

라이트와 시카고 르네상스 작가들은 이 같은 아프리카계 미국인들의 현실을 타개하기 위해 진보주의적 정치노선을 강조한다. 「흑인 문학을 위한 청사진」에서 시카고 르네상스 작가들이 추구해야 할 목표에 대해 '인간사에서의 의미 있는 역할의 모색'이라고 강조하듯이, 라이트는 아프리카계 미국문학이 문학적 기교의 발전보다 아프리카계 미국인들의 현실적 당면과제를 예리하게 파악하고, 문제의 개선을 요구하는 데에 주력할 것을 강조한다. 그의 이 같은 주장은 미국 자본주의의 최대 위기나 다름없는 대공황 기간 중에 목격한 아프리카계 미국인들의 고통스러운 현실을 반영한 것이다. 다름 아닌, 당시의 아프리카계 미국인들에게 대공황은 이전의 풍요로운 경제 환경에서도 소외되었던 그들을 더욱더 고통스러운 실업과 빈곤으로 내몬 사건이다. 따라서 라이트와 시카고 르네상스 작가들은 이 사건을 계기로 이전보다 더 지독한 경제적 빈곤 속에 내몰린 아프리카계 미국인들의 현실을 개선하기 위해 정치적·문학적 대안을 마르크스주의의 계급투쟁론에서 찾고자 한다.

시카고 르네상스 작가들의 이 같은 행보는, 첫째 인종차별의 철폐를 주장한 '흑인문화 민족주의'black cultural nationalism, '인민전선'Popular Front,

그리고 공산당에의 적극 동조, 둘째 빈곤, 인종차별주의, 브론즈빌 내부의 인종적 계층과 갈등, 그리고 아프리카계 엘리트 계층의 인종적·정치적 견해와 갈등에 대한 사실주의적인 묘사, 셋째 '사우스 사이드 작가 단체' SSWG(South Side Writers' Group)의 결성, 그리고 '흑인 인민 전선'Negro People' Front7)에의 참여를 통한 노동환경개선, 인권신장운동, 그리고 인종적 정의와 사회적 변화의 추진 등으로 요약할 수 있다.

하지만 라이트의 차별화 선언은 자신보다 앞서서 마르크스주의적 사실주의를 아프리카계 미국문학에 접목시키려 한 매케이Claude McKay와 휴스Langston Hughes의 문화적·정치적 활동을 제대로 인지하지 못했음을 말해준다(Gordon 278). 이와 관련, 할렘 르네상스와 시카고 르네상스의 연속성을 강조한 아프리카계 비평가는 로버트 본Robert Bone이다. 미셸 고든에 따르면, 본은 1986년에 발표한 「리처드 라이트와 시카고 르네상스」 ("Richard Wright and the Chicago Renaissance")에서 시카고에서 일어난 이 문학운동을 '시카고 르네상스'로 지칭하고, 할렘 르네상스에 버금가는 아프리카계 미국작가들의 문학운동으로 평가한다(276). 본이 이 같은 평가를 내린 일차적인 목표는 시카고 르네상스의 역사적 의의와 가치를 발굴하고 격상시키고자 한 것이다. 뿐만 아니라, 고든이 "시카고 르네상스를 사실상 할렘 르네상스의 유산으로 보고 있음을 말해준다"(276)고 해석하듯이, 그의 평가는 시카고 르네상스를 할렘 르네상스에 뒤지지 않는 문학

---

7) '흑인 인민 전선'은 경제적·정치적·문화적 전선에서 파시즘과 자본주의적 착취와 싸우기 위해 1930년대에 결성된 행동주의자들과 기관들의 모임인 상호 인종적·국제적인 '인민 전선'의 일부이다. '흑인 인민 전선'은 1935년 시카고에서 '전국 흑인 의회'National Negro Congress: NNC를 출범시킨다. 젊은 공산당원인 라이트는 이 의회에서 시카고의 아프리카계 미국작가를 조직화 하는 문제는 논의하기 위해 랭스턴 휴스, 아르마 본템스Arma Bontemps, 그리고 백인 공산주의 작가인 모리스 톱체브스키Morris Topchevsky를 토론에 참여시킨다. 후에, 휴스도 라이트에게 젊은 마거릿 워커Margaret Walker를 소개시켜주며, 라이트를 돕는다. '흑인인민 전선'의 출범은 1936년 4월에 '사우스 사이드 작가 단체'의 결성을 이끈다.

운동으로 자리매김하여 두 운동의 연속성을 강조하기 위한 것이다. 이와 관련, 본 장은 시카고 르네상스의 진보주의적 문학성향에 대해 논의한다.

## II. 백인사회의 유희적 경멸과 동정의 시선에 대한 거부

리처드 라이트의 진보주의적 문학성향이 구체화된 소설은 1940년에 발표한 『토박이』(*Native Son*)이다. 어빙 하우Irving Howe가 "이 소설은 백인들에게 그들이 억압자란 사실을 충격적으로 깨우치게 했다"(115)고 언급한 것처럼, 『토박이』는 아프리카계 미국사회가 겪은 노예제도의 역사적 상흔과 노예해방 선언 이후에도 지속된 백인사회의 역사적·현실적 인종차별을 각성시켜준 소설이다. 뿐만 아니라, 어빙 하우가 "이 소설은 흑인들에게 복종으로 인해 겪어야 했던 희생을 느끼게 했다"(115)고 언급한 것처럼 이 소설은 아프리카계 미국사회에 백인사회의 억압과 폭력에 대해 역사적·현실적 각성을 촉구한 소설이다.

이 소설의 사건은 시카고의 아프리카계 미국인 밀집지역인 브론즈빌을 배경으로 일어난다. 시카고 르네상스의 태생지인 기회의 땅에서 절망과 억압의 땅으로 재인식된 곳이다. 이곳은 동쪽으로 코티지 그로브 애버뉴 Cottage Grove Avenue, 서쪽으로 록아일랜드Rock Island 철도들과 라살레 스트리트LaSalle Street, 남쪽으로 63번, 그리고 북쪽으로 22번가를 경계로 하고 있는 곳이다. 이곳이 절망과 억압의 땅이 된 까닭은 급속한 인구증가와 함께 주택부족, 고가임대료, 증가된 유아사망률, 그리고 과밀학급으로 인해 시달리는 데에도 불구하고 이곳의 확장을 제한한 '인종 제한 서약'race restrictive covenants과 주위를 둘러싸고 행해진 '반 흑인 폭력'anti-black violence 때문이다.

작중이야기는 간단하다. 전체적인 내용은 시카고의 아프리카계 미국인 밀집 지역에 거주하며 친구들과 불량아처럼 떠돌던 비거 토머스Bigger Thomas란 아프리카계 미국청년이 어머니의 권유로 부유한 백인가정의 운전기사로 취업한 뒤, 그 집의 무남독녀를 살해하고, 범죄를 은닉하기 위해 여자 친구마저 살해하며 도피하던 중 체포되어 사형을 당한 이야기로 꾸며져 있다. 즉 이야기의 주된 내용은 빈곤한 아프리카계 미국청년의 방황과 살인사건이다. 하지만 작가는 사실주의적·자연주의적 시각을 통해 비거가 처한 현실을 있는 그대로 제시하고, 왜 그가 이 같은 비행과 살인사건을 저질렀는지를 끊임없이 독자들에게 설득하려 한다. 즉 작가가 비거의 살인사건을 정점으로 주변에 제시해놓은 시카고의 아프리카계 미국인 밀집 지역과 비거의 가정, 친구들, 백인 부부인 달튼 씨Mr Dalton와 달튼 부인 달튼 부부의 임대사업과 자선사업, 달튼 부부의 외동딸 메리Mary와 그녀의 남자친구 잰Jan 등은 비거의 현실적 방황뿐만 아니라 살인사건을 왜 저질렀는지, 살인사건을 통해 그가 무엇을 얻었는지를 사실주의적·자연주의적·심리적·정서적 의문과 함께 추적하도록 유도한다.

아프리카계 미국사회의 현실적 고통을 추적한 라이트의 사실주의적 시각은 경제적 문제의식으로부터 비롯된다. 즉 비거는 아프리카계 미국인 밀집 지역의 작은 아파트에서 어머니, 남동생 버디Buddy, 그리고 여동생 베라Vera와 함께 어머니의 불안정한 수입에 의존하여 살고 있다. 이 같은 환경 속에서 비거는 일을 하라고 강요하는 어머니와 만나기만 하면 싸우고, 집으로부터 나와 같은 또래의 친구들과 어울려 비행을 저지르거나 범죄를 모의한다.

비거의 이 같은 방황은 백인중심사회에서 아프리카계 미국인이 겪어야 하는 현실적 한계와 꿈의 좌절을 반영한다. 즉 그는 그와 그의 가족들이 이 같은 삶을 살아가야 하는 이유를 백인사회의 인종차별의식에 바탕을 둔 사회적·정치적·경제적 헤게모니의 영향에서 찾는다.

우리는 여기 살고 그들은 저기 살아. 그들은 희고 우리는 검어.
그들은 이것저것 갖고 있지만 우리는 아냐. 그들은 뭔가 하지만 우린 못해.
이건 꼭 감옥에서 사는 꼴이야. 난 거의 언제나 세상밖에 서서 울타리에
   난 구멍으로 들여다보고 있는 것 같이 느껴져. . . .

We live here and they live there. We black and they white.
They got things and we ain't. They do things and we can't.
It's just like living in jail. Half the time I feel like I'm on the outside
   of the world peeping in through a knot-hole in the fence. . . . (23)

비거의 이 같은 언급이 말해주듯, 라이트는 아프리카계 미국사회의
사회적·정치적·경제적 빈곤과 고통을 백인중심사회의 인종차별에 의한
결과로 접근한다. 즉 백인중심사회는 비거에게 꿈의 실현을 불가능하게 만
드는 지옥과 같은 곳이다. 비거는 친구들과 함께 있을 때, 하늘을 날아가는
비행기를 보며 비행사가 되고 싶다고 말한다. 하지만 로저 로전블래트
Rodger Rosenblatt가 "그에게 이 세상은 긍정적인 것을 제공하기보다 모든 것
을 빼앗아 가는 지옥 그 자체이다"(21)라고 밝히듯이, 비거는 자신을 백인
사회의 높은 인종적 장벽에 갇혀 아무것도 할 수 없고, 아무것도 꿈꿀 수
없는 존재로 여긴다. 비거의 이 같은 패배감과 절망감은 비단 백인사회와
연관된 것만은 아니다. 어머니가 "비거, 정말 너처럼 쓸모없는 인간은 난
생 처음이다"(12)라고 언급하듯이, 그는 가족들에게 무의미하고 불필요한
존재이다. 그는 인종차별의 장벽 앞에서 가족이 필요로 하는 경제적 활동
을 할 수 없고, 자신의 꿈을 위해 아무런 준비도 할 수 없는 이방인이 되어
가족과 사회로부터 소외된다. 따라서 단절, 좌절, 체념에 빠진 그의 관심을

이끄는 것은 각종 인쇄 매체나 공중파, 그리고 일상적인 미국생활에서 접하는 지배적인 광휘이고, 이 같은 지배문화의 부름에 반응하는 것이다(xiii).

비거의 좌절, 체념, 그리고 단절은 "비거의 빈곤하고 열악한 환경은 인간관계에 필요한 사랑, 존경, 그리고 믿음이 자랄 수 없게 만든다"(56)는 이블린 그로스 애버리Evelyn Gross Avery의 지적처럼, 그를 할 일 없이 배회하고 범죄를 모의하는 '나쁜 검둥이'bad nigger로 만든다. 이와 관련, 라이트는 인종차별의 장벽 앞에 놓인 아프리카계 미국청년의 인종적·사회적 단절과 좌절을 심리적·정서적 공포와 불안의 요인으로 제시하며, 그의 살해사건을 다음 이야기로 전개한다.

애버리가 "폭력은 라이트의 모든 작품에 나타난 특징"(10)이라고 지적한 것처럼, 폭력은 이 소설을 읽을 때 접하는 핵심적 논제이다. 비거가 아파트에 들어온 쥐를 프라이팬으로 때려잡은 일은 폭력을 실천한 첫 사건이다. 그리고 달튼의 집에 운전기사로 가기에 앞서 친구들과 상점을 털기로 음모한 것은 그의 또 다른 폭력을 의미한다. 이 음모는 친구들 중 거스가 제때에 나타나지 않아 실행되지 않지만, 거스를 응징하려는 비거의 폭력을 초래한다. 하지만 거스에 대한 비거의 폭력은 약속의 파기에 대한 응징차원에서 일어난 것이 아니라, 그의 내면적 불안 때문에 일어난 폭력이다. 즉 작가가 "혼란스러운 감정 속에서, 그는 백인과 총으로 맞서느니보다 거스와 맞서서 강도계획을 망치는 것이 더 낫다고 본능적으로 느꼈다"(44)고 언급한 것처럼, 비거의 폭력은 심리적·정서적 공포와 불안으로부터 초래된 것이다.

비거의 이 같은 폭력은 21시간이 지난 후에 메리의 살해로 이어진다. 즉 두 사건들은 공포와 불안을 공유한 사건들이라는 점에서 맥을 같이한다. 비거가 쥐를 잡으려 한 것은 베라가 쥐를 보고 기절한 것에서 알 수 있듯이 쥐에 대한 공포로부터 비롯된 것이다. 그리고 쥐와의 싸움에서 쥐가 바지를 물어뜯는 공격성을 보였을 때에, 그는 주체할 수 없는 공포 속에서 쥐의 머리를 짓이기는 잔인함을 드러낸다. 비거가 이 일이 있은 후 21시간 만에 메리를 살해하고, 사체를 불구덩이에 태워버린 것도 그의 이 같은 공포와 불안을 반영한 행동이다. 로버트 본이 "폭력은 공포를 감소시키는 수단이 되어 비거의 공포가 클수록 그의 폭력도 커지게 된다"(145)고 밝히듯이, 비거의 폭력과 잔인성은 백인에 대한 위축된 심리적·정서적 반응이자 결과이다.

한편, 라이트는 이 소설에서 백인을 폭풍이 몰아치는 하늘 또는 어둠 속의 소용돌이치는 강에 비유하여, 비거가 불가피하게도 이 같은 백인과 살아가야 한다고 밝힌다(109). 라이트의 이 같은 시각은 표면적으로 아프리카계 미국인들에게 동정을 베푸는 척하면서 내면적으로 그들을 억압하고 이방인으로 내모는 백인들의 이중성에 대한 아프리카계 미국인들의 반응이다. 즉 달튼 부부는 아프리카계 미국인들의 교육과 복지를 위해 많은 기부를 한다. 하지만 그들은 비거의 집이 있는 곳인 사우스 사이드에서 임대업을 하며 상대적으로 높은 임대료를 받아 이곳의 빈곤한 아프리카계 미국인들을 힘들게 만든다. 또한 메리 역시 진보적 자유주의자로 잰과 함께 비거에게 동정의 손을 내밀지만, 그녀의 흰 손은 단절감과 절망감으로 위축된 비거에게 인종의 벽을 실감하게 하고, 공포와 불안만 줄 뿐이다.

비거의 공포와 불안이 가장 극화된 장면은 술에 취한 메리를 그녀의 방안까지 데려온 뒤에, 어두운 방안에 울려 퍼지는 달튼 부인의 목소리를 들은 순간이다. 비거가 성적 충동까지 느끼는 순간 문 여는 소리가 났고, 문 쪽을 바라보는 순간 마치 꿈속에서의 추락과 같은 발작적인 공포에 사로잡힌다(85). 비거가 살인사건으로 인해 체포된 후 그의 변론을 맡은 맥스 Max에게 "죽이고 싶지 않았어요. . . . 하지만 내가 살인을 한 이유, . . . 그것은 내 속에 아주 깊게 뿌리박고 있던 게 분명해요"(391-92)라고 외치듯이, 메리를 살해한 것은 공포와 불안이다.

비거의 공포와 불안은 증거를 인멸하는 데에서 더 잔인성을 드러낸다. 그는 증거를 인멸하기 위해 살해한 메리의 시신을 그가 관리하던 화덕 속에 넣어 태워버린다. 그리고 메리의 타다 남은 뼈가 화덕에서 발견되자 여자 친구인 베시Bessie와 함께 도피하던 중, 그는 베시가 거추장스럽게 느껴지자 그의 행적이 탄로 날 것을 우려하여 그녀마저 살해한다.

『토박이』는 이처럼 아프리카계 미국인들의 빈곤과 고통을 공포와 불안의 대상인 백인에 대한 잔인한 폭력으로 표출한다. 라이트는 비거가 맥스에게 "맥스씨. 전 그 날 밤 이후 어느 정도 저 자신을 보았습니다"(388)라고 그의 심경을 털어놓은 것처럼 비거의 폭력을 공포와 불안으로부터 자유와 활력을 찾는 계기로 제시한다. 라이트의 이 같은 견해를 적극 반영하듯, 존 라일리John Reilly는 피억압자의 폭력선택을 불가피하고, 본능에 가까운 것(395). 그리고 에드워드 마골리스Edward Margolies는 "비거는 스스로 살인자의 신분을 선택함으로써 자신만의 자유로운 자아를 좇고자 한다"(77)고 평한다.

라이트가 마르크스주의적 사실주의를 강조하며, 백인사회의 동정 속에 숨겨진 억압과 폭력에 대한 저항수단으로 폭력을 용인한 것은 분명히 할렘 르네상스 작가들과 다른 문학적 시도이다. 그럼에도, 라이트의 정치성과 문학적 뿌리를 엄밀히 따져보면, 그도 역시 매게이와 휴스의 진보주의적 정치성을 추구했고, 백인사회의 인종적 억압과 폭력에 저항하려 했다는 것을 알 수 있다. 뿐만 아니라, 라이트는 휴스의 단편 소설들에 나타난 주제를 따르고 있다. 앞장에서 소개한 휴스의 두 단편소설은 백인사회의 유희적 경멸과 동정적 시선을 비판한 소설이다. 이로 미뤄볼 때에, 라이트의 『토박이』는 휴스의 주제를 진보적이고, 투쟁적으로 재창조된 소설이라고 말할 수 있다.

# III. 맺음말

할렘 르네상스에 대한 라이트의 결별선언은 새로운 르네상스를 이끌 겠다는 신념의 표현이다. 그의 이 같은 신념은 대공황을 맞은 미국사회에서 이전의 고통보다 더 심한 고통을 당하는 아프리카계 미국인들의 현실에 대한 그의 사실주의적·저항적 문제의식을 반영한다. 하지만 라이트의 결별선언은 할렘 르네상스의 토양에서 자라난 시카고 르네상스의 뿌리를 완전히 거부한 것이 아니다.

휴스와 라이트의 주인공들은 '좋은' 이미지와 '나쁜' 이미지로 대조되지만, 모두 백인사회의 표면적인 동정 속에 감추어진 억압과 폭력에 의해 고통 받는 아프리카계 미국인들이다. 그들은 아프리카계 미국인에 대한 듀보이스Du Bois의 존재론적 용어 '이중적 의식'double consciousness을 반영한 인물들이다. 듀보이스는 이중적 의식에 대해 "다른 사람의 눈 속에서 자기 자신을 바라보는 느낌, 흥겨운 경멸과 동정의 시선으로 바라보는 세상의 척도로 자신의 영혼을 재단하는 느낌"(헬블링 54 재인용)이라고 설명한다. 아프리카계 미국인의 정체성에 대한 듀보이스의 이 같은 설명은 아프리카계 미국인들이 백인들의 흥겨운 경멸과 동정의 눈에 비추어 존재를 확인할 수 있는 이방인들임을 밝힌다. 즉 휴스와 라이트의 주인공들은 듀보이스가 말하는 이중적 의식의 소유자들로, 백인사회의 동정 속에 감추어진 억압과 폭력을 겪으며, 이에 대한 저항방법과 탈출방법만 각각 달리한 인물들이다.

할렘 르네상스와 차별화를 시도한 라이트의 이 같은 노력은 대공황 시절의 아프리카계 미국인들에게 강한 저항의식을 고취시키는 데에 어느 정도 기여했다고 평가할 수 있다. 또한 그의 이 같은 문학은 1930-1950년대에 이르기까지 "라이트의 아류"School of Wright(Gordon 278)를 만들어내고, 그를 20세기 최고의 저항문학 작가들 사이에서 중심축이 되게 만든다. 하지만 라이트의 문학적 성과 뒤에 간과할 수 없는 문학적 실수 또한 주목하지 않을 수 없다.

라이트는 마르크스주의적 투쟁론과 저항적 사실주의적 시각에 지나치게 의존한 결과, 아프리카계 미국여성작가들의 작품들을 여성작가의 글쓰기로 접근하는 데에 실패한다. 그는 할렘 르네상스 시대의 아프리카계 여성작가인 조라 닐 허스턴의 『그들의 눈들은 신을 바라보고 있다』(*Their Eyes Were Watching God*)에 대하여 아프리카계 여성작가의 글쓰기로 읽는 데 실패하고, 이 소설을 인종적 주제나 사상의 메시지를 결여한 작품으로 평가한다(17). 물론, 그의 이 같은 평은 할렘 르네상스 시대의 여성작가에만 한정된 평이 아니다. 그는 시카고 르네상스 시대의 아프리카계 여성작가인 궨돌린 브룩스Gwendolyn Brooks에 대해서도 허스턴의 대한 비판과 같은 이유로 비판한다. 시카고 출신인 브룩스는 시카고 르네상스는 물론, 흑인 예술 운동Black Arts Movement에도 적극 참여하며 아프리카계 여성의 성gender과 의식에 대한 이슈들, 즉 흑인여성노동, 가정폭력, 성적학대, 그리고 내부인종차별의 문제들을 다룬 시인이자 소설가이다. 하지만 라이트는 이 같은 주제를 담은 그녀의 첫 원고를 검토하며 「어머니」("The Mother")란 시의 주제인 '낙태'를 시에 적합하지 않은 주제라고 혹평한다(Gordon 279). 따라서 허스턴과 브룩스에 대한 라이트의 이 같은 혹평은 엘리스 워커와 같은 후배 아프리카계 미국여성작가에 의해 반박되고 수정되는 결과를 초래한다.

# 제7부

# 시카고 르네상스의 정치성과 폭력성을 넘어서

## I. 머리말

랠프 엘리슨Ralph Ellison(1914–1994)과 제임스 볼드윈James Baldwin(1924–1987)은 1930년대 중반부터 1950년대 중반까지 진행된 '시카고 르네상스' Chicago Renaissance와 1960년대부터 1970년대까지 진행된 '흑인 예술 운동' Black Arts Movement 사이에 활동한 대표적 아프리카계 미국작가들로, 시카고 르네상스를 이끈 리처드 라이트의 정치적·폭력적 문학을 거부한다. 엘리슨은 1964년 발표한 『그림자와 행동』(*Shadow and Act*)에서 "난 비거 토머스가 라이트의 보다 훌륭한 특징들을 아무것도 갖추지 못하고, 상상력도, 시적 감각도, 유쾌함도 갖추지 못했다는 것에 당황했다"(Cooke 65 재인용)고 지적한다. 볼드윈 또한 1957년에 발표한 『『토박이』에 대한 수기』(*Notes of Native Son*)에서 비거를 분노와 증오로 점철된 일종의 괴물(34)로 평가한다. 그는 또한 비거가 자기 자신에게나 자신의 삶, 자신의 민족 혹은 어느 다른 민족과도 의미 있는 관계를 갖지 있지 못하다고 비판한다(34-35).

라이트의 소설에 대한 엘리슨과 볼드윈의 이 같은 비판은 시카고 르네상스 이후의 아프리카계 미국문학을 정치적·폭력적 투쟁으로부터 인종, 성, 문화에 대해 다양한 상상을 이끈 신호탄이 됐다. 이와 관련, 본 장은 랠프 엘리슨의 『보이지 않는 인간』(*Invisible Man*)과 제임스 볼드윈의 『또 다른 나라』(*Another Country*)를 통해, 두 작가들이 시카고 르네상스 이후의 아프리카계 미국문학을 어떤 방향으로 이끌었는지에 대해 논의한다.

## II. 『보이지 않는 인간』 ―
## 더글러스, 듀보이스, 부커 티 워싱턴, 그리고 마커스 가비

　『보이지 않는 인간』의 작가인 랠프 엘리슨이 글쓰기를 시작한 시점은 시각예술을 공부하기 위해 뉴욕에 갔을 때이다. 엘리슨은 이곳에서 입체파 화가인 로매어 비어든Romare Bearden과 교류하며 시각예술에 대한 관심을 넓힌다. 뿐만 아니라, 엘리슨은 시카고 르네상스를 이끈 리처드 라이트를 만나고, 라이트의 권고로 글쓰기를 시작한다. 엘리슨은 라이트를 위해 서평을 쓰고, 라이트는 그에게 소설가로 발전할 수 있도록 용기를 준다. 엘리슨은 이를 계기로 1937년부터 1944년까지 『새로운 도전』(*New Challenge*)과 『새로운 군중들』(*New Masses*)을 통해 20편 이상의 단편·서평·논문들을 발표한다.

　『보이지 않는 인간』에서, 엘리슨은 1930년대의 뉴욕을 배경으로 아프리카계 미국인들의 정체성과 사회적 위치를 추적한다. 하지만 엘리슨은 그의 시각을 이 같은 실존적 시각에 구속시키지 않고, 아프리카계 미국사회의 역사 속으로 확장한 뒤에, 그 역사적 인물들에 대한 재해석·재창조를 통해 아프리카계 미국인들의 정체성을 추적한다.

이 소설은 재건시대Reconstruction[8])와 할렘 르네상스 시대 아프리카계 미국사회의 정치적·문학적 역사를 관찰한 소설이다. 글렌다 카르피오 Glenda Carpio가 아프리카계 미국인들의 인권신장운동의 성과와 유머의 상관성에 대하여 언급하며, "흑인들은 . . . . 흑인공동체 내부에서 다양성을 없애는 경향이 있는 경직된 흑인본성blackness의 관념에 의문을 제기할 필요성을 알았다"(315)고 언급한 것처럼, 엘리슨은 이 소설에서 아프리카계 미국사회의 내부로 시각을 돌려 무엇이 진정으로 아프리카계 미국인들을 위한 것인지를 말하고자 한다. 이와 관련, 이트네이 제이 사르펠리Etinnne J. Sarfelli는 『보이지 않는 인간』을 읽을 때, "그것은 또한 정치적 지도자들의 작중인물화로서 간주될 수 있으며, 혹자는 할렘 르네상스까지 그리고 그동안 활동했던 대중적 연설가들과 지도자들을 생각하며 소설을 읽어야 하고 그들과 익숙해져야 한다"(1)고 말한다. 사르펠리의 이 같은 언급은 일차적으로 『보이지 않는 인간』의 작중인물들을 아프리카계 지도자들과 지성들에 비추어 상호 유사성을 탐구하려는 의도에서 나온 것이다. 하지만 좀 더 의미를 확대해보면, 그녀의 언급은 또한 아프리카계 인권운동 지도자들의 급진주의적·폭력적·배타적 역사에 대한 엘리슨의 문제의식을 밝혀준다. 그리고 그들이 참여한 사건들과 그 사건들을 통해 투영된 이념들과 가치관들은 작가적 해석과 평가에도 불구하고 인권운동의 역사를 재조명할 수 있게 해준다.

이 소설에서, 엘리슨은 화자이자 주인공인 '나'와 다른 작중인물들의 정체성을 탐구하는 과정에서 재건시대와 할렘 르네상스 시대의 정치, 사회, 문화 전반에서 아프리카계 미국인들을 대표한 아프리카계 지도자들이

---

8) 남북전쟁 이후, 남부의 각주를 미합중국으로 재통합한 1865-1877년 사이의 기간이다. 하지만 이 시대는 또한 미국정부가 부커 티 워싱턴Booker T. Washington 같은 당시의 아프리카계 지도도자를 활용하여 해방아프리카계 미국인들을 백인사회에 종속적으로 통합하여 흑백의 통합을 정책적으로 추구했던 시대이다(McDowell 151-54).

자 지성들을 환기시킨다. 즉 이 소설의 화자이자 주인공인 '보이지 않는 인간'은 재건시대의 대표적 아프리카계 지도자이자 지성인 프레더릭 더글러스Frederick Douglass와 할렘 르네상스 시대의 대표적인 아프리카계 지도자이자 지성인 윌리엄 에드워드 버가트 듀보이스William Edward Burghardt Du Bois를 반영한 인물이고, 아프리카계 대학교의 운영자인 허버트 블레드소 Herbert Bledsoe는 재건시대의 대표적인 아프리카계 지도자이자 지성이자 아프리카계 대학 설립자인 부커 티 워싱턴, 동지회the Brotherhood의 잭Jack은 역시 재건시대에 '미국 반노예제도 협회'American Antislavery Society를 설립한 윌리엄 로이드 개리슨William Lloyd Garrison, 그리고 진보적 운동가인 라스Ras는 할렘 르네상스 시대의 대표적인 아프리카계 지성인 마커스 가비Marcus Garvey를 반영한 인물들이다(Sarfelli 1-3). 엘리슨이 이처럼 아프리카계 지도자들을 작중인물화 한 것은 수사학적 관점이든 상징적 관점이든 시각에 따라 다양하게 논의할 수 있는 사항이다. 하지만 무엇보다 분명한 것은 아프리카계 인권운동의 역사를 제시하고 재평가해보려는 엘리슨의 작가적 의도를 보여주기 위해서라고 말할 수 있다. 즉 엘리슨의 작중인물들은 이같은 작가적 의도와 함께 역사적 인물들에 대한 아프리카계 미국사회의 반응을 환기시키는 인물들임과 동시에, 누가 진정으로 아프리카계 미국사회의 요구를 대표하는지, 그리고 이에 역행하는지에 대하여 독자들의 역사적 평가와 비판을 유도하는 인물들이다.

'나'로 언급된 작중화자이자 주인공은 소설의 도입부로부터 중반부에 이르기까지 원래 워싱턴을 상기시키는 인물이다. 그는 고등학교 졸업식에서 부커 티 워싱턴과 같은 연설을 하고, 백인명사들의 초청연설을 끝낸 뒤, "나는 보이지 않는 시절 이전에 나 자신을 미래의 워싱턴 정도로 상상해보았다"(18)고 말할 만큼 부커 티 워싱턴이 자신의 이상이라고 밝힌다. 그리고 동지회에 합류한 다음, 그는 동지회의 보스인 잭이 "동지가 새로운 부커 티 워싱턴이 되어보지 않겠어?"(305)라고 제안하듯이, 부커 티 워싱턴과 같은 사람이 되어달라는 동지회의 요구를 수용해야 하는 입장이다.

부커 티 워싱턴이 되고자 한 '나'의 꿈은 아프리카계 미국인들의 지도자이자 지성으로서 그리고 아프리카계 대학의 설립자로서 부커 티 워싱턴이 이룩한 성공신화를 흠모한 데에서 비롯된 꿈이다. 반면, '나'에게 부커 티 워싱턴이 되어 달라는 동지회의 요구는 아프리카계 미국인들에게 백인들의 기존체제에 긍정적으로 참여할 것을 촉구한 부커 티 워싱턴처럼 아프리카계 미국인들과 미국정부의 중재자가 되어달라는 요구이다. 부커 티 워싱턴은 인종간의 폭력과 위협, 경제적 착취, 그리고 정치적 권리의 박탈이 성행하던 시절에 저명한 아프리카계 인사로 부상하여 백인사회와 아프리카계 미국사회의 절충을 모색하고, 1881년 터스키기 기술대학 Tuskegee Institute을 설립하여 아프리카계 미국인의 유토피아Black Utopia로 만드는 데에 헌신한 사람이다(McDowell 154). 부커 티 워싱턴의 이 같은 공적은 아프리카계 미국사회의 긍정적 평가대상이고, '나'와 같은 젊은 아프리카계 미국인 세대의 꿈과 희망이 되어주기에 충분하다. 하지만 동지회가 '나'에게 요구하는 워싱턴은 더 이상 '나'의 이상을 반영하는 인물이 아니다. 부커 티 워싱턴은 앞 세대의 아프리카계 지도자, 작가, 그리고 연설가인 더글러스처럼 되기 위해 많은 노력을 기울이지만, 후세에 실패한 지도자란 평가를 받는 아프리카계 지도자이다. 데보라 맥도웰Deborah McDowell에 따르면, 부커 티 워싱턴에 대한 후세의 평가들은 "부커 티 워싱턴이 더글러스의 전기를 써서 그를 우상화하고 헌신적으로 후계자가 되고 싶어 했지만, . . . 그 자신과 자서전을 남북전쟁 이전의 노예를 위한 중화제 또는 대체물로 제공했다"(155)고 비판한다. 즉 부커 티 워싱턴은 자서전인 『노예제도로부터의 향상』(*Up from Slavery*)을 통해 노예제도를 미화한다. 더글러스가 노예제도를 '무덤'에 비유한 데 반해, 부커 티 워싱턴은 그것을 '학교'에 비유한다(155). 노예제도의 잔혹한 행위와 도덕적 오류에도 불구하고, 부커 티 워싱턴은 노예제도로부터 거의 백인만큼 많은 것을 얻는다. 이런 까닭에, 그는 아프리카계 미국인들이 남부백인들에 대하여 어떤 독한 마음도 품고 있지 않다는 것을 보여주려고 노력한 아프리카계 지도자로 평가받는다. 예컨대, 1901년 출간된『노예제도로부터의 향상』은 부커 티 워싱턴이 노예제도부터 아프리카계 가정의 가부장이 되어가는 절정상태를 구도화한 자서전이며(Ross 159), 그의 성공신화를 보여주려 한 자서전이다. 즉 그는 이 자서전에서 당시의 정치후원체제에 의지하여 대통령들, 부유한 산업인들, 세계지도자들에 대해 전대미문의 접근하며, 흑백의 대립 사이에서 위대한 중재자로 출세하여 '터스키기의 명인'Wizard of Tuskegee이 되고, 백인의 기존체제에 기여한 것을 연대기적으로 기술하고 있다(McDowell 155).

엘리슨은 부커 티 워싱턴을 블레드소로 인물화하여 '나'를 학교 밖으로 내몰기 위해 용의주도하게 행한 악행을 고발한다. 즉 블레드소는 아프리카계 대학교의 운영자로서, 학교의 권력 핵심들인 백인이사들의 비위를 맞추며 그들로부터 위임받은 권력을 권위적으로 만드는 데에 사용하고, 아프리카계 학생들에게 수혜를 베푸는 것 같으면서도 오히려 고립시키거나 학교 밖으로 내모는 이중적 인물이다. 물론, 정도의 차이가 있겠지만, 블레드소의 이 같은 위치와 모습은 권모술수적인 면을 제외한다면 아프리카계 대학교의 설립자이자 운영자, 노예제폐지론자이면서 아프리카계 미국사회의 문제를 백인사회의 정책과 요구에 따라 수정주의적 시각에서 접근한 부커 티 워싱턴과 다름이 없다. 하지만 '나'는 블레드소의 농간으로 대학으로부터 쫓겨나온 뒤, 돈도 직장도 구할 수 없는 막연한 현실 속에서 최종적으로 동지회의 유급 연설자가 된다.

타고난 대중연설가로서 '나'는 오히려 부커 티 워싱턴보다 한 세대 앞서 19세기 아프리카계 미국사회를 이끈 대표적인 노예폐지운동가이자 지성인 더글러스9)를 모델로 한 인물이다. 풍부한 바리톤 목소리를 소유한 더글러스는 볼티모어에서 노예 신분일 때조차도 타고난 대중연설가이다. 노예 신분이었을 때에, 그는 자신을 재현하기 위해 언어의 힘이 얼마나 큰 지를 잘 알았고, 노예 신분이 아닌 아프리카계 미국인 친구들과 비밀토론 클럽에도 가입한 뒤에, 토론회에서 미국의 상원의원이 될 때까지 모든 노력을 멈추지 않겠다고 선언할 만큼 정치적 야심도 갖춘 아프리카계 지도 자이다. 따라서 엘리슨이 더글러스의 이 같은 재능과 꿈을 화자이자 주인 공인 '나'를 통해 재현했다고 말할 수 있다. 이 소설에서 '나'는 더글러스 처럼 대중연설에 탁월한 재능을 가진 아프리카계 청년이다. 그는 이 같은 재능으로 인해 고등학교 졸업식에서 연설을 하고, 장학금을 타서 대학을

---

9) 더글러스는 1841년 북부로 도피한 지 3년 후 윌리엄 로이드 개리슨이 주도한 '미국 반노예제 도 협회'의 유급 연설가가 되어 북부 주들을 순회하며, 청중들에게 노예제도의 공포에 대해 연설한다. 순회연설의 주제는 대체로 도망노예로서 그가 노예생활 중 직접 겪은 경험들, 그의 경험보다 더 심각한 북부의 인종차별주의, 그리고 당시의 정치적 상황들이다. 더글러스는 1818년부터 1895년까지의 긴 생애 기간 동안, 세 권의 자서전을 출간하고, 한편의 중편, 그리고 팸플릿 형식으로 10편 정도의 연설문을 출간한다. 대중연설이 유행이던 시절에, 그는 수천 번의 순회강의를 한 미국의 가장 유명한 연설가들 중 한 사람이고, 16년 동안, 19세기에 가장 오랫동안 지속되었던 아프리카계 신문의 편집인으로서도 명성을 날린다. 그는 또한 예술 분야에서 미국의 아이콘이다. 그는 언어, 목소리, 그리고 이미지의 힘을 누구보다 잘 이해하고, 이를 대중연설과 자신의 재창조를 위해 적극 활용한 사람이다. 그의 이 같은 탁월한 경력, 재능, 그리고 명성은 많은 사람들로 하여금 그를 '대표적인 사람'으로 부르도록 하게한다. 존 스토퍼John Stauffer에 따르면, 원래 이 명칭은 더글러스를 개인과 영혼 속에 미국적인 모든 것을 지니고 있는 인물로 평가한 더글라스의 절친한 친구, 노예폐지론자, 그리고 내과의사인 제임스 매쿤 스미스James McCune Smith가 붙여준 명칭이다(201). 스미스의 평과 함께, 더글라스를 백악관에서 세 번 만난 링컨 역시 더글라스를 "미국에서 가장 칭찬할 만한 사람은 아니지만, 가장 칭찬할 만한 사람들 중 한사람이다"(Stauffer 201 재인용)고 평가한다. 노예제도 폐지를 주도적으로 실천했던 링컨이 더글러스를 이처럼 평가한 까닭은 무엇보다 그가 노예제도의 공포들을 그려내고, 노예제도의 억압에 대항할 아프리카계 미국인들의 저항의식을 불러일으켰기 때문이라고 말할 수 있다.

갈 수 있게 되고, 백인명사들이 모인 일류호텔의 댄스홀에 명연설자로 초대받는다. '나'의 꿈 역시 더글러스의 경우처럼 야심차다. 즉 대학입학 후 그가 원하는 미래는 대학에서 연설로서 블레드소와 같은 지위를 얻고 난 다음, 궁극적으로 국가적 지도자가 되는 것이다(384).

'나'의 모델로 더글러스로 볼 수 있는 결정적 단서는 그가 동지회와 대립하고 있을 때 타프Tarp가 그의 사무실 벽에 더글러스의 초상화를 걸어주는 장면을 통해 발견할 수 있다. 동지회의 회원이기도 한 타프는 남부에서 결혼하여 경작하며 살던 중 아내와 땅을 잃고 19년 6개월 간 족쇄를 차고 살다가 탈출한 아프리카계 미국인이다. 과거의 트라우마를 여전히 간직한 채, 다리를 절룩이는 그는 '나'에게 탈출하기 위해 줄칼로 자른 자신의 족쇄를 부적 같은 것이라고 말하며 건네주고, '나'의 사무실에 더글러스의 초상화를 걸어준다. 의식적인ritual 제안과도 같은 타프의 이 같은 행동은 족쇄를 통해 '나'에게 더글러스의 두 번째 자서전『나의 질곡과 나의 자유』(*My Bondage and My Freedom*)에서 묘사된 노예의 질곡을 일깨우고, 더글러스의 초상화를 통해 워싱턴보다 한 세대 전에 노예의 질곡으로부터 자유를 쟁취하기 위해 싸운 진정한 아프리카계 지도자가 있었음을 일깨우려는 모습이다.

　"저 분이 누군지 아시나요?"
　"그럼요" 내가 말했다. "저 분은 프레더릭 더글러스이지요."
　"그렇지요. 바로 그 분이지요. 그 분에 대해 알고 있어요?"
　"별로요. 할아버지께서 종종 말해주시곤 했지만."
　"됐어요. 위대한 사람입니다. 가끔 쳐다보세요" . . . .
　나는 갑자기 경건한 마음이 들어 프레더릭 더글러스의 초상화를 마주보
　　고 있었다.

"Son, you know who that is?"

"Yessir, yes," I said, "it's Frederick Douglass."

"Yessir, that's just who it is. You know much about him?"

"Not much. Mu grandfather used to tell me aout him though." . . .

I sat now facing the portrait of Frederick Douglass, feeling a sudden
  piety. (378-79)

이 대화 직후, 타프의 의식적 행동에 대한 '나'의 반응은 더글러스에 대한
어떤 긍정적 평가나 더글러스처럼 살겠다는 결심 대신, 할아버지에 대한
기억을 떠올리고, 기억을 순간적으로 정지 또는 보류시키려 한다는 점에
서 다소 애매하다. 더욱이 더글러스를 할아버지와 동일시하기 위해 이 같
은 기억을 떠올린 것이라면, 더글러스에 대한 '나'의 지식이 그를 평가하
거나 수용할 결심을 할 만큼 완전하지 못하다는 것을 스스로 밝힌 것이나
다름이 없다. '나'의 할아버지는 더글러스와 같은 삶을 산 사람이 아니
다. '나'에 의해 밝혀진 것처럼, 그는 임종 시에 자신을 "첩자 또는 배신자
였고, 온순한 것은 위험스러운 것"(16)이라고 말한 사람이다. 따라서 '나'
의 이 같은 삶은 더글러스의 경우보다 차라리 부커 티 워싱턴의 경우를
떠올리기에 충분하다. 그럼에도, 작중주인공인 내가 더글러스의 초상화
앞에서 할아버지를 떠올린 것은 그의 아버지에게 "내가 죽은 뒤에도 투쟁
을 계속하라. . . . 머리를 사자의 아가리 속에 넣고 살아라"(16)고 요구한
할아버지의 유언 때문이라고 말할 수 있다. 하지만 위 대화가 있을 때까지
도, 작중주인공이 왜 할아버지가 자신의 삶과 정반대인 삶을 그의 아버지
에게 요구했는지에 대해 여전히 해답을 찾지 못한 점을 고려할 때, 타프의
의식적 행동에 대한 '나'의 반응이 명확하지 않은 것은 당연한 일처럼 보
인다.

하지만, '나'의 이 같은 태도는 점점 심해지는 동지회와의 갈등과 비례하여 새로운 국면으로 전환하는 양상을 보인다. 동지회에 대한 '나'의 초기 반응은 회의적이지 않다. 그의 언급에 따르면, 이곳은 백인과 아프리카계 미국인으로 구성된 정치조직으로, 투쟁에 있어서 폭력을 반대하고, 모든 것이 그 자체의 과학에 의해서 통제될 수 있다고 생각하는 곳이다. 또한 이곳의 구성원들은 삶을 전적으로 양식과 규율이라고 생각하며, 규율의 미는 그것이 원만하게 진행될 때 이루어진다고 믿는다. 이에 대해, "현재 규율이 원만하게 진행되고 있다"(381)고 평가하는 '나'의 입장은 긍정적이다. 하지만 소설이 결말로 치달을수록 동지회에 대한 '나'의 이 같은 반응은 회의적이고, 부정적으로 바뀌어간다.

　　동지회에 대한 '나'의 의식변화는 동지회가 아프리카계 미국인의 역사적·현실적 고통을 반영하는 조직이 아니라는 인식으로부터 비롯된다. 이에 대해, 엘리슨은 아프리카계 미국인의 질곡을 상징하는 타프의 족쇄를 목격한 레스트럼Wrestrum의 반응과 레스트럼에 대한 '나'의 반응을 통해 '나'의 변화를 보여준다. 동지회의 회원인 레스트럼은 타프의 족쇄가 '나'의 사무실 책상 위에 놓여있는 것을 발견하고, 경고하듯이 "이건 동지회를 위해 가장 좋지 않은 물건입니다"(392)라고 말한다. 그리고 그는 또한 동지회를 비난하듯이 "동지회는 겉으론 동지라고 말하며, 돌아서면 검둥이라고 말한다"(393)고 밝힌다. 레스트럼의 이 같은 언급은 동지회에 대하여 철저히 알지 못하는 '나'를 위한 배려차원의 경고 또는 언급에 가깝다. 하지만 '나'의 반응은 "이것"(=타프의 조각난 족쇄)은 우리의 투쟁 목표가 무엇인지를 일깨워주는 훌륭한 물건입니다"(392)란 그의 언급이 말해주듯 레스트럼의 경고는 물론, 동지회의 목표에 저항적인 입장을 분명히 한다. 이와 관련, '나'는 레스트럼에 대하여 "레스트럼이 동지회의 강제력에 만족을 느끼고 있다는 것에 대해 충격적이었고 불쾌하기 이를 데

없다"(394)고 비난하는데, 그의 이 같은 비난은 이 소설의 결말부분에서 동지회를 떠나기 직전 "광대 같은 생활에 반감을 느꼈다"(478)는 언급이 말해주듯, 동지회를 비롯하여 아프리카계 미국인들의 고통과 질곡을 제대로 인식하지 못하는 어떤 대상에 대해서도 저항할 수 있다는 의지를 분명히 한 것이나 다름없다.

한편, 동지회와 '나'의 이 같은 갈등은 더글러스가 개리슨의 '미국 반노예제도 협회'에서 일할 때와 거의 비슷한 상황이다. 물론, 많은 비평들이 동지회를 엘리슨이 수년 동안 함께 일했던 미국공산당을 모델화했다고 주장하고 있지만,[10] '나'와 동지회의 관계를 놓고 볼 때, 동지회는 오히려 더글러스가 개리슨과 함께 일한 '미국 반노예제도 협회'와도 비슷한 조직이다. 더글러스가 '미국 반노예제도 협회'에서 일을 하기 시작한 시점은 1841년 북부로 도망친 지 3년 후 개리슨에 의해 유급 연설가로 채용되면서부터이다. '미국 반노예제도 협회'는 공산당의 마르크스적 과학만능주의를 강조하지 않지만, 인종적 우월감을 가진 백인들로 구성된 지도부, 무저항적·비폭력적 행동강령, 정치와 정부에 대한 비판, 그리고 도덕적 설득을 통한 즉각적 노예폐지의 유도를 강조했다는 점에서 동지회와 비슷하다. 하지만 더글러스는 이 협회와 일하며 실망과 좌절을 경험한다. 그는 개리슨을 제외하고 어떤 다른 구성원보다도 더 광대한 군중을 끌어들이고, 협회에 더 많은 주의를 끌어들였음에도 백인 연설가들보다 급료를 적게 받는다. 존 스토퍼John Stauffer의 증언에 따르면, 개리슨과 대부분의 다른 동료들은 그를 동등한 구성원이라기보다 아들 또는 피부양 가족 정도

---

10) 스콧 셀리스커Scott Selisker는 「인종과 『보이지 않는 인간』의 기계적 인간에 대한 사회학」에서 "엘리슨이 마르크스적 분석방법을 계속 선호하는 습관을 1943년 공산당과의 결별 이후에도 데이비드 빌David Bill, 노먼 메일러Norman Mailer, 그리고 어빙 하우Irving Howe 등과 같은 트로츠키의 추종자들Trotskyites과 많은 공통점을 가지고 있다"(579)고 밝히고, 하지만, 『보이지 않는 인간』은 동지회를 통해 공산주의 과학만능주의를 비판했다고 주장한다(579).

로 취급한다. 그리고 그들은 백인동료들에게 저항한 것에 대해서는 질책을 하지만, 그가 지도자적 역할을 요구했을 때에 분노를 표현한다 (208-09). 따라서 더글러스와 개리슨 그리고 더글러스와 '미국 반노예제도 협회'와의 관계는『보이지 않는 인간』에서 엘리슨에 의해 '나'와 잭 그리고 동지회와의 관계로 재현되었다고 말할 수 있다. '나'는 동지회에서의 역할에 대해 '미국 반노예제도 협회'에 대한 더글러스의 실망을 환기시키 듯 "연설로 인해 지도자가 된다. 하지만 그 지도자라는 게 내가 기대했던 그런 것이 아닐 뿐이다"(381)라고 고백한다. 특히, 더글러스가 유급 연설가 이상의 지도자적 역할을 요구했을 때, 개리슨을 비롯한 다른 동료들이 분노했다는 부분은, 동지회의 보스인 잭이 '나'를" 사상을 전하기 위해서가 아니라 말을 하게 하기 위해서 채용했다"(469)고 밝히며 '나'의 조직 내 위상을 유급연설가로 제한 것과 다름없다.

더글러스와 '나'는 이 같은 유사성에도 불구하고 그들을 구속한 각각의 조직들을 떠났을 때에 극명한 대조를 보이는 역사적 인물과 허구적 인물이다. 더글러스의 경우, '미국 반노예제도 협회'와의 결별은 아프리카계 지도자, 자서전 작가 그리고 지성인으로 거듭나기 위해 세상의 환한 빛으로 나온 것을 의미한다. 즉 더글러스는 사후에도 권두판화들로부터 은판 사진들, 유리판사진들, 그리고 진열용 카드들에 이르기까지 다양한 형식들을 통해 아프리카계 미국사회뿐만 아니라 미국사회의 '대표적인 사람'으로 기억된다. 하지만 '나'는 세상과 결별하고 빛이 없는 지하세계 속에서 라스의 위협으로부터 자유를 찾고 안락을 찾는 '보이지 않는 인간'으로 살아간다. 그는 여전히 아프리카계 미국인의 역사적 고통과 질곡을 말해주는 타프의 족쇄를 간직하고 있고, 토드 클리프턴Toad Clifton의 '춤추는 검둥이 인형'을 멈추지 않는 고통과 질곡의 현실적 증표로 간직하고 있다. '춤추는 검둥이 인형'은 흔들어줄 때마다 룸바rumba와 수지-큐suzy-q(432)

와 같은 춤동작과 함께 "저속한 행동연출자의 맹렬한 반항으로 몸을 비틀고. . . .얄궂은 쾌락"(431)을 주는 인형으로, 슬픔으로부터 웃음을 이끌어내는 해학적 동작을 통해 아프리카계 미국인(또는 동지회로부터 억압당한 클리프턴)의 고통, 자유(또는 고통으로부터의 자유), 그리고 저항의식을 보여주는 상징물이다. 엘리슨은 "사회 내에서 스트레스가 크면 클수록, 코믹적인 해독제가 더 강하게 필요하기 때문에, 극단적인 미국사회의 혼란에 의해 강요된 스트레스가 코미디를 요구한다"(146)고 밝힌다. 즉 엘리슨에게 웃음은 아프리카계 미국인들이 겪고 있는 불의, 모욕, 그리고 질곡에 대항하는 행위이자 자각적 · 자기의식적인 대리행위의 표현으로, '춤추는 검둥이 인형'은 바로 이 같은 작가적 견해를 담은 상징물이다. '나'의 이 인형은 아프리카계 미국인의 문화적 주체성과 지하세계로 잠입하기 전 클리프턴이 아프리카계 미국인을 위한 투쟁을 거부하는 동지회를 떠나 거리 행상을 하다가 단속 경찰에 의해 살해될 때 버려진 것들 중 하나이다. 그리고 그가 이 인형을 간직하고 있는 것은 아프리카계 미국인들에게 고통과 질곡의 역사가 정지된 역사가 아니라 현실임을 보여주려는 작가적 의도를 반영한 것이다.[11]

'나'의 또 다른 모델은 작중에서 더글러스처럼 언급되지 않았지만 워싱턴을 비판하며 더글러스 이후 새로운 아프리카계 지도자와 지성으로 아

---

11) 화자가 인형을 간직하고 있는 것은 클리프턴의 작중관계와 상관없이 아프리카계 미국인의 공동체의식과 동포애를 환기시킨다. 화자가 "클리프턴이 나로부터 물러서며 라스를 타이트하고 매력적인 표정으로 쳐다보았다"(372)라고 언급한 것처럼, 클리프턴은 화자와 이념적으로 완전히 뜻을 같이 하는 사람이 아니다. 즉 클리프턴이 동지회를 떠나려 한 까닭은 '나'의 경우와 달리 라스의 이념에 의해 유혹되어 흑인민족주의 편에 서려 했기 때문이다. 하지만, 화자는 클리프턴의 이 같은 태도에 대해 "그는 비록 모순들로 가득 찼지만, 한 인간이요 동지이다"(467)라고 말함으로써 클리프턴을 한 인간으로서, 그리고 아프리카계 미국인으로서 변호하는 입장을 취한다(Selisker 587). 즉 화자의 이 같은 태도는 클리프턴과의 이념적 · 행동적 차이와 상관없이 그를 아프리카계 미국인의 공동체의식과 동족애로 수용할 것을 요구하는 작가적 요구를 반영한 것이다.

프리카계 미국사회로부터 존경을 받았던 윌리엄 에드워드 버가트 듀보이스이다. 듀보이스는 "노예는 자유로워졌다. 잠깐 동안 태양빛 속에 서 있었다. 다음 다시 노예제도를 향해 돌아갔다"(McDowell 150)고 말한 것처럼, 노예제도폐지 이후에도, 질곡과 고통의 역사가 아프리카계 미국인들에게 되풀이되고 있다고 인식한 20세기 초 아프리카계 미국사회의 대표적인 지성이다.

노예제도에 대한 듀보이스의 이 같은 역사적·현실적 시각은 더글러스의 시각과는 맥을 같이한다. 하지만 듀보이스가 노예제도를 중단되지 않은 현실적 역사로 해석한 것은 노예제도로부터 성공신화를 연출한 더글러스의 경우와 동일시할 수 없는 사항이다. 그리고 더글러스와의 이 같은 차이는 듀보이스가 『보이지 않는 인간』의 '나'와 더글러스 사이에서 나타난 부분적인 차이점을 보완해주는 역사적 인물임을 말해준다. 다시 말하면, 이 소설의 결말부분에서 동지회를 벗어난 '나'의 현실과 미래는 '반노예제 협회'를 벗어나 '대표적인 미국인'으로 성공신화를 이룩한 더글러스의 경우와 달리 타프의 족쇄와 클리프턴의 검둥이 인형이 상징하는 노예제도의 질곡과 현실적 위협의 연장선상을 벗어나지 못한 모습이다. 따라서 '나'의 이 같은 현실과 미래는 아프리카계 미국인들의 질곡과 고통의 역사를 정지되지 않은 역사로 인식한 듀보이스의 비판적 역사관과 맥을 같이하는 것이다.

한편, 노예해방 이후 아프리카계 미국인들의 인권신장과 자유를 위한 논의와 투쟁에서 듀보이스의 역사관과 현실관을 따르면서도, 투쟁방식과 목표에 있어서 듀보이스와 이견을 보인 아프리카계 지도자이자 지성은 마커스 가비이다. 이와 관련, 엘리슨은 『보이지 않는 인간』에서 듀보이스와 가비를 각각 '나'와 라스로 재현하여 아프리카계 미국인들의 인권신장과 자유를 위한 논의와 투쟁에서 그들이 보여준 입장을 제시하고, 부분적으로 가비의 급진주의를 환기시키는 라스의 폭력주의를 비판한다.

듀보이스와 가비의 차이는 개인적인 인신공격을 통해 살필 수 있다. 듀보이스는 1923년 『세기』(*Century*)에 발표한 「아프리카로의 귀환」("Back to Africa")에서 경멸적인 어조로 가비를 "작고 뚱뚱하고, 추하지만 지성적인 눈과 큰 머리를 가진 흑인"(Thompson 243 재인용)으로 묘사한다. 가비에 대한 듀보이스의 이 같은 평은 보기에 따라서 외모는 부족하지만 지성적인 내면을 칭찬하는 평처럼 보일 수 있다. 하지만 외모를 욕설에 가깝게 묘사한 점을 고려할 때, 듀보이스에게 가비는 지성적인 것을 제외하면 호감 가는 구석이 아무 데도 없다는 아프리카계 미국인이나 다름이 없다. 이에 대해, 가비 역시 1923년 하버드대 석사논문에 대한 평에서 듀보이스를 '전국 흑인 지위 향상 협회'NAACP(National Association for the Advancement of Colored People)의 잘못된 지도자로 지칭하며, "작은 화란인, 작은 프랑스인 등 열두 가지의 다른 대상들"로 묘사하고, "지금 듀보이스가 '추한'ugly이란 말로 무슨 이야기를 하는 거야?"(Now what does Du Bois mean by Ugly?)(243 재인용)라고 되묻는다.

듀보이스와 가비의 이 같은 공격은 아프리카계 미국인들의 정치적·인종적·문화적 주체성과 가치의 향상을 위해 아프리카계 예술이 지향해야 할 미beauty에 대하여 언급할 때도 한 치의 양보를 허락하지 않는 모습이다. 마크 크리스천 톰프슨Mark Christian Thompson의 견해에 따르면 첫째, 듀보이스의 미학은 유럽, 아프리카, 그리고 아프리카계 미국사회의 미적 개념을 차별 없이 수용하며, 지리적·인종적 경계나 민족주의적·인종차별주의적 경계를 부정한다(246). 반면, 가비는 듀보이스와 달리 아프리카계 미국인의 미적 근원으로서 아프리카로의 복귀를 강조하며, 백인의 예술보다 아프리카계 미국인의 예술적 우월성을 강조한다. 둘째, 듀보이스는 아프리카계 예술을 형식적으로 정의하지만, 가비는 형식과 관계없이 아프리카적 혈통을 근거로 아프리카계 미국인에 의해 창조된 모든 형식으로 정의한다. 즉 가비는 아프리카의 과학과 예술이 우월하다고 믿으며, 아프리카계 예술의 특징을 형식이 아니라 창조자, 내용, 그리고 유포의 양식을 근거로 정의한다. 셋째, 듀보이스처럼 예술의 목표를 아프리카계 미국인들에 대한 해방의 촉구와 자유로운 아프리카계 미국인 국가의 건설에 두고 있지만, 가비는 아프리카계 예술이 형식과 상관없이 유럽의 예술적 주류로부터 탈피할 것을 주장한다(247). 넷째, 듀보이스는 예술을 정치적 선전으로 여기지만, 가비는 그의 견해를 부정한다. 듀보이스는 자신의 글쓰기에 대해 아프리카계 미국인의 권리를 쟁취하기 위한 것이고 밝힌다(248). 반면, 가비는 예술의 선전적 역할을 부정한다. 그에게 미학적 미Aesthetic Beauty는 아프리카계 미국인의 자아를 개선시키기 위한, 세상을 매혹시키기 위한, 그리고 혹자의 주장을 설득력 있게 표현하기 위한 표현양식이다. 다섯째, 듀보이스는 아프리카계 미국인들에 대한 예술적 표현이 단순한 재현에 의해서가 아니라, 서구전통의 기교적·형식적 숙달에 의해서 성취될 수 있다는 입장을 취한 반면, 가비는 자기창조와 자기만회를 강조하고, 예술은 전체적인 인간, 아프리카계 미국인을 창조하기 위한 시도로서 작동하고 작동을 결코 멈추지 않는 미학적 대상으로서 생산되고 소비된다는 입장을 취한다(250). 듀보이스와 가비의 이 같은 대립은 큰 맥락에서 범 대서양적·국제적 입장과 지역적·민족주의적 입장, 선전적 역할과 미적 역할, 그리고 형식주의와 비형식주의의 대립을 의미한다. 이와 관련, 두 사람의 대립관계는 부분적인 이유와 함께 『보이지 않는 사람』의 '나'와 라스에서 나타난 대립관계와 유사하다.

　　라스와 가비의 유사성은 라스가 '나'와 클리프턴과의 관계에서 가비와 같은 견해와 행동을 보여주는 모습에서 발견할 수 있다. 라스는 '나'와 클리프턴과의 싸움에서 아프리카계 미국인들은 그들만을 위해 존재해야 한다는 신념을 강조하며, 상대적으로 백인들과 함께 일하는 '나'와 클리프턴을 공격한다. "기억해둬, 내가 백인들을 위해 흑인들을 배신하는 자가 아니라는 것 말이야"(376)고 그가 말한 것처럼, 백인과 아프리카계 미국인이 함께 일하는 동지회에 소속된 '나'와 클리프턴은 그에게 아프리카계 미국사회에 대한 배신자들이나 다름이 없다. 상대적으로, 가비가 아프리카계 미국인들의 단결을 촉구하며 아프리카를 위한 아프리카인들을 강조하고, 니그로를 위한 니그로 문학을 강조한 것처럼(Thompson 252), 라스는 자신이 백인들을 돕는 배신자가 아니라는 점을 분명히 한다. 하지만 이 소설에서 '나'는 아프리카계 미국인들의 역사적·현실적 고통과 질곡을 백인사회의 이중적 잣대로 접근하는 동지회를 거부하며, 동시에 백인사회와 백인사회를 동조하는 집단이나 개인에 대해 무차별 폭력을 행사하는 라스의 급진적 민족주의 역시 거부한다. 즉 '나'는 아프리카계 미국인들의 역사적·현실적 고통과 질곡을 아프리카계 미국인의 정서와 시각으로 이해하고, 평화적 해결을 촉구하는 입장이다. 그리고 '나'의 이 같은 입장은 자신을 양쪽 어디에도 완전히 속할 수 없게 만든다. 반면, 동지회의 잭에 의해 국수주의자로 비판받는 라스는 급진주의와 폭력주의를 결합한 배타적 인종주의자로, '나'의 입장을 고려하지 않고, '나'를 동지회와 싸잡아 공격한다. 이런 면에서, '나'와 라스는 극과 극의 이분법적 대립관계에 놓이고, 라스의 폭력주의는 '나'의 개인적 입지와 생명을 위험에 처하게 한다.

한편, 라스와의 이 같은 유사성에도 불구하고 가비는 또한 '나'의 모델이기도 하다. 앞서 언급한 것처럼, 아프리카계 미국사회를 위해 가비가 주장한 내용들은 아프리카계 미국사회의 우월성, 독창성, 그리고 주체성을 구현하고자 한 의지에 바탕을 두고 있다. 톰프슨의 견해에 따르면, 첫째, 가비는 아프리카계 미국인의 미적 근원으로서 아프리카로의 복귀를 강조하며, 백인의 예술보다 아프리카계 미국인의 예술적 우월성을 강조한다. 둘째, 가비는 아프리카의 과학과 예술이 우월하다고 믿으며, 아프리카계 예술의 특징을 형식이 아니라 창조자, 내용, 그리고 유포의 양식을 근거로 정의한다. 셋째, 가비는 아프리카계 미국인과 다른 지역 흑인의 예술이 형식과 상관없이 유럽의 예술적 주류로부터 탈피할 것을 주장한다(247). 넷째, 가비에게 미학적 미는 아프리카계 미국인의 자아를 개선시키기 위해, 세상을 매혹시키기 위해, 그리고 혹자의 주장을 설득력 있게 표현하기 위해 사용된 표현양식이다(248). 다섯째, 가비는 자기창조와 자기만회를 강조하고, 예술은 전체적인 인간, 니그로를 창조하기 위한 시도로서 작동하고 작동을 결코 멈추지 않는 미학적 대상으로서 생산되고 소비된다는 입장을 취한다(250). 아프리카계 예술에 대한 그의 이 같은 주장은 아프리카계 미국사회를 그릇된 시각으로 바라본 백인사회의 편견에 대한 비판이자, 이에 대한 전면적 수정의 요구이다. 따라서 가비는 아프리카계 미국사회의 고통과 질곡에 대한 역사적·현실적 인식과 개선의 요구에 있어서 백인사회와 어떤 형태의 연대도 거부한다는 점을 고려할 때 라스의 모델이지만, 라스와 같은 부당한 폭력을 거부한다는 점을 고려할 때 '나'의 모델이기도 하다.

## III. 『또 다른 나라』

제임스 볼드윈은 아프리카계 미국역사와 역사적 인물들을 환기시키며 중단되지 않은 현실의 인종적 억압과 갈등을 일인칭 아프리카계 미국인의 목소리를 통해 추적한 엘리슨과 달리 아프리카계 미국인으로서 겪는 미국사회에 대한 사회적·심리적 억압을 개방된 성적 의식을 통해 공개하고, 이를 파괴하고자 한다. 볼드윈의 『또 다른 나라』(*Another Country*)는 1950년대의 그린위치 마을을 배경으로 한 소설이다. 볼드윈은 이 소설에서 아프리카계 미국인들의 인종적·사회적·정치적·실존적 주제들을 탐구한 그의 앞 세대작가들과 달리 발표 당시에 금기된 다양한 주제들, 즉 양성애bisexuality, 혼종 부부interracial couple, 그리고 혼외정사 등을 추적한다. 즉 볼드윈은 이 소설에서 흑인, 동성애자, 또는 양성애자의 평등한 조화를 저해하는 사회적·심리적 억압들을 소설화한다. 이와 관련, 레즈비언과 동성애적 담론에 속한 약간의 비평가들은 이성애적인 성과 성적 규범에 대한 볼드윈이 비판에 준거하여 볼드윈을 아프리카계 미국인적 작가이기보다 동성애적인 작가로 인식한다. 윌리엄 코언William Cohen은 이 같은 시각을 보여준 대표적 비평가로, 볼드윈의 『또 다른 나라』에 대해 "인종적 관심이 성애에 대한 관심으로 탈선했다"(Foster 400 재인용)고 평가한다. 그럼에도, 또 다른 비평가들은 볼드윈과 『또 다른 나라』를 인종적 시각에서 평가한다. 이 같은 비평적 시각을 보인 비평가들은 아프리카계 미국적 담론 내에 속한 약간의 비평가들로, 볼드윈과 『또 다른 나라』에 대해 동성애적이라기보다 아프리카계 미국인적이라고 평가한다.

볼드윈과 『또 다른 나라』는 이처럼 동성애와 인종 사이에서 별도의 양면적 평가를 받아왔지만, 두 주제가 포괄적으로 반영된 소설로 평가받기도 한다. 가이 마크 포스터Guy Mark Foster에 따르면, 볼드윈의 글쓰기는 항상 "성문화화된 욕망의 인종화된 범주"(the racialized dimensions of gendered desire)를 일관되게 고려하게 하는 "복합적인 욕망의 모태"(a complex matrix of desire)를 구체화한다"(395). 포스터의 이 같은 평가는 테리 오텐Terry Otten이 금기된 성행위에 대해 "부당하고 억압적인 문화에 대한 항의"(21)라고 해석한 것처럼, 볼드윈이 이 소설을 통해 금기시된 성적 주제를 추적하여 이를 규범화한 사회에 저항하려 했음을 밝혀준다.

볼드윈은 제한된 성문화가 지배하는 나라에서 초래된 파멸을 묘사하고, 제2차 세계대전 직후의 미국인들을 구속하고, 또한 지금도 계속되고 있는 협소한 정체성의 카테고리를 벗어나 또 다른 나라로 독자들을 유도한다. 즉 미국인들은 이 같은 사회에서 혼종간의 결혼금지법을 어긴 페레즈Perez와 샤프Sharp에 대한 캘리포니아California 대법원의 판결을 포함하여, 4세기 동안 지속된 정부 주도의 인종적 억압의 폐기를 목격하지 않을 수 없다(Foster 399). 이와 관련, 볼드윈은 백인남성동성애자들과 레즈비언들만이 전후의 미국에서 인정받기 위해 투쟁하는 유일한 성적·문화적 계층이 아니라는 것을 분명히 하며, 흑백의 남녀 부부들도 이 같은 시각에서 접근한다. 볼드윈은 "인간적인 성적 관심을 동성애적-이성애적 연속체로 접근한다. 볼드윈은 "동성애적, 양성애적, 이성애적이란 용어들은 내게 의미 없는 20세기의 용어들이다. 나는 나 자신과 다른 사람들을 직접 바라볼 때에, 인생을 바라볼 때에, 그 경계의 벽이 어디 있는지 결코 식별할 수 없습니다"(Foster 395 재인용)라고 밝힌다. 볼드윈의 이 같은 견해는 우리의 시각을 성문화뿐만 아니라 이종적 혼교miscegenation로 유도하는 것으로, 에마뉴엘 넬슨Emmanual Nelson에 따르면, 인간적인 성적 관심을 동성애적-이성애적 연속체 위에 인종적 정체성을 추가하는 것이다(Foster 399).

삼인칭 객관적 화자에 의해 전개되는 『또 다른 나라』에서 볼드윈은 20세로부터 30세까지의 미국인들 사이에서 일어나는 격렬한 인간관계를 추적한다. 이 같은 인간관계의 중심에 위치한 작중인물은 아프리카계 재즈음악가인 루퍼스 스콧Rufus Scott이고, 다른 인물들은 루퍼스와 개인적인 역사, 또는 성적 역사를 공유한 인물들이다. 즉 작중인물들은 일부의 경우 남성이고, 다른 일부의 경우 여성으로, 이성애적 관계를 맺고 있지만, 심리적·성적 관점에서 동성애적이기도 하다. 루퍼스는 에릭Eric에 이어, 투쟁적인 백인 소설가 비발도Vivaldo와 동성애 관계이고, 루퍼스가 죽은 뒤에 루퍼스의 여동생인 아이다Ida는 비발도와 사귄다. 뿐만 아니라, 아이다는 가수가 되는 것을 도와주기로 약속한 광고회사 중역인 엘리스Ellis와 정사를 시작한다. 남편인 리처드Richard의 글쓰기 때문에 무료해진 카스Cass는 에릭이 파리로부터 뉴욕으로 돌아오자 에릭과 정사를 시작한다. 소설의 클라이맥스에서 카스는 리처드에게 에릭과의 정사에 대해 이야기한다. 에릭은 또한 비발도와도 성적관계를 갖는다. 그리고 비발도는 아이다와 엘리스의 관계에 대해 알게 된다.

이 소설의 첫 다섯째 장은 재즈 드러머인 루퍼스 스콧의 자살에 대해 이야기한다. 루퍼스는 남부로부터 온 백인여성 리오나Leona와 사귀기 시작하고, 그녀를 가장 친한 친구, 투쟁적인 소설가 비발도, 성공적인 멘토 리처드Richard와 그의 아내 카스와 함께하는 그의 사교 서클에 소개한다. 그들의 관계는 처음에 별 볼일 없었지만 점점 함께 생활할 정도로 진지해져 간다. 루퍼스는 습관적으로 리오나를 육체적으로 폭행하고, 리오나는 마침내 정신병원에 입원한다. 루퍼스는 깊은 절망에 빠져 할렘으로 돌아오고, 조지 워싱턴 브리지에서 뛰어내려 자살한다.

소설의 나머지 부분은 루퍼스의 사망에도 불구하고 그의 친구들, 가족, 그리고 지인들을 추적한다. 루퍼스의 친구들은 자살을 이해하지 못하고, 그의 죽음에 대해 약간의 죄의식을 경험한다. 후에 그들은 더욱더 친밀해졌다. 비발도는 루퍼스의 여동생인 아이다와 사귀기 시작한다. 이와 관련, 아이다와 비발도의 관계는 아프리카계 미국인들과 백인자유주의자들 간의 관계를 보여준다. 그들의 관계는 인종, 성, 그리고 현대사회의 장애물들 사이에서 사랑을 위한 갈구를 표현한다. 하지만 비발도와 아이다 또는 그에 상응하는 다른 중심인물들의 관계는 모두 볼드윈이 동시대의 미국사회에서 현실적인 사랑이 얼마나 어렵다고 느꼈는지를 설명해준다.

즉 볼드윈은 이를 통해 거짓 없이 그리고 사실적 이해 없이 서로 마주하는 것이 어떤 성관계를 맺거나 또는 사랑이 어떻게 표현됐나보다 훨씬 더 중요하다고 말해주는 듯하다. 그럼에도, 아이다는 인종적 긴장감과 오빠의 사망 후유증 때문에 경직된다.

이 소설에서 루퍼스의 죽음은 비발도의 거부로부터 비롯된다. 루퍼스는 죽은 날의 밤에 비발도를 찾아가서 성관계를 맺고 싶어 한다. 하지만 비발도는 이 같은 욕구를 인지하지 못하는 척한다. 비발도의 이 같은 태도는 루퍼스에 대한 그의 애정을 완전히 이해하지 못하고 있음을 말해준다고 말할 수 있다. 이와 관련, 비발도는 후에 루퍼스의 죽음을 막을 수 있었을지도 모른다고 생각하며 죄의식을 느낀다. 그리고 비발도는 루퍼스에 대한 죄의식을 반영하듯, 아이다에게 루퍼스에게 베풀지 못한 사랑을 동정적으로 베풀려 한다. 또한 아이다가 가수가 되기 위해 백인남성인 엘리스와 관계를 맺었는데도, 비발도는 아이다가 소설의 결말부분에서 고백할 때까지 이것을 알려 하지 않는다.

한편, 에릭은 루퍼스와 달리 이 소설에서 가장 정직하고 열려 있는 작중인물이다. 그는 루퍼스가 리어나를 폭행한 것, 그가 실질적으로 카스의 사랑에 보답하지 못한다는 것, 그리고 이브Yves에 대한 그의 사랑이 진실이란 것을 인정한다. 이것은 또는 그를 소설의 가장 침착하고 의연한 작중인물로 만든다. 에릭과 단지 하룻밤을 함께한 후에, 비발도는 세상을 더욱도 선명하게 바라보고, 자신의 양성애를 수용하는 첫 발걸음을 뗀다.

이 소설은 아프리카계 미국인에게 이상향이 없다는 것을 말해준다. 루퍼스가 인종적 불평등으로부터 도피할 곳은 세상 어디에도 없다. 루퍼스는 인종편견의 시대에 살고 있기 때문에, 그의 삶은 스스로를 증오할 정도까지 인종차별에 의해 영향을 받는다. 즉 루퍼스가 백인과 성관계를 맺는 이유는 권력을 모색하고자 하기 때문으로, 아프리카계 미국인으로서의 사회적 위치의 한계를 반영한다. 루퍼스에 이어, 아이다 역시 인종차별을 아프리카계 미국여성의 성적 시각을 통해 보여준다. 아이다는 백인남성들이 특히 아프리카계 미국여성들과 성관계를 갖고자 한다고 알고 있기 때문에, 비발도도 이런 측면에서 그녀를 성적으로 이용하려 한다고 믿는다. 그리고 비발도 또한 이에 대해 어떤 것도 인정하지 않으려함으로써 그의 인종적 경계를 확인시켜주는 듯하다. 이외에도, 리처드와 카스는 아프리카계 소년들이 그들의 아들들을 때렸을 때에 충격을 받는다. 물론, 볼드윈은 이 같은 사례를 인종적 범주에만 국한시키지 않는다. 볼드윈은 이 소설에서 성적·인종적 범주를 파괴하려 한 것처럼, 인종적 범주 밖에서 이 같은 사례를 묘사한다. 예컨대, 리처드와 비발도는 작가로서 서로를 질투한다. 비발도는 리처드의 첫 소설을 긍정적으로 평가하지 않고, 리처드는 자신의 작품이 비발도의 경우에 비해 상업적 성공을 거두지 못했다는 생각 때문에 비발도를 질투하고, 에릭이 카스와 정사를 한 후에 비발도를 찾아간다고 의심한다. 결과적으로, 이 소설은 인종적·성적 차이들을 비교하고, 대조시킨다. 두 차이들을 성숙한 사랑으로 향하는 과정에서 언급돼야 하는 갈등의 영역으로서 재현한다. 그리고 인종적 차이는 사랑의 실패로 귀결된다.

볼드윈의 네 번째 소설로, 1968년에 첫 출간된『기차가 얼마 동안 떠나버렸는지 내게 말해』(*Tell Me How Long the Train's Been Gone*)는 앞서의 소설과 달리 인종적 차이를 넘어 성공적인 사랑의 결말을 이끈다. 하워드 도드슨Howard Dodson이 "저명한 흑인예술가가 자신의 대중적 페르소나persona의 희생자가 되고, 정체성과 개인적 신념의 상실을 겪는다"(143)고 언급한 것처럼, 일인칭 서술시점으로 전개되는 이 소설의 첫 장은 가장 유명한 아프리카계 미국인 배우인 리오 프라우드해머Leo Proudhammer가 무대 위에서 심장병이 발생하여 고통을 당하는 모습으로부터 시작된다. 그리고 나머지 이야기는 리오가 응급처치를 받고 병원에서 회복하는 동안 플래시백을 통해 10세의 리오의 성장과정에 대한 이야기로 전개된다. 어린 시절 리오의 성장과정을 전해주는 플래시백은 이 소설의 가장 성공적인 부분이다.

이 소설에서, 인생에 의해 좌절된 바베이도스Barbados 출신 이민인 리오의 아버지는 여전히 강한 인종적 자부심을 가지고 있고, 자족에 대해 절대적인 헌신을 한다. 그는 그가 귀족 출신, 로마인 또는 유대인보다 더 고귀하고 이집트인보다 더 강한 인종이라고 믿는다. 그는 이 같은 배경을 자식들에게 주입시키려 하지만, 어느 누구도 그의 혈통을 인정하지 않는다는 사실 때문에 좌절한다. 리오는 아버지의 비전이 쓸데없는 것이란 걸 인식한다. 이미 열 살이 된 그는 삶의 가장 중요한 부분이 그에게 아무런 자비도 베풀어주지 않는 세상에 어떻게 적응하는지를 배우는 것이란 것을 인식한다. 리오의 어머니는 가족을 위해 해야 할 일을 하는 강한 아프리카계 여성의 모델이다. 그녀는 상점 주인에게 아이들이 필요한 물건을 주라고 말하고, 줄 돈은 장부에 달아놓으라고 말한다. 이와 관련, 리오는 가족들을 돌보기 위해 어머니가 해야 할 것은 하는 것에 대해 자부심을 가지고 있다. 리오에게는 이 같은 부모와 함께 칼리브Calib란 형이 있다. 리오는 보통의 형제들처럼 칼리브와 토닥거리면서도, 형을 사랑한다. 예컨대, 리오는 오전에 목욕통을 닦는 일을 놓고 형과 토닥거린다. 리오가 칼리브에게 목욕통을 깨끗이 청소하지 못할 것이라고 주장하자, 칼리브는 리오에게 사과하라고 주장한다. 리오는 형과 이처럼 토닥거리지만 집 밖에서 형의 보호에 의지하고, 형을 사랑한다. 형에 대한 리오의 이 같은 사랑은 백인들이 그의 면전에서 형에게 굴욕을 주고, 체포하여 구타를 할 때에, 그에게 깊은 상처를 준다. 뿐만 아니라, 형이 감옥에서 풀려나와 캘리포니아로 떠났을 때에, 리오는 형의 빈자리 때문에 좌절한 채, 빈민굴 거리의 유혹에 굴복하고 '갱스터의 똘마니'kept boy가 된다.

리오는 할렘의 이 같은 생활을 청산하기 위해 19세 때에 그린위치 빌리지로 간다. 이곳에서, 리오는 젊은 백인부부, 즉 이탈리아인 부모를 둔 상냥한 백인남성 제리Jerry와 켄터키 출신의 아름다운 여성 바버라 Barbara와 함께 산다. 리오는 이들과 살면서 양성애적이지만 순수한 관계를 유지한다. 즉 그들은 모두 유명한 극장 전문가의 여름 드라마 워크숍에 다니며 영화배우가 되는 것에만 관심을 보일 뿐이다. 하지만 이 같은 관계는 더 이상 지속되지 않고, 리오와 바버라는 사랑하는 사이가 된다. 제리는 매우 상처를 받지만 두 사람의 관계를 이해한다.

리오와 바버라의 관계는 연인에서 친구로 변화한다. 리오와 바버라는 워크숍이 열리는 마을의 주민들과 갈등을 겪게 되고, 이로 인해 헤어진다. 하지만 그들은 실패한 사랑의 후유증에 연연하지 않고, 성공의 사다리를 오르는 동안 친구로 남는다. 즉 바버라는 20년 후에 리오가 무대 위에서 심장이 아파 쓰러졌을 때에 곁을 지키며 회복하도록 돕는다.

리오는 크리스토퍼Christoper란 젊고 호전적인 아프리카계 미국인으로 부터 행복을 찾는다. 크리스토퍼는 이 소설에서 중요한 정치적·정서적 인물이다. 크리스토퍼의 친구들은 모두 아프리카계 미국인들이고, 인종적 정의를 위한 투쟁적 삶을 살고 있다. 크리스토퍼는 바버라와 성관계를 맺는다. 리오는 이를 알지만 제리가 그를 용서한 것처럼, 크리스토퍼를 용서하고 친구가 된다. 크리스토퍼는 리오를 아프리카계 미국인들의 투쟁모임에 데려가고, 리오는 아프리카계 미국인들이 총을 가져야 한다는 것에 동의한다. 마지막으로, 리오는 완전히 회복하여 무대로 돌아간다.

『기차가 얼마 동안 떠나버렸는지 내게 말해』의 이 같은 결말은 『또 다른 나라』와 달리 성장소설의 해피엔딩을 말해준다. 『또 다른 나라』에서 사랑의 실패를 비극적 종말로 끝맺음한 것과 달리, 볼드윈은 이 소설에서 실패한 사랑을 성공적 우정으로 승화시켜 소설의 결말을 비극적 결말이 아닌 희극적 결말로 유도한다.

## IV. 맺음말

엘리슨과 볼드윈을 주축으로 한 시카고 르네상스 시대 이후의 아프리카계 미국문학은 시카고 르네상스의 진보주의적 정치성과 폭력성으로부터 벗어나 새로운 문학적 주제를 모색한다. 엘리슨은 『보이지 않는 인간』을 통해 아프리카계 미국인들의 정체성을 아프리카계 미국인들의 역사에 비춰 탐구하고, 볼드윈은 『또 다른 나라』와 『기차가 얼마 동안 떠나버렸는지 내게 말해』를 통해 제한적 성문화가 지배하는 사회를 향해 성적・인종적 저항의지와 파괴력을 보여준다.

엘리슨의 『보이지 않는 인간』은 아프리카계 지도자들을 작중인물들의 모델로 등장시켜 작중사건들과 함께 노예제도의 고통과 질곡에 대한 아프리카계 미국사회의 역사적・현실적 질곡과 고통을 재조명할 수 있게 해주는 소설이다. 물론, 작가의 역사적 초점이 재건시대와 할렘 르네상스 시대의 역사적 인물들, 더글러스, 부커 티 워싱턴, 듀보이스, 그리고 가비에 머무르고 있다는 점은 아프리카계 미국역사의 이 같은 이슈들을 전체적으로 조명하는 데 역부족이라는 인상을 주기에 충분하다. 하지만 할렘 르네상스의 경우, 정치, 사회, 문화 등 여러 다양한 분야에서 아프리카계 미국역사를 되돌아보고, 현실적 재평가와 더불어 현실과 미래의 방향을 논의하고 재평가할 수 있게 해준 시대라는 점을 감안할 때, 당시의 역사적 인물들에 대한 재조명은 아프리카계 미국사회의 주된 논의대상과 방향을 문학적 상징과 수사적 장치를 통해 살필 수 있게 해준다는 점에서 깊은 의미를 갖는다. 즉 엘리슨이 작중인물화 한 역사적 인물들은 노예해방을 전후한 아프리카계 미국역사에서 과거, 현실, 그리고 미래를 주도한 인물들이다. 엘리슨은 이들의 작중인물화를 통해 노예제도하에서 아프리카계 미국인들이 겪은 역사적 고통과 질곡, 그리고 노예해방 이후 그들의 역사와 현실에 대한 인식과 미래 방향을 제시하고자 했다고 말할 수 있다.

하지만, 엘리슨은 '나'의 정체성을 제시할 때에 아프리카계 미국사회로부터 많은 존경을 받았던 더글러스의 성공신화를 재현할 수 있는 존재로 제시하지 않는다. 즉 '나'는 아프리카계 미국사회의 고통스러운 역사와 현실을 백인 사회적 시각을 통해 접근하는 동지회의 독단과 배타적 인종주의를 통해 접근하는 라스의 폭력적 위협에 둘러싸여 잠정적으로 보이지 않는 지하세계로의 도피를 불가피하게 받아들여할 운명에 처한다. 그리고 '나'의 이 같은 운명은 아프리카계 미국사회의 역사적·현실적 고통을 중단시키기 위해 백인사회와의 타협, 배타적 인종주의, 독단주의, 그리고 폭력주의 배격하는 작가적 메시지를 반영해준다고 말할 수 있다.

한편, 볼드윈은 『또 다른 나라』와 『기차가 얼마 동안 떠나버렸는지 내게 말해』에서 동성애와 양성애를 추구하는 아프리카계 미국남성을 통해 제한된 인종적·성적 문화를 파괴하게 한다. 『또 다른 나라』에서, 볼드윈은 루퍼스과 다른 작중인물들의 동성애적, 양성애적, 이성애적 욕망을 통해 인종, 성, 그리고 현대사회의 장애물들 사이에서 사랑을 갈구하게 한다. 볼드윈의 이 같은 의도는 제한된 성문화를 인종차별주의적 문화와 동일시하고, 성적 문화에 대한 전복적 의지를 통해 인종차별주의적 문화에 대한 전복적 의지를 동시에 보여주기 위한 것이다.

볼드윈의 이 같은 의도는 『기차가 얼마 동안 떠나버렸는지 내게 말해』에서도 나타난다. 볼드윈은 이 성장소설에서 가장 유명한 아프리카계 미국인 배우의 성장과정과 성공을 추적한다. 양성애자인 리오는 빈곤한 아프리카계 미국인 소년으로부터 가장 유명한 아프리카계 미국인 배우가 된다. 이와 관련, 볼드윈은 리오의 성공 이야기 속에서 그의 양성애적 관계를 추적한다. 하지만 볼드윈은 앞서의 소설에서 사랑의 실패를 비극적 종말로 유도한 것과 달리 이 소설에서 리오의 실패한 사랑을 우정으로 전환시켜 성공의 사다리를 오르는 데에 필요한 힘이 되게 한다. 볼드윈이 리오의 사랑을 이처럼 처리한 것은 결국 리오의 회복과 무대복귀로 이어지게 함으로써 소설의 결말을 해피엔딩으로 이끈다.

# 제8부

# 동시대의 신노예서사: 노예서사의 재현과 재창조

## I. 머리말

동시대의 노예서사를 가리키는 신노예서사Neo Slave Narrative는 1960년대 후반 또는 1970년대 초 이후부터 최근까지 발표된 아프리카계 미국문학 텍스트들을 가리킨다. 아쉬라프 루시디Ashraf Rushdy, 알린 카이저Arlene Keizer, 발레리 스미스Valerie Smith, 그리고 마두 더비Mathu Dubey는 동시대의 이 같은 텍스트들을 아프리카계 미국문학의 새로운 장르로 규명하는 데에 노력한 비평가들이다.

아쉬라프 루시디는 신노예서사를 '남북전쟁 전 노예서사 소설의 일인칭 목소리를 취한 동시대 소설들'이라고 정의한다(3). 루시디의 이 같은 정의는 상대적으로 일인칭 목소리를 사용한 동시대의 노예서사들12)만을 신노예서사로 정의하고 있으므로, 일인칭 목소리를 사용하지 않는 동시대의 다른 노예서사들을 신노예서사의 범주에 포함할 수 없게 만든다. 이에

---

12) 비평적으로 호평 받는 소설들은 이슈마엘 리드Ishmael Reed의 1976년 작 『캐나다로의 탈출』 (*Flight to Canada*)과 셜리 앤 윌리엄스Sherley Anne Williams의 1986년 작 『데사 로즈』(*Dessa Rose*), 그리고 찰스 존슨Charles Johnson의 1991년 작 『대서양 중앙항로』(*Middle Passage*) 등이다(Dubey 332).

대해, 얼린 카이저는 신노예서사를 정의하는 데 있어서 서술방식을 중요시한 루시디의 제한적 정의에 동의하지 않는 입장을 취한다. 카이저는 서술시점과 상관없이 신노예서사를 노예제도를 역류시키는 동시대의 서사들이라고 정의하며, 미국 밖의 카리브, 아프리카, 그리고 영국의 동시대 노예서사들도 이에 포함시킨다(2-3). 카이저처럼, 발레리 스미스 역시 '네오' 노예서사의 정의와 적용범위를 확장적 시각으로 접근한다. 스미스에 따르면, 신노예서사란 용어는 버나드 벨Bernard W. Bell이 질곡으로부터 자유에로의 탈출을 다룬 구어적이고 현대적인 노예서사들을 지칭하기 위해 처음 사용한 용어이다(168). 하지만 스미스는 "지난 50년 동안 창작된 가장 흥미로운 소설들 중 일부를 포함하고 있는 이 장르가 노예제도 시대뿐 아니라 재건시대로부터 현재에 이르기까지 모든 텍스트들을 망라할 정도로 진화했다"(168)고 밝힘으로써, 이 용어를 벨보다 더 다양한 텍스트들을 지칭하는 용어로 확장한다. 스미스의 이 같은 확장적 시각은 마두 더비의 시각과도 맥락을 같이한다. 즉 더비는 스미스처럼 신노예서사의 적용범위를 1970년대 이후의 노예서사들로 확장한다(332). 이와 관련, 본 장은 아프리카계 미국문학의 신노예서사에 나타난 여러 특징들을 살피고, 동시대의 대표적인 작가인 토니 모리슨Toni Morrison의 『빌러비드』(*Beloved*)와 『자비』(*a mercy*)를 통해 이 같은 특징들이 어떻게 소설화되어있는지에 대해 논의한다.


## II. 블랙 파워 운동, 흑인 예술 운동, 그리고 신노예서사

신노예서사는 노예제도에 대한 역사적 건망증amnesia으로부터 비롯되었다는 일부의 주장에도 불구하고 1960년대까지 이어진 진보주의적 정치

투쟁의 후유증으로부터 벗어나려는 아프리카계 미국인들의 변화된 요구를 반영한 문학 장르이다(Dubey 333). 1960년대는 1970년대 중반에 끝난 '블랙 파워'Black Power 운동이 거세게 일기 시작한 시기이다. 사회적·정치적 구호인 '블랙 파워'는 아프리카계 미국인들의 이념적·인종적 자부심, 가치, 그리고 집단적 이해관계를 육성하고 발전시키기 위해 인종억압에 대한 방어로부터 문화적·정치적 기관들의 창설과 자립경제의 확립에 이르기까지 광범위한 정치적 목표들을 담은 용어이다(Streeby 111). '블랙 파워'를 이 같은 용어로 발전시킨 사람들은 스토클리 카마이클Stokely Carmichael과 윌리 릭스Willie Ricks이다. 신세대 운동가들인 카마이클과 릭스는 기성세대가 백인사회와의 관계에서 인종적 협력, 통합, 그리고 동화를 추구했다고 비판하며, 더욱 더 진보적인 강경노선을 노선을 취한다. 즉 그들은 기존의 아프리카계 인권신장운동을 이끌어온 마틴 루서 킹Martin Ruther King과 바비 실Bobby Seale에 대해 비판적 태도를 취한다. 마틴 루서 킹과 시민권 운동에 대하여 그들이 비판적 입장을 취한 까닭은 마틴 루서 킹과 시민권 운동 계열이 카마이클과 '비폭력 조정 위원회'의 흑인민족주의와 흑인분리주의를 수용하지 않았기 때문이다. 그리고 바비 실의 '흑표범 당'에 대한 비판은 '흑표범 당'이 '블랙 파워'를 신봉하면서도 인종차별에 대하여 비폭력 투쟁을 강조하고, 흑인민족주의와 흑인분리주의 대신 인종차별 철폐를 일차적 투쟁목표로 삼았다는 이유 때문이다.

'블랙 파워' 운동은 사회적·정치적 운동으로부터 아프리카계 미국 문화와 예술이 지향해야 할 인종적·미적 개념과 가치를 함축한 용어와 운동으로 발전한다. '블랙 파워' 운동의 목표는 사회적·정치적 운동에 머물지 않고 문화와 예술을 통해 아프리카계 미국인들이 인종적으로, 문화적으로, 그리고 다른 여러 분야에서 백인들보다 오히려 우수하다는 것을 보여주는 것이다. '블랙 파워' 운동의 이 같은 문화적·예술적 목표와 가치를 조직적이고 광범위한 운동으로 전개시킨 당시의 대표적인 문화적·예술적 운동은 '흑인 예술 운동'Black Arts Movement이다. 즉 '흑인 예술 운동'의 예술인들과 작가들은 전통적 맥락에서 백인의 규범들로부터 벗어나 보다 자유롭고 보편적인 아프리카계 예술과 문학을 창조하고자 한다.

'흑인 예술 운동'에 참여한 예술인들과 작가들은 예술과 정치를 하나로 묶기 위해, 그리고 빈번히 정치적 활동이나 사건에 참여하기 위해 여러 도시들과 대학들을 방문하여 정치적인 성격을 가진 시낭송회, 연극, 갤러리 개장들, 그리고 예술축제들과 같은 각종 문화행사들을 개최한다. 대표적인 사례로, '흑인 예술 운동'을 주도한 아미리 바라카Amiri Baraka는 1970년 '블랙 파워'의 정치단체인 '아프리카인들의 의회'CAP(Congress of African People)의 창립총회를 조직하고 프로그램 의장을 맡았고, 이 집회에서 자신의 시 「그것은 민족 시대이다」("It's Nation Time")를 낭송했다(Smetburst 305). 즉 이 운동에 참여한 예술인들과 작가들은 '블랙 파워' 운동의 목표에 따라 아프리카계 미국인들의 저항정신과 주체성을 강화하기 위해 문학, 드라마, 그리고 음악을 저항적·방어적 메커니즘으로 활용하고, 사회적 현실에 대한 그들의 경험들을 묘사하는 과정에서 아프리카계 미국인들로서의 주체성을 확인시키고자 한다.

'블랙 파워'와 '흑인 예술 운동'에 대한 역사적 평가는 평자들의 입장에 따라 차이를 보인다. 두 운동들에 대하여 긍정적 입장을 취한 제임스 에드워드 스멧버스트James Edward Smetburst는 '흑인 예술 운동'을 성공적이었다고 평가하고, 이 운동이 아프리카계 미국사회뿐 아니라 미국사회에서 대중문화를 예술적으로, 그리고 사회적으로 진지하게 수용할 수 있게 했다고 평한다(302). 뿐만 아니라, 그는 '흑인 예술 운동'과 '블랙 파워' 운동이 아프리카계 미국문화의 정체성과 미래, 그리고 저변에 깔려있는 원리들 또는 구조들에 대한 논쟁기간 동안 실질적으로 문화와 예술이 아프리카계 미국인들의 해방과 자결권을 위한 투쟁에서 필수적 수단들이었고, 보다 적절한 표현일지 모르지만, 중요한 영역이라는 것에 동의했다고 밝힌다(303). '흑인 예술 운동'이 미국사회의 대중문화로 자리매김했다는 스멧버스트의 이 같은 견해는 아프리카계 미국문학의 유머를 연구한 글렌다 카르피오Glenda R. Carpio가 "인권운동 이래로 . . . 분명히 아프리카계 미국 문화가 더 이상 주류로부터 격리되지 않았으며, 대단히 많은 부분의 대중 문화를 구성했다"(315)고 밝힌 것과도 맥을 같이한다. 다시 말하면, 카르피오가 이 견해를 통해 밝히고자 한 주된 메시지는 아프리카계 미국인들과 문화가 더 이상 미국사회와 문화의 변방이 아니라는 것이며, 그들의 이 같은 위상이 다양한 분야에서 지속되어온 운동들의 결과라는 것이다.

한편, '흑인 예술 운동'에 참여한 예술인들은 정치참여를 통해 예술의 실용성을 추구한다. 예술은 그들에게 박물관이나 극장과 같은 제한적 공간들 속에서 제한된 방문자들만이 감상할 수 있는 대상들이 아니다. 그들은 박물관과 극장을 거부하지 않지만, 예술을 이 같은 공간의 전용물이 아니라, 아프리카계 미국인들의 일상적 삶의 일부로서 이해하려 한다. 이와 관련, 스멧버스트는 "바라카를 위시한 래리 닐Larry Neal과 소니아 산체스Sonia Sanchez 등과 같은 '흑인 예술 운동'의 예술가들이 기본적으로 예술품의 물신화보다 대중적이고 전위적인 예술을 창조하기 위해 음악, 춤, 영화, 텔레비전 같은 대중문화에 훨씬 적극적으로 참여하며 예술가들과 대중들의 상호소통을 더 우선순위에 뒀다"(304)고 평한다. 하지만 이 운동의 이념들과 미학들은 다양하다. 특히, 1966년 캘리포니아 대학교에서 아프리카계 역사를 연구한 마울라나 카렝가Maulana Karenga와 그의 문화민족주의cultural nationalism를 추종한 사람들은 미국의 대중문화뿐 아니라 아프리카계 대중 문화에 대해 회의적이다. 다시 말하면, 카렝가는 바라카와 상당부분 의견을 공유하면서도, 흑인대중음악, 특히 블루스에 대해 반동적이고 패배주의적이라고 생각하며, 전통적인, 식민 이전의 아프리카 문화에 바탕을 둔 신 아프리카계 대항문화neo-African counter culture를 강조한다(Smetburst 308).

'흑인 예술 운동'에 대한 스멧버스트의 이 같은 긍정적 평가에도 불구, 마다 더비는 '흑인 예술 운동'의 본류인 '블랙 파워' 운동의 정치적 경직성이 초래한 후유증에 대해 비판적 입장을 취한다. 더비는 '네오' 노예 서사들이 등장한 1960년대 후반을 아프리카계 미국인들이 시민권투쟁운동들과 '블랙 파워' 운동의 후유증을 겪었던 시대로 진단하고, '네오' 노예 서사들이 이 같은 대중적 관심을 반영한 장르로 나타났다는 입장이다. 이와 관련, 더비의 주장은 '블랙 파워'에 대한 역사적 의의와 가치에 초점을 둔 평가라기보다 '블랙 파워'의 이념과 가치를 지향한 문학적 형식에 대한 독자들의 정서에 초점을 둔 평가이다.

한편, '블랙 파워' 운동 이후 아프리카계 미국문학의 변화를 밝혀준 더비의 이 같은 견해를 뒷받침 해주는 또 다른 견해는 아프리카계 미국문학의 역사적 회귀를 연구한 티 비 리드(T. V. Reed)와 다문화주의를 연구한 셸리 스트리바이Shelley Streeby를 통해 살필 수 있다. 리드는 「재역사화하는 문학」("Re-Historicizing Literature")에서 1960년대와 1970년대 사이에 신진학자들이 신비평주의의 엘리트주의와 형식주의, 그리고 마르크시즘Marxism에 반발하여 정전적 문학 텍스트들이 어떻게 역사적 경험을 누락시켰는지, 그리고 텍스트 언어들이 어떻게 사회적 권력을 경험했는지를 재심사하고, 복구 프로젝트를 시작했다고 밝힌다(100). 그는 문학이 역사적 분석대상으로 재인식될 수 있게 된 동기를 1950-1970년대 사회운동들의 여파에서 찾으며, 시민권 운동Civil Rights, 여성 해방 운동Women's Liberation, 다양한 인종민족주의자 운동Ethenic Nationalist, 그리고 남/여 동성애Gay/Lesbian/Queer 운동들이 문학적으로 중요시 된 것에 대하여 역사적·정치적 한계들을 드러낸 것이라고 지적한다(97). 리드의 이 같은 견해는 '네오' 노예서사 작가들의 역사사료 탐구와 역사의 재현을 1970년대 이전의 여파로 접근한 더비의 견해와 맥을 같이한다.

한편, 스트리바이는 「다문화주의와 새로운 정전 설정하기」("Multiculturalism and Forging New Cannon")에서 1960-1970년대 사회운동들의 역기능을 지적하고, 다원주의적 관점에서 문화의 재인식을 강조한다. 스트리바이에 따르면, 사회운동을 대표하는 시대인 1960-1970년대는 대학에 새로운 학과들과 프로그램들을 설치하도록 압박하고, 지배적인 정전의 독단에 의해 제공된 보편타당성universality을 비판한 시대이다(99). 스트리바이는 또한 다문화적 접근이 1960년대와 1970년대의 사회운동들에 대한 반대급부였음을 분명히 한다. 스트리바이에 따르면, 미국문학 교육에서 다문화주의는 부분적으로 학교의 인종 간 비분리를 추구한 시민운동가들의 노력과 각 급 학교에서 지도방법과 교과과정들을 개편하려 한 교육자들의 노력에 힘입어 시작된다(99). 하지만 이후의 새로운 운동에 참여한 운동가들은 시민운동가들의 전략들과 목표들에 대해 의혹을 제기하며 보다 더 진보적인 변화를 요구한다. 비록 이런 운동들과 연계된 제도들과 텍스트들은 다채롭지만, 대부분은 권력과 문화의 연계성을 강조한다. 그리고 그것은 또한 문학과 문화를 통해 민족주의적 정체성들을 포함한 집단적 정체성을 성립하게 하거나 공고하게 하려는 새로운 노력을 지지한다(Streeby 110). 스트리바이의 이 같은 견해는 '블랙 파워' 운동의 규범적·배타적 정치성이 다문화에 대한 논의의 자율성과 다양성을 억제했음을 밝혀준다. 동시에, 이 견해는 또한 1960년대와 1970년대 사회운동의 역기능이 문학 분야뿐 아니라 문화 분야에서도 변화를 요구하도록 했음을 밝혀준다.

'블랙 파워' 운동의 경직된 정치성을 반영한 '흑인 예술 운동'의 대중주의과 전위주의로부터 벗어나고자 한 신노예서사 작가들은 초기 노예서사들의 역사적 사료에 힘입어 노예제도에 대한 기억을 되살리고, 아프리카계 미국인들의 개인적, 인종적, 성적, 문화적, 민족적 주체성을 지향하는 역사의 구심점을 제시한다. 그들은 노예서사들의 연구, 노예제도에 대한 역사사료들, 20세기 동안 미국과 세계전역에서 발생한 인종과 권력의 복잡한 역사, 그리고 심리분석과 다른 이론체계들의 발전에 힘입어 동시대의 문화적, 역사적, 그리고 비평적 담론들의 내부와 사이에서 공유되었던 일련의 이슈들, 즉 트라우마와 트라우마적 기억들, 노예제도의 폭력과 후유증, 인종과 성gender 구조들의 상호연관성, 기억과 육체의 관계, 노예화의 매개체, 구두성orality과 식자능력의 힘, 종교의 모호한 역할, 흑인육체들과 경험들의 상품화, 그리고 자유의 도피적 본질 등에 대하여 가시적 비전을 제시한다(Smith 168-69). 다시 말하면, 스미스의 이 같은 견해는 신노예서사들이 자서전 형식에 의존한 초기 노예서사들과 견줄 수 없을 만큼 많은 사료와 정보를 바탕으로 창조적 다양성과 수사적 자유를 창조하며, 사실주의 소설에서부터 사색적 소설, 포스트 모던적 실험, 풍자, 그리고 이런 양식들을 조화시킨 작품들에 이르기까지 다양한 스타일의 글쓰기를 지속해오고 있음을 말해준다.

신노예서사들이 창조적 다양성과 수사적 자유를 추구하면서 노예제도의 질곡과 폭력, 그리고 노예제도의 폐지를 요구한 남북전쟁 전의 노예서사들로 눈길을 돌린 것은 '블랙 파워' 운동과 흑인 예술 운동이 지향한 문학적 경향에 대한 전복적 입장의 반영이다. 더비에 따르면, 1970년대 이래 아프리카계 미국작가들은 그들의 역사적 장소들, 특히 노예제도 시절의 장소들을 지속적으로 방문하며 문학적 과거로의 회귀조짐을 보이고, 아프리카계 미국문학의 시작부터 1960년대 후반에 이르기까지 아프리카계 미국문학의 현재 지향적 충격으로부터 탈피하고자 한다(332). 물론 신노예서사 작가들이 이 같은 목표를 수행하는 데에 아무런 장애물이 없었던 것은 아니다. 더비에 따르면, 당시의 역사가들은 노예제도를 어떻게 역사사료학, 문학, 그리고 대중문화의 영역에서 재현할 것인가를 놓고 심한 갈등을 빚었고, 급진주의적 흑인정책들에 의해 이 같은 이슈들이 굴절되는 상황을 피할 수 없었다(333). 하지만 역사가들은 이 같은 산통을 겪으며, 노예제도에 대한 재해석은 물론, 흑인민담, 흑인구전전통, 남북전쟁 전 도망노예서사들, 그리고 전직 노예들의 일인칭 고백증언 등을 합법적인 역사적 증거들로 수용하며, 남북전쟁 전 도망노예서사들의 재발간에 중요한 역할을 한다. 그리고 이 같은 전복적 역사관은 1970년대 초에 존 블래싱에임John Blassingame의 『노예 공동체』(*The Slave Community*)와 유진 제노비스Eugene Genovese의 『굴러라, 조단, 굴러라』(*Roll, Jordan, Roll*)와 같은 새로운 노예연구들의 등장을 가능하게 한다.

신노예서사의 등장을 가능하게 한 이 같은 진통과 함께 1970년 대 후반과 1980년대 초는 토니 모리슨Toni Morrison, 앨리스 워커Alice Walker, 셜리 앤 윌리엄스Sherley Anne Williams, 그리고 글로리아 네일러Gloria Naylor 등과 같은 아프리카계 여성작가들이 부상한 시기이다. 당시의 아프리카계 미국여성작가들은 영국계와 유럽계 백인 여성작가들과 같은 페미니스트들이 아니라, 인종적·성적 역사와 현실을 한데 묶는 여성 중심적 글쓰기를 시도한 작가들이다. 그들은 관심이 고조되었던 페미니즘에 반응하며, '흑인 예술 운동'의 전통과 운동권 내에서 제기하는 문제들이 해결될 수 없다는 입장을 취한 작가들과 '흑인 예술 운동'의 전통을 페미니스트들의 이해관계와 시학으로 확대하려 한 작가들로 구분된다(Smetbust 311). 하지만 위 작가들 사이에서 신노예서사 작가를 구분하는 일은 쉽지 않은 일이다. 마두 더비도 신노예서사를 노예제도의 고통을 환기시키는 동시대의 노예서사라고 정의하지만, 이 역시 자신의 정의일 뿐 신노예서사에 대한 논의가 여전히 진행 중이란 입장이다(332). 그럼에도, 더비는 신노예서사

작가와 작품을 제시하는 데에 있어서 토니 모리슨의『빌러비드』(*Beloved*)를 당시의 여러 작품들 중 가장 대표적인 신노예서사로 소개한다. 그리고 더비처럼, 발레리 스미스도「신노예서사들」에서 신노예서사들을 시대적으로 '초기 텍스트들'과 '최근 등장한 텍스들로'13) 양분한 다음, 이 두 장들에서 해당 작품들을 개괄한다.

## III. 노예해방 직전과 그 후유증에 대한 노예서사,『빌러비드』

모리슨의『빌러비드』는 미국 노예제도의 수정주의적 역사, 문화이론 작품, 그리고 아주 효과적인 허구의 창작물이며(Reed 100), 가장 칭찬받은 동시대의 노예 경험 소설들 중 하나이자, 가장 극찬을 받은 20세기 소설들 중 하나이다(Smith 174). 모리슨은 이 소설에서 다른 네오 노예서사 작가들처럼, 노예의 살아있는 경험을 복원하고자 한다. 이 소설에서 모리슨은 마거릿 워커와 로렌 캐리 같은 초기와 최근 신노예서사 작가들처럼 노예제도와 해방 기간 동안 아프리카계 여성노예가 겪은 인생에 대한 이야기를 탐구한다. 또한 모리슨은 1800년의 '가브리엘 프로서 혁명'Gabriel

---

13) 스미스에 따르면, 신노예서사는 마거릿 워커Margaret Walker의 역사소설『주빌리』(*Júbilee*, 1966)로부터 시작한다. 신노예서사들이 이처럼 1970년대 중반 이후 진지하게 나타난 것은 사실이지만, 장르에 대한 논의는 아르마 본템프스Arma Bontemps의『검은 천둥』(*Black Thunder*, 1936)을 통해 살필 수 있다. 이 소설의 출판은 20세기 후반이 아닌 대공황 기간 중이지만, 신노예서사 텍스트들의 요소들을 대부분 갖춘 소설이다. 대표적인 작가들과 작품들은 데이비드 브래들리David Bradley의『채니스빌 사건』(*Chaneysville Incident*, 1981), 토니 모리슨의『빌러비드』, 미셸 클리프Michelle Cliff의『자유로운 기업경영』(*Free Enterprise*, 1933), 루이스 메리웨더Louise Meriwether의『방주의 조각들』(*Fragments of the Ark*, 1994), 그리고 로렌 캐리Lorene Cary의『어린이의 가격』(*The Price of a Child*) 등이다. 그리고 최근 작가와 작품은 앨리스 랜달Alice Randall의『사라져버린 바람』(*The Wind Done Gone*, 2001)과 낸시 롤스Nancy Rawles의『나의 짐』(*My Jim*, 2005) 등이다.

Prosser Revolt을 재현한 아르마 본템프스, 그리고 자유를 찾아 탈출하던 도중 체포의 위험 속에서 죽음을 선택한 아프리카계 미국인들의 이야기를 재현한 데이비드 브래들리처럼, 이 소설에서 노예제도와 노예해방 기간 중에 발생한 실질적 사건을 작가적 상상력을 통해 재창조한다. 즉 이 소설의 주제적 사건인 도망 노예여성의 유아살해 사건은 모리슨이 랜덤하우스 Random House에서 『흑인의 역사』(The Black Book)를 편집하던 중 발견한 켄터키 주의 분 카운티Boone Country에서 발생한 아프리카계 미국여성 마거릿 가너Margaret Garner의 유아살해 사건에 대한 신문기사를 재현한 것이다.

모리스의 이 같은 글쓰기는 엘리스 워커의 글쓰기와 차이를 보인다. 아프리카계 미국 여성의 인종적·성적 희생에 대한 엘리스 워커의 시각은 현실에 초점을 맞추고 있다. 워커는 『자줏빛』(The Color Purple)에서 노예해방 이후 아프리카계 미국사회의 가부장적 억압과 폭력이 지배하는 아프리카계 미국사회 내부에 비판적 초점을 맞춘 다음, 이에 굴하지 않는 아프리카계 미국여성의 자아발전 과정을 현실적 시점에서 탐구한다. 이 소설의 전반부에서 주인공인 셀리Celie는 성장과정에서 의붓아버지에게 성폭행을 당하고, 의붓아버지의 강요된 결혼으로 또 다시 남편으로부터 성폭행, 매질, 그리고 극심한 노동을 당한다. 셀리가 "그는 말해요. 셀리 혁대 가지고 와. 그럼 아이들이 밖으로 나가 틈으로 안을 들여다 봅니다"(30)라고 말하듯이, 이 소설에서 아프리카계 미국사회의 가부장적 억압과 폭력은 워커의 주된 비판대상들이다. 하지만 워커는 이 소설의 중반부부터 셀리가 주변의 아프리카계 미국여성들의 자매애와 결속력의 도움으로 비극적이고 비참한 삶 속에서 자아를 재인식하고 복원하여, 자주적이고 상호소통적인 자아를 성취해가는 과정을 그린다. 이와 관련, 워커는 아프리카계 미국여성의 희생을 과거의 노예제도와 결부시키지 않고, 아프리카계 미국여성의 현실적 경험을 통해 탐구한다. 물론, 워커의 이 같은 글쓰기는 노예제도하에서 자행된 백인주인의 폭력을 아프리카계 미국남성의 가부장적 폭력에 비추어 재현시킨다고 해석할 수 있다. 하지만 이 같은 상징적 의미에도 불구하고, 워커가 이 소설에서 기억과 플래시백이 아닌, 현실적·경험적 직관을 통해 아프리카계 미국남성의 가부장적 폭력을 고발하려 한 것은 이 소설이 모리슨의 노예역사쓰기와 맥을 달리하고 있음을 말해준다.

모리슨은 1987년에 발표한 『빌러비드』에서 노예해방 직후를 작중현재시점으로 노예제도의 억압과 폭력, 그리고 그 후유증을 추적한다. 뿐만 아니라, 모리슨은 『빌러비드』보다 21년 뒤에 발표한 『자비』(a mercy)에서 미국의 기원으로부터 시작된 노예제도의 형성기를 작중현재시점으로 아프리카계 미국인들뿐만 아니라 백인과 다른 유색인들이 어떻게 노예로 전락하게 됐는지를 추적한다. 모리슨이 이처럼 노예제도의 시작과 끝을 전방위적으로 추적한 것은 동시대의 가장 대표적인 노예서사 작가로서 그녀의 문학적 위상을 말해준다.

『빌러비드』는 남북전쟁이 끝난 지 8년이 지난 작중 현재 시점에서 오하이오Ohio 주 신시내티Cincinnati 블루스톤 가Bluestone Road 124번가를 작중공간으로 시작한다. 하지만 이곳은 모리슨의 상상적 공간이다. 모리슨이 "공간 설정 시 지리보다 분위기를 더 중요시 한다"(Tate 158)고 말한 것처럼, 이곳은 현실적인 어느 특정 지역이라기보다 작가의 상상적 공간이다. 모리슨은 "중요한 것은 실체를 구성하고 실체 속에서 가능할 수 있도록 실체를 해체하는 과정"(Washington 235)이라고 밝히듯이 이곳을 신비와 현실이 교차하는 곳으로 만든다. 뿐만 아니라, 모리슨은 이 소설의 소재로 알려진 마거릿 가너의 유아살해사건 역시 "거짓말 같은 이야기"(Washington 236)란 그녀의 설명이 말해주듯이 실재사건을 소설적 이야기로 허구화한다. 이와 관련, 모리슨은 마샤 달링Marsha Darling과의 인터뷰에서 "나는 이 책에서. . . 많은 일들에 대하여 탐구했다. 하지만 나는 마거릿 가너의 삶을 창조하고 싶었기 때문에, 그녀에 대해 분명한 자료 이외에 다른 것을 많이 찾아보지 않았다"(248)고 밝힘으로써 소설의 이야기를 전개하는 데 있어서 사건에 대한 실질적 자료보다 작가적 상상력에 거의 모두 의존했음을 밝힌다.

"124번가는 어린애의 원한으로 가득 찬, 한 맺힌 곳이다"(1). 이곳은 본래 백인인 보드윈Bodwin 일가가 살던 집이었지만, 베이비 석스Baby Suggs의 아들이자 세스Sethe의 남편인 홀Hall이 어머니를 노예생활로부터 해방시키기 위해 5년간 주일과 휴일을 반납하며 일한 끝에 가너Garner가 베이비에게 자유를 주면서 거처하도록 마련해준 곳이다. 그리고 세스가 임신한 채 자유를 위해 생사를 걸고 향한 곳이 바로 이곳이다. 따라서 이곳은 노예생활의 제도적 억압과 폭력으로부터 벗어난 자유의 공간이다. 하지만 이곳이 아기 유령의 한 맺힌 장소로 바뀐 까닭은 스위트 홈Sweet Home의 제도적 억압과 폭력을 비극적 짐으로 떠안고 있기 때문이다. 이곳의 첫 주인인 전직 노예 베이비 석스와 베이비 석스가 사망한 뒤 이곳을 넘겨받은 세스는 시어머니와 며느리 사이로, 모두 스위트 홈에서 노예생활을 한 전직 노예들이다. 스위트 홈은 세스가 헤어진 지 18년 만에 느닷없이 찾아온 동료 노예 폴 디Paul. D와 회상할 때 아름다운 추억의 장소이다. 그들의 이 같은 회상은 이곳의 백인주인 가너가 생존 시에 노예들에게 베푼 관용과 무관하지 않다. 이런 스위트 홈이 제도적 억압과 폭력의 장으로 바뀌게 된 계기는 스쿨티처Schoolteacher가 이곳의 새 주인이 되면서부터이다. 그는 이곳을 제도적 악의 공간으로 만들고, 도망노예인 세스의 자유를 허용하지 않는다. 즉 스쿨티처는 세스가 스위트 홈을 탈출하여 124번가에 도착한지 28일 만에 그녀를 붙잡았고, 그녀로 하여금 노예의 삶을 딸에게까지 대물림하지 않겠다는 결심과 함께 딸을 살해함으로써 어머니로서의 책임을 다하겠다는 비극적 선택을 하게 한다. 이와 관련, 스위트 홈은 가너의 생존 시절부터 제도적 악의 공간이었고, 가너의 관용으로 얻은 124번가의 자유도 불완전한 자유였음이 분명하다. "마음씨 좋은 주인 가너의 관대함 역시 사회제도권 내에서 벗어난 것이 아니므로 그가 지배하던 그곳은 제도적 악의 공간이다"(Otten 86). 따라서 스위트 홈의 제도적 악은 끝내 124번가를 자유롭게 놓아주지 않는다. 그곳의 제도적 악은 가너 대신 마음씨 나쁜 주인 스쿨티처가 그곳을 지배하면서 반인류적인 본성을 드러내게 되었고, 스쿨티처의 이 같은 본성은 베이비, 세스의 아이들, 뒤이어 세스와 덴버로 이어지는 자유를 향한 갈망을 억압한다. 그리고 이로 인해 124번가의 모녀의 비극이 탄생되고, 어머니는 죄의식 속에 스위트 홈의 제도적 악으로부터 벗어날 수 있는 유일한 대안인 공동체와의 교류도 실패한 채 소외와 고립의 이중적 고통 속으로 빠져든다.

모리슨이 이 같은 작중공간과 함께 이 소설을 통해 제시하고자 하는 주제는 노예제도의 비참한 역사, 전직 노예들의 현실적으로 겪고 있는 육체적·정신적 상처와 고통, 그리고 치유를 이끄는 공동체의식이다. 이와 관련, 모리슨은 노예제도의 비참한 역사를 기억과 플래시백을 통해 역류시킨다. 하지만 모리슨의 플래시백은 20세기 초 이래 지속되어온 '의식의 흐름'(Stream of Consciousness) 소설들에서 자아의식의 탐구과정에서 나타나는 플래시백이 아닌, 제도적 폭력에 대한 개인적 경험을 되살려내기 위해 기억을 통해 나타나는 플래시백이다.

모리슨의 플래시백은 아기 유령이 출몰하는 124번가에 전직 노예인 폴 디가 느닷없이 방문하면서 시작된다. 폴 디는 세스가 스위트 홈에서 노예생활을 할 때 함께 노예생활을 한 남성 동료들 중 한 사람이다. 폴 디의 등장은 124번가에 세스와 덴버만 남은 1873년을 현재시점으로 할 때 18년 전으로 역류시키는 계기가 된다(7). 이와 관련, 모리슨은 과거를 역류시키는 데에 있어서 '의식의 흐름' 소설들이 흔히 사용하는 고백적 방식 대신 일대일 대화방식을 활용한다. 즉 세스와 폴 디는 지난 18년간의 공백을 스위트 홈에서 겪은 노예생활에 대한 기억을 통해 채워간다. 먼저, 세스는 이 대화에서 자신이 스쿨티처의 조카들에 의해 젖을 강탈당한 것, 이를 가너 부인에게 알렸다는 이유로 스쿨티처의 지시로 그의 조카들 중 한 명에 의해 매질을 당한 것, 탈출했을 때 스쿨티처가 나타나자 딸에게만은 노예의 운명을 대물림하지 않기 위해 딸을 살해한 것, 그리고 돈이 없어 딸의 묘비에 'Beloved'란 글자를 새겨 넣는 대가로 석수장이에게 성교를 허락한 것 등에 대한 기억들을 되살려낸다.

세스와 폴 디의 이 같은 기억은 노예제도의 증표를 간직한 그들의 육체를 통해 되살아나고, 이 같은 감각적 인식이 움직이는 가운데 플래시백이 된다(Smith 176). 세스의 경우, 그녀는 스쿨티처의 조카들에게 젖을 강탈당하고, 이 사실을 가너 부인에게 알렸다는 이유로 그들 중 한 명에 의해 심한 매질을 당한 증표를 그녀의 등에 간직하고 있다.

> 소년들은 내가 가너 부인에게 일러바친 걸 걸 알아냈죠. 스쿨티처가 그들 중 한 소년을 시켜 내 등을 벗기게 하고 매질을 했어요. 매질이 끝났을 때 등엔 나무가 새겨졌어요. 나무는 아직도 거기서 자라고 있어요.
>
> The boys found out I told on em. School teacher made one open up my back, and when it closed it made a tree. It grows there still. (17)

베이비 석스는 세스의 등에 난 나무 모양의 이 상처에 대해 침대보 위에 핏빛 장미들, 그리고 폴 디는 "전시를 위해 열정적인 장인이 만든 장식품"(17)처럼 보인다고 말하며 비참한 노예생활의 기억을 지워버리려 한다. 하지만 세스가 "이 나무는 아직도 자라고 있어요"라고 말하듯, 그녀에게 이 상처는 나무가 자라듯 더욱더 기억을 확장시키는 상처이며, 동시에 그녀의 여성적 자아 및 성적 욕구를 마비시킨 상처이다. 이와 관련, 세스가 폴 디와 함께한 잠자리에서 폴 디의 애무에도 불구하고 아무런 감각을 느끼지 못한 것은 노예제도의 폭력으로 인한 충격이 아직도 그녀를 심리적으로 구속하고 있음을 말해주며, 그녀의 육체를 여성의 증표가 아닌, 폭력의 증표로 만들고 있음을 말해준다.

> '오, 하느님' 그는 입술로 그 가지와 잎사귀들을 모두 더듬을 때까지 마음을 진정시킬 수가 없었다. 세스는 그의 이 같은 행동을 느낄 수가 없었다. 그녀의 등은 오랜 세월 동안 죽어있었기 때문이었다. 그녀가 알 수 있는 것은 그녀의 젖가슴이 다른 사람의 손안에 있다는 것이었다.

> "Aw, Lord, girl." And he would tolerate no peace until he had touched every ridge and leaf of it with his mouth, none of which Sethe could feel because her back skin had been dead for years. What she knew was that the responsibility for her breasts, at last, was in somebody else's hand. (17-18)

세스에 이어, 폴 디 역시 비참한 노예생활을 그의 심리적 상처를 통해 되살린다. 폴 디는 세스와의 대화에서 스위트 홈의 노예들이 쇠 덩이 재갈과 발목 쇠사슬을 강요당한 것과 식스Six가 도망치다 붙잡혀 그을린 시체가 된 것 등 노예생활의 비참한 기억들을 되살린다. 그리고 이 시절 그가 세상에 나오도록 도와준 수평아리가 암탉을 스무 마리나 거느린 장닭이 되어 온 뜰을 헤집고 다닌 기억을 되살리며, 남성으로서 장닭보다 못한 그의 부끄러운 처지에 깊은 심리적 상처를 입었음을 고백한다. 즉 폴 디의 이 같은 고백은 장닭이 인간 자신보다 훨씬 더 자율권을 많이 가진 것과 남성인 자신보다 이성간의 관계를 훨씬 더 자유롭게 누릴 수 있다는 것에 대한 부끄러운 기억이다. 하지만 폴 디 역시 세스의 경우처럼 이 같은 인간적·남성적 상처를 마음 속 깊이 간직하고, 세스의 육체를 더듬으면서도 심리적 불안과 위축된 남성의 모습을 보인다.

> 뜨거운 붉은 가슴이 있던 자이렌 담배깡통 같은 쇳조각이 자리 잡고 있었고 그나마 그 껍데기는 시뻘건 녹이 슬어있었다. 그는 그 녹슨 껍질을 벗겨서 이 착실하고 부드러운 여인 앞에 펴 보이고 싶지 않았다.

> in that tobacco tin buried in his chest where a red heart used to be. Its lid rusted shut. He would not pry it loose now in front of this sweet sturdy woman, (72-73)

이 소설에서 세스와 폴 디의 기억을 통해 재생된 노예제도의 폭력은 또 다시 빌러비드의 육화된 모습을 통해 되살아난다. 124번가에 출몰하던 유령이 육화된 시점은 "124번가의 고립의 치유자"(Darling 249)인 폴 디가 세스와의 새로운 삶을 계획할 때이다. 폴 디는 세스와 덴버를 오랜만에 124번가 밖으로 이끌며 목요축제에 참여한다. 이와 관련, 세스가 폴 디와 함께 이 축제에 참여한 것은 아기유령으로 인해 찌든 심신을 휴식케 하고, 그와 함께 새로운 삶을 시작할 수 있는 기회를 맞이하기 위해서이다. 하지만 세스와 폴 디를 좌절케 만든 것은 목요축제로부터 귀가하던 중 느닷없는 빌러비드의 등장이다. 즉 빌러비드의 등장은 덴버에게 그동안의 유일한 친구였던 어머니를 폴 디에게 빼앗겼다는 상실감을 위로해 주는 계기가 되고, 폴 디에게는 아기유령의 늪으로부터 세스를 꺼내려는 그의 의지를 좌절케 하는 계기가 되며, 세스에게는 그와의 새로운 삶을 계획하며 미래를 과거의 볼모로 삼지 않겠다는 전향적 삶의 목표를 다시 과거의 삶으로 되돌려놓는 결과를 초래한다(Heinze 95). 따라서 빌러비드의 등장은 폴 디와 새로운 삶을 계획하는 세스를 폴 디가 나타나기 이전의 폐쇄된 삶으로 되돌리고, 딸을 살해한 어머니의 죄의식과 이를 보상하려는 어머니의 지나친 모성을 자극하여 극단적으로 그녀를 고립 속에 몰아넣었음을 밝힌다.

한편, 빌러비드는 세스의 상처를 죄의식으로 덧나게 하는 또 다른 노예제도의 상처이다. 이 소설에 등장한 그의 첫 모습은 작중의 객관적 화자가 "모든 곳이 쑤셨는데, 폐가 가장 많이 아팠다"(50)고 밝히듯이 어머니의 손에 죽임을 당한 딸을 예견하게 하는 모습이다. 특히 "폐가 자장 많이 아팠다"는 작중화자의 언급은 이 고통이 목이 잘려 죽은 그녀의 상처부위와 무관하지 않음을 말해준다. 이와 관련, 작중화자는 빌러비드가 어머니에 의해 살해된 딸이라는 사실을 확인하듯 앞서의 언급에 뒤이어 목에 난 상처를 사실주의적 시각과 함께 구체적으로 제시한다.

그녀의 옷차림보다 어려 보였으며 목에는 좋은 레이스를 달고 있었고, 부자 여인네들의 모자를 쓰고 있었다. 너무 정교하고 가늘어서 처음에는 머리카락처럼 보이는 세 개의 수직으로 난 상처를 제외하면, 그녀의 피부는 흠 하나 없었다.

Poorly red, thought Sethe, and younger than her clothes suggested-good lace at the throat, and a rich woman's hat. Her skin was flawless except for three vertical scratches on her forehead so fine and thin they seemed at first like hair, baby hair before it bloomed and roped into the masses of black yarn under hat. (51)

빌러비드의 상처는 세스에게 과거를 되살리게 하여 죄의식을 심화시키고, 이에 대한 보상심리를 자극하여 그녀를 빌러비드에게 더욱더 집착하도록 만든다. 모리슨은 마사 달링과의 1988년 인터뷰에서 모리슨은 세스의 이 같은 자녀집착에 대하여 노예제도의 극적인 상황을 상기시키며 불가피하게 여성노예의 잔인한 권리주장이라고 답한다(251-52). 이와 관련, 모리슨의 설명은 여성노예의 포괄적인 모성에 초점을 맞추고 있다는 점에서 빌러비드에 대한 세스의 자녀 집착을 설명하는 데에 다소 부족함이 없지 않다. 하지만 모리슨의 이 같은 설명은 세스의 특수한 상황에 초점을 맞추고 있다는 점에서 그녀의 모성이 일반적인 노예여성의 모성보다 얼마나 더 강하게 작용하고 있는지를 말해준다. 빌러비드에 대한 세스의 집착은 드나이즈 하인즈Denise Heinze가 "어머니의 지나친 자녀집착은 자식을 자신의 손으로 죽인 것에 대한 죄의식 때문이다"(179)이라고 밝힌 것처럼 일반적인 여성노예의 권리주장이나 다름없는 모성을 뛰어넘어 죄의식이 결합된 병적인 현상에 가깝다. 따라서 세스는 빌러비드가 자신이 살해한 딸의 육화임을 확인한 순간부터 자신의 희생을 마다하지 않고 아이의 욕구를 채워주려 하고, 아이는 어머니로부터 애정을 더욱더 요구하게 한다(Whitford 264).

빌러비드가 어머니의 죄의식과 모성을 자극하는 방식은 어머니가 그녀의 목에 남긴 상처를 스스로 자극하며 어머니에게 공개하는 것이다. 빌러비드는 처음 등장했을 때에 갈증을 호소하며 어머니의 모성을 유도한다. 하지만 소설이 점점 세스와 빌러비드의 모녀관계를 심화시켜 갈수록, 빌러비드는 자해에 가까운 행위로 세스의 모성을 자극한다. 이 과정에서 빌러비드의 갈증과 목에 난 상처의 가려움증은 어머니의 애정을 요구하기 위한 위협수단 또는 공격용 무기로 발전한다(Heinze 178). 이와 관련, 빌러비드는 덴버에게 폴 디를 떠나게 하라고 요구하고, 덴버가 이에 대해

"그가 떠나면 엄마가 화낼 거야"(133)라고 답하자 자신의 손으로 어금니를 뽑았고, 소설의 후반부에서 어머니에 대한 욕구불만이 정점에 달했을 때 안절부절 못하며 먹어대다가 목의 상처를 피가 나오도록 긁어댄다(250). 즉 그녀는 미소를 짓는 악귀가 되어 지난날 어머니가 자신을 죽인 것에 대한 복수의 칼날을 뽑는 모습을 보인다(Lawrence 239).

모리슨이 노예제도의 상처와 후유증을 치유하기 위해 강조하고자 한 것은 아프리카계 미국사회의 형제애 또는 공동체의식이다. 세스가 124번가에서 이처럼 빌러비드와 서로를 마모시키며 고립을 자초한 까닭은 딸을 살해한 그녀의 죄의식 때문이기도 하지만, 여기에 공동체와의 단절을 추가해야 한다. 세스는 이 같은 상황에 빠져들기에 앞서 공동체로부터 고립을 자초하여 고립무원의 상태를 맞이한다. 즉 노예의 탈출을 돕는 스탬프 페이드Stamp Paid가 베이비 석스의 장례식 일을 상의하러 124번가로 세스를 만나고 돌아가면서, 그는 세스의 지나친 자존심과 오만에 대하여 "자존심이 지옥까지 가겠네"(171)라고 말한다. 스템페이드의 이 같은 비아냥은 단순히 개인적 비아냥이 아니다. 작중화자가 "마을사람들은 거의 모두 세스를 곤경에 빠뜨리길 고대하고 있었다"(171)라고 밝히듯이, 그것은 공동체 전체의 비아냥이다.

공동체는 세스에 대하여 이 같은 감정을 가졌음에도 그녀가 살해 혐의로 감옥에 갇혔을 때 탄원서를 제출하여 그녀를 석방되게 했고, 덴버가 찾았을 때에 기꺼이 포용한다. 덴버가 존슨 부인Mrs Johnson을 찾은 것은 세스와 빌러비드의 소모전이 극한상황에 이르렀을 때이다. 이런 상황에서 덴버는 세스가 할 수 없는 가사 일을 대신하며, 존슨 부인 집을 찾아가 사실상의 도움을 요청한다. 따라서 덴버는 124번가의 가족들 중 제일 먼저 공동체를 향해 닫힌 문을 여는 역할을 한다.

덴버의 이 같은 역할과 함께, 124번가의 고립을 중지시킨 또 다른 한 사람은 폴 디이다. 그는 빌러비드가 어금니를 빼버리면서 세스의 모성을 더욱더 강하게 요구하자 124번가에서 점차 설 자리를 잃는다. 그는 이런 상황에 몰리자 1873년 이곳에 도착한지 일 년여 만에 가정의 질서를 교란시켰다는 누명만 쓰고 떠나는 처지가 된다(Heinze 96). 하지만 덴버가 공동체를 향해 124번가의 닫힌 문을 여는 시점과 거의 동시에, 그는 이곳으로 돌아와 정신적·육체적으로 소모된 채 베이비 석스의 침대에 누워있는 세스를 일으켜 세운다. 그는 세스에게 "당신과 나는 누구보다 멋진 과거를 가지고 있는 거야"(273)라고 말하며, 그녀와 함께할 미래를 제안한다.

## IV. 미국의 기원과 노예제도의 형성기에 대한 노예서사, 『자비』

모리슨은 이 소설을 제목이 없이 열두 개의 장으로 나눠, 홀수 장들은 작중인물인 일인칭 화자의 목소리로 전개하고, 열두 번째 장을 제외한 나머지 짝수 장들은 삼인칭 화자의 목소리로 전개한 뒤에, 마지막 짝수 장은 홀수 장 화자 어머니의 일인칭 목소리로 전개한다. 이때, 짝수 장들의 화자는 기억을 통해 과거의 사건과 대과거의 사건을 각각의 시점에 따라 재현하는 데에 반하여, 홀수 장들의 화자는 기억을 통해 과거의 사건들을 재현하지만, 현재시제를 통해 재현함으로써, 과거를 현재의 일처럼 생생하게 전달한다.

모리슨은 이 소설을 통해 노예제도의 기원, 노예제도에 대한 저항의 역사, 노예제도의 제도적 억압의 역사를 추적한 소설임을 암시적으로 보여준다. 이와 관련, 밸러리 밥Valerie Babb은 이 소설을 "미국의 기원설화"(147)로 읽으며, 다수를 무시하고 소수의 특권을 강화하고자 한 경제적 서사로부터 배제된 인종적·성적·계급적 복합물들을 다룬 소설로 소개한다(147). 그리고 수전 스트렐Susan Strehle 역시 밥처럼 이 소설을 "식민지 초기에 예외주의적 운명의 횡포에 의해 질식된 잠재적 공동체를 묘사하기 때문에 분열, 차별, 그리고 차이를 강조"(109)한 소설로 평가한다. 밥과 스트럴의 이 같은 견해는 다른 비평가들, 즉 미나 캐러밴터Mina Karavanta, 미사 로건Misa Logan, 콥 제네바 무어Cobb Geneva Moore, 그리고 진 와이엇Jean Wyatt의 견해와도 맥락을 같이한다. 캐러밴터는 이 소설을 역사기록적 메타픽션에 의존한 "탈국가적 소설"(Post national novel)(726)로 읽으며, 이 같은 소설이 국가형성 이전의 시기에 대한 '대항적 글쓰기'(counter writing)를 통해, 착취, 추방, 이주의 경제적・정치적 형식들에 의해 형성된 동시대의 부정적 공동체에 대한 긍정적 가능성들을 예견하도록 유도하는 탈국가적 상상의 형성에 기여한다(726)고 평가한다. 캐러밴터에 이어, 무어는 대응적 역사쓰기에 기초한 패러디 소설로 읽으며, 모리슨이 이 소설을 통해 "기존의 보수적인 권위의 경계들에 대해 의문을 품고, 인위적인 경계들을 폭로하며, 인종, 계급, 성 정체성의 그릇된 구조들을 은폐하고 있는 가면들을 벗겨내고자 했다"(1)고 평가한다. 로건은 이 소설을 17세기 미국의 기원에서 상실, 소외, 그리고 은닉된 역사들을 복원하고 재생한 역사적 사료로 읽으며, 반이상향적 기록을 통해 유럽적 식민지화에 의해 창조된 무질서의 세계를 제시한다(194)고 평가한다. 한편, 수스미타 로이Susmita Roye와 진 와이엇은 앞서의 비평가들과 달리 연구의 초점을 기존의 지배적 권력과 담론에 의해 소외된 여성들에 맞춰, 이 소설을 각각 "주변의 관심을 받지 못한 여성들에 대한 허구"(212), 그리고 "노예제도로 인해 노예 어머니와 노예 딸 사이에서 전달되지 않은 일련의 메시지와 심리적 상처"(128)를 다룬 소설로 평가한다.

모리슨은 이 소설의 공간적・시대적 배경을 밝히기 위해 둘째 장에서 버지니아Virginia로부터 메릴랜드Maryland로 향하는 제이콥 바크Jacob

Vaark의 여행과정을 통해 1674년에 발생한 베이컨의 반란Bacon's Rebellion[14]에 대해 언급한다(11). 버지니아는 1619년 20명의 아프리카인들이 처음 발을 디딘 곳이자 노예제도의 발상지나 다름없는 곳이다. 버지니아는 또한 1663년에 문서로 기록된 첫 노예반란이 발생한 곳이며, 1674년에 백인 소지주인 베이컨이 아프리카계 미국인들, 원주민, 그리고 계약노동자와 함께 대규모 반란을 일으킨 곳으로, 노예제도에 대한 저항적 역사의 기원을 가진 곳이다. 버지니아 식민정부는 이 같은 저항에 대응하기 위해 1640년에 뉴네덜란드New Netherlands와 1643년에 뉴잉글랜드 동맹New England Confederate에 이어 식민지들 중에 세 번째로 1657년에 도망노예처벌법, 1660년에 최초로 노예세습법, 메릴랜드에 이어 1691년에 아프리카계 남성과 백인여성의 결혼금지법 등을 제정하여 아프리카계 노예에 대한 억압과 폭력을 주도한 곳이다.

모리슨이 베이커의 반란에 대해 언급한 목적은 아프리카계 미국인들의 저항역사와 백인사회의 잔인한 보복이 미국의 형성기, 즉 노예제도 이전에 이미 시작되었음을 밝히기 위해서이다. 모리슨은 이를 위해 삼인칭 화자의 목소리로 전달되는 바크의 회상을 통해 베이컨의 반란에 대해 "6년여 전에, 흑인·원주민·백인·혼혈인, 즉 자유민·노예·계약노동자로 이뤄진 군대가 지역 상류층에 대항하여 일원들의 주도하에 전쟁을 일으켰

---

14) 베이컨의 반란은 서부의 변경지대를 개척하려는 백인들 사이에서 위협적인 인디언들을 어떻게 처리할 것인가를 놓고 벌어진 갈등에서부터 시작됐다. 제임스타운 주변의 거대한 땅을 불하하는 과정에서 소외당한 백인들은 서부로 땅을 찾아 나설 수밖에 없었으며, 인디언과의 마찰이 불가피했다. 이에 대해, 일단의 백인들은 버지니아 식민정부에 인디언 토벌을 요구했지만, 동부의 토지를 독점한 윌리엄 버클리William Berkeley 총독과 제임스타운의 토지 귀족들은 그들은 완충제로 활용할 수 있다는 계산하에 인디언들에 대해 더 타협적인 태도를 취했다. 따라서 1676년에 버지니아 하원의원에 선출된 베이컨은 백인지주, 흑인노예, 임대 노동자들을 규합하여 주의 식민정부를 공격하고 독자적으로 인디언을 토벌했다. 하지만 베이컨이 29세의 나이로 병사함으로써, 반란의 기세는 수그러들었고, 얼마 후에 주 정부에 의해 진압된다.

다"(11)고 밝히고, 이어 반란에 참여한 아프리카계 미국인들에게 어떤 보복이 있었는지를 밝힌다.

'인민의 전쟁'은 교수형 집행인들에게 희망을 내줬고, 그 일은 반대 부족에 대한 학살과 캐롤라이나 인들을 그들의 땅으로부터 추방하는 것을 포함해서, 질서의 방어에서 혼란을 막도록 권한을 부여하는 수많은 법률들을 초래하고 끝났다. 흑인들에게만 해방, 집결, 여행, 그리고 무기를 들고 싸우는 것을 제한함으로써, 백인은 누구나 어떤 흑인이든 어떤 이유로든 죽일 수 있는 자격을 부여받았고, 노예의 불구나 죽음에 대해 주인들에게 보상하게 함으로써, 그들은 모든 백인을 다른 인종들과 영원히 분리시키고 보호했다.

When that 'people's war' lost its hopes to the hangman, the work it had done—which included the slaughter of opposing tribes and running the Carolinas off their land—spawned a thicket of new laws authorizing chaos in defense of order. By eliminating manumission, gatherings, travel and bearing arms for black people only; by granting license to any white to kill any black for any reason; by compensating owners for a slave's maiming or death, they separated and protected all whites from all others forever. (11)

이 장면이 말해주듯, 백인정부는 일부의 아프리카계 미국들이 베이컨의 반란에 참여했다는 것을 빌리로 아프리카계 미국인들의 자율권을 박탈하고, 생사여탈권을 백인들의 손에 쥐여준다. 이와 관련, 모리슨이 밝히고자 하는 것은 아프리카계 미국인들은 노예제도가 합법화되기도 전에 이미 백인사회에 종속된 노예라는 것과 백인의 억압과 폭력에 무방비로 노출된 인종적 타자였다는 것이다.

모리슨은 이 같은 역사를 제시하며, 농장주인인 제이콥 바크가 노예들을 거느린 농장주인이 되고, 자본주의시대의 일원이 되어가는지를 추적하고, 가난한 영국여성인 레베카Rebekka가 바크의 아내로, 미국 원주민인 리나Lina, 혼혈소녀인 소로Sorrow, 그리고 아프리카계 미국소녀인 플로렌스Florens가 그의 여성노예로, 그리고 백인남성들인 윌러드Willard와 스컬리Scully가 임대노동자로 어떻게 희생적인 삶을 살아가는지를 추적한다. 즉 이 소설의 등장인물들은 모두 불행·가난·유기·멸시의 대상들로, 바크의 농장에서 새로운 인생을 시작한다. 이와 관련, 모리슨은 식민시대 미국의 혼란스러운 기원역사부터 국가로서의 체계적인 면모를 갖춰가는 역사과정을 노예제도 이전과 이후의 역사와 병치시켜, 인종적 경계선이 없이 주인과 노예가 동료처럼 일했던 농장의 초창기 역사로부터, 바크가 자본주의적 가치에 눈을 뜨고 부의 축적을 통해 자신의 왕국을 건설하려다가 천연두로 인해 사망한 것을 기점으로, 쇠퇴해가는 농장에서 공고화 되어가는 주인과 노예의 인종적 경계선과 지배구조, 그리고 이로 인한 제도적 억압과 희생 등을 작중 이야기로 전개한다.

바크는 가난한 네덜란드계 미국인 부모로부터 유기된 "지저분한 고아"(ratty orphan)(13) 출신이다. 그는 아버지가 법률사무소의 수금원으로 취직하기 전까지 음식을 훔치고, 심부름으로 구걸을 하며 어린 시절을 보냈다(38). 이런 그에게 생면부지의 친척들 중 한 사람이 120에이커의 토지를 유산으로 남긴 것은 뜻밖의 행운이다(13). 바크는 이를 기반으로 농장을 일구기 위해 미국 원주민인 리나를 사들이고, 소로와 플로렌스를 채무자로부터 빚 대신 데려와 농장의 노예로 일하게 한다. 뿐만 아니라, 그는 영국여성인 레베카와 결혼하여 가장으로서의 위치를 확고히 한다.

바크는 농장을 일궈가는 과정에서 자본주의적 가치에 대해 눈을 뜬다. 자본주의적 가치에 대한 바크의 개안은 노예무역으로 축재한 포르투갈계 미국인 드오르테가D'Ortega와의 만남으로부터 비롯된다. 바크는 이 소설의 둘째 장에서 메릴랜드에 위치한 드오르테가의 대저택을 방문한다. 방문의 목적은 드오르테가에게 빌려준 돈을 받기 위해서이다. 하지만 이 같은 목적과 함께 바크는 이 방문을 계기로, 자본주의적 가치에 대해 눈을 뜨게 된다. 바크는 드오르테가의 저택을 방문했을 때 세 개의 벽돌 계단을 올라가며 저택의 거대함과 화려함 때문에 놀란다(17). 그의 이 같은 경탄은 드오르테가의 대저택이 그에게 부의 축재에 대한 관심과 욕망을 갖도록 자극했음을 말해준다. 뿐만 아니라, 바크는 귀가 도중 하룻밤을 묵은 여관에서 피터 다운스Peter Downes란 사람으로부터 "과잉재고로 시장성을 파괴하는 담배보다 설탕이나 럼주가 더 좋다"(33)는 정보를 귀담아 듣는다. 즉 바크의 이 같은 태도변화는 이제까지 농장 일에만 전념해온 그가 대저택을 갖기 위해 부의 축재에 새로운 관심을 갖기 시작했음을 말해준다. 바크는 이를 계기로 럼주 무역에 뛰어든 다음, 대저택의 건설을 가능하게 할 만큼 많은 부를 축재한다.

자본주의적 가치에 대한 바크의 욕망은 그의 파멸을 초래한다. 바크는 드오르테가의 저택과 같은 웅장하고 화려한 저택을 지으려 한다. 하지만 바크는 이 저택을 거의 완성할 즈음에, 천연두로 사망한다. 이와 관련, 모리슨은 바크의 사망원인을 원시적이 믿음으로 처리하면서, 동시에 자본주의의 물질문명이 초래한 자연파괴의 응보로 치환한다. 즉 모리슨은 삼인칭 화자를 통해 바크가 저택의 건설을 위해 50그루의 나무를 잘라버린 사실을 공개한다. 그리고 바크의 자연파괴를 리나의 자연친화적이고 신화적인 태도와 대조시켜 바크의 불행을 자연파괴의 응보로 제시한다. 리나는 강에서 벌거벗고 목욕하는 것을 좋아하고(55), 플로렌스에게 "뱀이 사람들을 물거나 잡아먹는 걸 싫어한다"(79)라고 말해주듯이, 자연친화적이다. 반면, 바크는 자연을 무질서한 세계로 간주하고, 자신의 통제하에 두려는 사람이다(57). 뿐만 아니라, 바크는 리나가 채소 재배를 망치지 않기 위해 청어를 비료로 사용하라고 말해줘도, 이를 듣지 않는 독단적인 사람이다. 이와 관련, 모리슨은 바크와 리나의 대조적 태도를 공개하며, 바크의 자본주의적 욕망과 자연파괴를 암시적이지만 그의 불행한 죽음의 원인으로 제시한다.

바크와 결혼하기 위해 낯선 땅으로 온 레베카는 영국사회의 경제적·사회적 극빈층이다. 아버지는 어부이고, 어머니는 남의 집 가정부이다. 바크가 결혼공고에서 "기독교도가 아니어야 한다"(23)는 조건을 내걸었음에도, 기독교도인 어머니는 딸을 미국의 이교도에게 시집보내기로 결정한다. 레베카 어머니의 이 같은 결정은 곤궁한 처지에 입 하나라도 덜어야 하기 때문이며, 옷값과 다른 결혼비용을 바크가 부담한다는 조건 때문이다.

이 결혼은 바크가 일면식도 없는 먼 친척으로부터 토지를 상속받은 행운처럼 레베카에게도 행운이다. 삼인칭 화자가 "레베카는 영국에 머물러 있었다면, 그녀의 미래는 하인, 창녀, 그리고 아내로 살아야 한다"(91)고 언급한 것처럼, 그녀에게 결혼은 "제일 안전한"(91) 삶을 찾는 출구란 점에서 행운의 선물이나 다름없다.

레베카는 고난스러운 여행을 한 것은 이 같은 행운을 위해서이다. 대서양을 건너는 선상에서 계약된 신부인 그녀가 동물들과 같은 취급을 당하는 여성으로 묘사된 것은 영국에서의 위치와 상황을 상징적으로 말해준다. 선상에서, 그녀는 두꺼운 판자 하나를 사이에 두고 동물들의 반대편 선실에서 창녀·소매치기·부랑자로 떠도는 여성들과 함께 여행한다. 그녀가 이 같은 선실에 몸을 실었을 때, 승무원이 선실의 해치를 닫았고, "석유등은 선실의 여행객들만 알 수 있는 어둠 속으로 그들을 다시 던져 넣으려 위협한다"(84). 하지만 그녀는 모리슨이 이 결혼에 대해 『뉴욕 타임스』(*New York Times*)와의 인터뷰에서 "지옥으로부터의 탈출"(escape from hell)(Roye 217)이라고 언급했듯이, 결혼으로 인해 혼란스럽고, 가난에 찌든 물가의 작은 마을에서 탈출할 수 있게 되고, 사회적 지위와 경제적 환경을 갖게 된다. 즉 그녀는 미국으로 이주함으로써 갈색의 원주민들과 아프리카계 노예들 사이에서 우월한 인종의 구성원이자 여주인이 되고, 가난한 부모에 의해 팔려왔지만, 플로렌스와 소로를 팔 수 있는 권한을 가지게 된다(Roye 218).

하지만 레베카가의 결혼은 또한 비극의 씨를 잉태한 결혼이다. 레베카는 바크와의 결혼 이후에 4명의 자녀를 출산하지만, 출산하자마자 사망하거나 패트리션patrician처럼 어린 나이에 사망한다. 이 같은 불행과 함께, 레베카는 바크마저 천연두로 잃고, 바크에 이어 자신도 천연두에 걸린다. 그리고 레베카의 이 같은 불행은 그녀를 종교에 의지하게 만들고, 주변과 소통할 수 없게 만든다.

레베카는 영적 교감이 없기 때문에 침례교도들과 마을 사람들을 의식적으로 피한다(80). 레베카의 이 같은 소통부재는 어머니로부터 비롯된 것이다. 레베카의 어머니는 종교에 대해 "경외로운 증오에 의해 기름이 부어진 불꽃"(86)이라고 생각했고, 그녀의 이 같은 종교적 신념을 딸에게 강요했다. 레베카는 신에 대해 "더 큰 부류의 왕"(87)이라고 생각할 만큼 이해가 명확하지 않았지만, 어머니의 강요에 의해 마녀사냥과 같은 종교재판과 처형장면을 어린 시절에 목격해야만 했다. 어머니는 종교재판과 처형장면을 "왕의 행진만큼 흥미로운 축제"(88)로 생각했고, 이 같은 장면을 딸에게 직접 목격하도록 강요하여 종교적 규범과 규범의 위배에 대한 징벌을 학습시키려 했다. 레베카 어머니의 이 같은 종교적 신념과 무관용의 잔인성은 사람들을 즐겁게 하고, 그들의 장소에 가둬두기 위해 유럽왕국에 의해 적극적으로 관리된 형식으로, 이에 가둬진 레베카의 어머니는 아무것도 할 수 없는 거짓 권력자나 다름없다(Moore 11). 다시 말하면, 레베카 어머니의 신은 문학적·은유적 관점에서 능력 있는 창조적 생명의 근원이 아니라, 가부장적 법칙과 종교적 억압의 촉진자로, 이를 어겼을 때 교수형, 박해, 그리고 심문을 강요는 징벌자이다. 따라서 레베카는 어린 시절 어머니에 의해 강요된 신과 종교적 폭력을 목격하며, 로이가 "이런 환경이 레베카의 심리에 깊은 상처를 남겼다. . . . 종교적 지배원리가 어린 소녀의 감각적 욕구보다 더 중요했다"(217)고 지적한 것처럼, 종교의 잔인성에 대한 두려움과 이로부터의 트라우마로부터 자유로울 수 없게 된다.

　　레베카는 천연두로부터 회복한 후에 제세례파 교도가 되어 더욱더 폐쇄적 삶을 살아간다. 즉 레베카는 추운 겨울임에도 소로의 아기에게조차 무관심으로 일관한다. 그녀는 소로가 벽난로 옆에서 자는 것도 허용하지 않고, 소로가 아이와 함께 바크가 죽은 방안에서 잤다는 이유로 폭력을 행사한다(186). 레베카의 폭력에 대한 플로렌스의 회상은 여기서 멈추지 않고 어려운 여행 끝에 대장장이의 치료를 받게 해준 그녀조차도 몰인정하게 팔아버리기로 결정한 일, 그리고 리나를 데리고 교회에 다니면서도 리나를 교회밖에 세워두는 레베카의 인종적 예외주의를 추가로 공개한다(187). 교회에 갈 때에, 그녀는 리나와 동행함에도 불구하고 리나를 언제나 교회밖에 세워두고 기다리게 한다. 그녀의 이 같은 태도는 노예주인으로서의 품위를 지키려는 계급의식과 영적 교감이 없는 종교적 배타주의를 말해준다. 레베카의 이 같은 태도를 묵묵히 받아들이는 리나는 가족과 마을 사람들이 천연두 때문에 죽고, 백인병사들이 마을을 소각한 뒤에, 장로교도들에게 맡겨졌다가 다시 바크에게 팔려온 미국의 원주민 여성이다. 때문에 그녀는 가족을 잃은 상실감 속에 살아간다.

　　리나는 원주민의 원시주의적 삶 속에서 성장했기 때문에 자연친화적이다. 삼인칭 화자가 "그는(=바크) 그녀를 신비화 했다"(51)고 밝히듯, 자연적·신화적 의식을 가진 원주민 여성이다. 리나는 춥지 않은 계절에 집 밖의 해먹에서 잠을 자고, 강에서 목욕을 한다. 리나는 또한 농장의 채소를 보호하기 위해 바크에 청어사료를 사용하도록 제안하고, 천연두에 걸린 레베카를 전통적인 민간요법을 활용하여 보살피며, 뱀을 두려워하는 플로렌스에게 "뱀은 사람을 물거나 먹어 삼키는 걸 좋아하지 않는다"(78), 그리고 "숲에는 사냥꾼을 보호하는 정령이 있다"(80)고 조언해준다. 뿐만 아니라, 리나는 신비주의적이다. 바크에게 팔려갈 때에, 그녀는 두 마리의 수탉의 목을 잘라 사랑하는 사람의 신발 속에 넣는다(123). 그녀의 이 같은 행위는 자신을 데려갈 사람에게 행운을 기원하는 일종의 원시적 신앙을 환기시킨다.

모리슨은 리나의 자연친화적 신비주의를 장로교도의 배타적 종교주의와 대조시킨다. 장로교도 가족의 보호를 받고 살아갈 때, 장로교도 가족은 리나가 강에서 벌거벗고 목욕하는 것을 죄로 간주하고(55), 딸기나무를 자른 것에 대해 도둑질(56)이라고 질책한다. 장로교도 가족의 이 같은 반응은 배타적 문화와 신앙으로부터 비롯된 것이다. 그들은 리나에게 새로운 관습과 규범을 습득하도록 강요하지만(56), 리나를 동반자로 만들기 위해서가 아니다. 그들의 이 같은 의도는 문화적·종교적 타자를 차별하고 억압하기 위한 인종적·문화적·종교적 예외주의 또는 우월주의에서 비롯된 것이다. 즉 그들은 리나를 그들의 문화와 규범 속에 길들여지게 하려하면서도 인종적·문화적·종교적 타자인 그녀를 일요예배에 데려가지 않는다.

모리슨이 장로교도 가족의 강요와 억압을 이처럼 폭로한 목적은 또한 미국의 기원 역사 또는 신화에 대한 전복적·대항적인 역사쓰기를 말해준다. 발레리는 캐시 코벨 웨이그너Cathy Covell Waegner의 표현을 빌리어 예외주의가 "언덕 위에 모범적 도시를 건설하겠다는 선택된 자들의 신과의 맹세"(147)로부터 비롯되었다고 지적한다. 스트렐은 발레리보다 더 상세하고 구체적인 설명과 함께, 예외주의적 기원역사들과 담론들이 "미국을 구세계의 부패한 정부들, 교회들, 그리고 사회들의 파행들을 바로잡기 위해 선택된 사람들에 의해 세워진 구세주의 나라"(109)로 각인시킨다고 지적한다. 그리고 스트렐은 선택된 사람들의 신화에 대해 "선택된 자와 저주 받은 자, 백인과 흑인, 남성과 여성, 신세계와 구세계를 구분하는 유해한 이분법적 분리"(109)에 의존한다고 밝히며, "원주민, 빈곤자, 그리고 토지를 소유하지 못한 자에 대한 유럽정착민들의 학대를 악화시키고, 백인이 아닌 사람들의 노예화를 정당화한다"(109)고 지적한다. 스트렐의 이 같은 지적은 예외주의가 인종적·경제적·문화적 타자를 양산하고, 타자에 대한 억압과 폭력을 정당화하게 만들었음을 확인해준다. 스트렐에 이어, 캐러밴터는 예외주의를 청교도적 배타주의로부터 유래했다고 접근하고, "극단적 타자와 적을 확인하고 양산한 악의적 수사법"(737)에 의해 고양된 "배타주의적 이미지화"(737)로 정의한다. 그녀의 이 같은 정의는 예외주의가 그리스도를 "하얗고, 제국주의적인" 존재로 범례화 하고, "제국주의적 정복, 노예제도, 그리고 임대계약 노동자에 대한 착취를 정당화 했다"(737)는 지적과 함께 스트렐의 견해와 맥을 같이한다.

리나는 장로교도 가족의 이 같은 강요에도 불구하고 길들여지지 않는다. 따라서 장로교도 가족은 이 같은 리나를 삼인칭 화자가 "장로교도들이 작별인사 한 마디 없이 그녀를 포기했다"(56)고 밝히듯, 팔아버리기로 결정한다. 바크의 농장에 팔려온 리나는 바크와 농장을 일구고, 레베카와 동료처럼 지내며 농장 일을 함께한다. 하지만 바크의 사망 이후에, 리나는 농장 사람들의 생계를 위해 아무것도 할 수 없는 레베카를 대신해서 식량을 마련해야 하고, 레베카의 시중을 들어야 한다. 스컬리가 "끓는 물 속의 푸른 사과처럼"(170) "부글부글 끓고 있는 중이다"(170)라고 밝히고,

레베카의 곁을 지켜주는 이유에 대해 "복종이 아니라 일종의 약속지키기"(177)이라고 밝힌 것처럼, 리나는 노예로서 레베카의 계급의식과 배타적 신앙을 묵묵히 받아들여야 한다.

아프리카계 여성노예인 플로렌스는 드오르테가의 저택에서 어머니와 살던 중에 8세 때에 바크의 농장으로 팔려온 아프리카계 여성노예이다. 플로렌스가 이곳에 온 이유는 어머니의 제안에 의해서이다. 드오르테가의 가족들과 식사를 마친 후에, 바크는 드오르테가와 부채를 어떻게 받을지에 대해 논의한다. 드오르테가는 노예선박의 선원들이 발진티푸스로 1/3이 죽고, 선박마저 침몰한 데다가 선원들의 시체를 바다에 버린 죄로 벌금을 물어야 하기 때문에, 부채를 현금으로 갚을 수 없을 만큼 곤궁한 처지에 놓여있다. 바크는 드오르테가의 이런 처지를 알고 있지만, "사리가 어둡고, 고집이 세며, 단정치 못하며"(19), "부채를 안 갚기로 유명한"(28) 드오르테가로부터 부채의 회수를 더 이상 미룰 수 없다. 드오르테가는 바크에게 현금 대신 남성노예들을 데려가라고 제안을 한다. 하지만 바크는 남성노예 대해 여성노예보다 상대적으로 더 저항적이고 도망칠 우려가 있다고 믿기 때문에, 아이 딸린 여성노예를 데려가겠다고 제안한다. 드오르테가는 바크의 이 같은 역제안에 대해 불쾌한 반응만 보일 뿐, 동의하지 않는다. 바크와 드오르테가의 팽팽한 신경전이 계속되는 동안, 이를 깨트린 사람은 드오르테가의 여성노예인 플로렌스의 어머니이다. 그녀는 바크에게 8세 정도의 플로렌스를 데려가라고 간청한다. 플로렌스의 어머니가 이 같은 제안을 한 이유는 이 소설의 마지막 장에서 그녀의 고백을 통해 밝혀지듯이, 성장해가는 딸을 드오르테가의 아들들로부터 보호하기 위해서이다(190). 즉 그녀는 윤간으로 인해 플로렌스와 플로렌스의 오빠를 임신한 성폭력의 희생자로(194), 딸에게 자신의 경험을 되풀이하지 않게 하기 위한 고육지책으로 딸을 자신의 곁으로부터 떠나보내려 한다. 그리고 딸을 위해 더 이상 아무것도 할 수 없는 노예 어머니의 한계를 토로하듯, 그녀는 딸과 헤어져야 했던 이별의 슬픔보다 딸을 인간적인 백인주인에게 딸을 맡길 수 있게 된 것을 "신에 의해 부여된 기적"(195)이 아니라, "인간에 의해 주어진 자비"(195)라고 말한다.

플로렌스는 바크의 농장의 노예이지만 농장생활의 역할보다 홀수 장들의 화자로서 더 중심적인 역할을 한다. 일인칭 화자로서, 플로렌스는 레베카에 의해 다른 농장으로 팔려가야 하는 운명을 맞이한 상황에서 그동안의 침묵되고 억압된 자신의 이야기를 어둠 속의 벽과 바닥에 손가락으로 기록하며 소설의 첫 장을 연다. 이때 "두려워하지 마세요"(3)란 말과 함께 갑자기 어둠 속에서 등장한 플로렌스는 "기원역사들의 장엄함들을 비웃는 유령적·자의적 역사가"(Karavanta 727)로, 노예제도의 착취에 대한 기억, 실패한 사랑에 대한 기억, 어머니에 대한 기억, 어머니의 상실에 대한 기억, 그리고 다른 노예들과 이룩한 공동체에 대한 기억을 현재시제를 통해 현재속의 과거로 되살림으로써 그녀가 역사의 내부에 살아있다는 인상을 강하게 보여준다.

플로렌스의 이야기에 나타난 핵심적 사항은 농장의 사건과 인물들에 대한 이야기라기보다 그녀의 개인적인 이야기들, 즉 어머니의 거부, 어머니의 거부로 인한 트라우마, 어머니의 모성을 채워주는 리나의 대리모성, 그리고 트라우마로 인한 일방적 사랑에 대한 이야기이다. 어머니의 거부에 대한 이야기는 플로렌스가 "시작으로 구두로부터 시작됩니다"(4)라고 언급하듯이 드오르테가 부인의 망가진 구두에 대한 이야기로부터 시작된다. 드오르테가의 저택에 머무를 때에, 플로렌스는 망가져서 버려진 드오르테가 부인의 구두를 신고 싶어 한다. 플로렌스가 한쪽 굽이 부러진 이 구두를 신고 싶어 한 이유는 발바닥이 약해서 보행이 불편하기 때문이다. 하지만 어머니는 플로렌스의 사정을 이해하려 하지 않고, 어린소녀가 겉

치장을 하려 한다는 이유와 굽이 높은 구두가 위험하다는 이유로 이를 허락하지 않는다(4). 이와 관련, 플로렌스 어머니의 불허는 플로렌스의 연약한 발을 고려하지 않은 데서 비롯된 것으로서, 플로렌스는 자신의 이 같은 상태에 대해 이해해주지 않은 어머니의 불허를 자신에 대한 거부로 이해할 수밖에 없다.

플로렌스에게 가장 충격을 준 어머니의 거부는 무엇보다도 어머니가 어린 오빠를 곁에 두고, 그녀를 바크에게 데려가 달라고 간청한 것이다. 플로렌스는 이에 대해 셋째 장과 다섯째 장을 제외한 나머지 장들, 첫째 장의 결말부분, 일곱째 장의 서두, 그리고 아홉째 장의 중간부분에서 반복적으로 되살리며 아쉬운 간정과 심리적 트라우마를 드러낸다. 그리고 열한째 장에서, 그녀는 멈추지 않는 아쉬움을 유지한 채 장을 마감한다. 즉 플로렌스는 이 장들 속에서 어머니가 어린 남동생을 곁에 두고, 그녀를 바크에게 데려가라고 간청했는지에 대해 끊임없는 의문을 제기하며, 어머니의 거부로 인한 심리적 트라우마를 밝힌다.

먼저, 첫째 장에서, 플로렌스는 드오르테가 부인의 구두, 그녀의 발에 대해 인생을 살기에 너무 허약하다고 말해준 리나, 천연두에 걸린 레베카의 심부름, 대장장이에 대한 지난날의 사랑, 심부름 갈 때 경험들, 바크 농장에서의 첫 경험, 아프리카계 노예에게 글을 가르칠 수 없는 데도 글을 가르쳐준 리버랜드 신부Reverend Father, 바크의 농장으로 오는 도중 배안에서 옷과 신을 도둑맞은 일, 개신교의 종교적 차별, 바크가 죽은 방에서의 글쓰기, 그리고 리나와의 농장생활 등에 대해 차례로 이야기한 다음에 결말부문에서 어머니의 거부에 대해 생생한 기억을 떠올린다.

하지만 저는 걱정거리를 한 가지 가지고 있습니다. 우리의 일이 너무 많기 때문이 아니라, 욕심 많은 아기들을 돌보는 어머니들이 저를 두렵게 만들기 때문입니다. 저는 그들이 선택할 때 그들의 눈들이 어떻게 되는지 압니다. 그들이 어떻게 아이들로 하여금 제가 들을 수 없는 말을 지껄이며 저를 잔뜩 노려보도록 키우는지를. 어린 소년의 손은 잡고 있으면서, 제게 뭔가 중요한 것을 말하지만.

But I have a worry. Not because our work is more, but because mothers nursing greedy babies scare me. I know how their eyes go when they choose. how they raise them to look at me hard, saying something I cannot hear. Saying something important to me, but holding the little boy's hand. (9)

플로렌스의 이 같은 회상은 어머니의 거부에 대한 그녀의 공포와 섭섭함을 동시에 보여준다. 즉 어머니에 대한 플로렌스의 공포는 자신을 바크에게 보낼 대상으로 선택한 어머니의 매정한 결정에 대한 공포이고, 섭섭함은 어머니의 선택이 왜 오빠 대신 자신이어야 하는지에 대한 섭섭함이다.

어머니의 거부에 대한 플로렌스의 반응은 또한 일곱째 장의 서두에서 심리적 공포로 나타난다.

나무 한그루가 기울어졌고 저는 비명소리와 함께 깼습니다. 아무것도 달라진 게 없습니다. 나무들에는 앵두가 가득 달리지도 않았고, 저한테 가까이 오지도 않았습니다. 저는 편안했습니다. 저의 어머니가 남자아이를 데리고 가까이 오는 꿈보다 좋은 꿈입니다. 이 꿈속에서 어머니는 늘 제게 뭔가를 말하려 했습니다. 그녀는 눈을 크게 뜹니다. 입을 움직입니다. 저는 시선을 돌렸습니다.

One bends down and I wake with a little scream in my mouth. Nothing is different. The trees are not heavy with cherries nor nearer to me. I quiet down. That is a better dream than a minha mae standing near with her little boy. In those dreams she is always wanting to tell me something. Is stretching her eyes. I working her mouth. I look away from her. (119)

일곱째 장의 이 장면은 플로렌스가 대장장이의 오두막을 향해 여행하던 중에 숲 속에서 잠시 노숙을 하다가 꾼 꿈에 대한 이야기이다. 플로렌스는 이 꿈에서 소녀의 몸으로 숲 속을 홀로 여행해야 하는 공포를 자신을 덮칠 것 같은 나무의 모습으로 떠올리고, 어머니의 거부로 인한 공포를 재현한다. 이때, 플로렌스는 첫째 장의 결말부분에서 밝힌 어머니의 무정한 결정에 대한 공포와 아쉬움대신, 자신에게 뭔가를 말해주려는 어머니의 모습을 새롭게 떠올림으로써, 어머니와의 소통에 대한 갈망을 암시적으로 드러낸다.

어머니의 거부에 대한 플로렌스의 회상은 대장장이의 오두막에 도착했을 때에 대장장이가 보호하고 있는 어린 소년 말라이크Malaik에 대한 질투로부터 비롯된다. 플로렌스는 대장장이의 오두막에 도착하자마자 대장장이가 말라이크에게 베푸는 애정을 지켜보며, 마음속에 깊이 사무친 두 차례의 거부, 첫 장 이래로 그녀의 일인칭 목소리로 전개된 모든 장들에서 끊임없이 회상 해온 "어린 아들에게만 허락된 어머니의 손길을 소망하며"(161) 치마 뒤에 숨었던 장면과 종교적인 광신도들과 만났을 때 어린 백인소녀가 플로렌스의 검은색 피부를 보고 공포에 질려 울었던 장면을 떠올린다.

전에도 이런 경우가 두 번 있었습니다. 첫 번째는 어머니가 아들이 아닌, 저의 손을 잡아주길 원하며 그녀 주위를 맴돌던 때입니다. 두 번째는 어머니 뒤에 숨어 치마에 매달리며 날카로운 비명을 지를 때입니다. 두 번다 위태로웠고 저는 쫓겨났습니다. 이제 난 옥수수 껍질 인형을 들고 들어오는 소년을 바라봅니다. 그 아이는 제가 아는 그 누구보다도 어립니다. 당신은 그 소년에게 검지를 뻗고 그 아이는 당신의 손가락을 잡습니다. 당신은 제가 당신과 함께 떠날 수 없는 이유가 이 아이 때문이라고 말합니다. . . . 당신이 그 아이를 아들로 삼고 싶어 하는지 궁금해 하며 저의 입은 말라갑니다.

This happens twice before. the first time it is me peering around my mother's dress hoping for her hand that is only for her little boy. The second time it is a pointing screaming little girl hiding behind her mother and clinging to her skirts. Both times are full of danger and I am expel. Now I am seeing a little boy come in holding a corn-husk doll. He is younger than everbody I know. you reach out your forefinger toward him and he takes hold of it. You say this is why I cannot travel with you. . . . My mouth goes dry as I wonder if you want him to be yours. (160)

플로렌스가 이처럼 어머니와의 이별장면을 회상한 것은 "난 거부된 거야"(161)라고 회상하듯, 대장장이와 다른 어머니의 자식편애, 그리고 말라이크와 다른 그녀의 처지에 대한 유감의 뜻을 환기시킨다. 그리고 그녀의 유감은 대장장이의 곁을 말라이크에게 빼앗기고 자신의 자리가 없다는 것을 느끼는 순간, 말라이크에 대한 질투와 증오로 발전한다.

어머니의 거부에 대한 플로렌스의 기억은 그녀로 하여금 현재의 상황을 그와 같은 시각으로 보게 만든다(Wyatt 136). 대장장이가 손가락을 내밀자 말라이크가 손가락을 잡는 장면은 플로렌스에게 어머니가 어린 남동생의 손으로 잡고, 그 손을 열망하는 플로렌스를 거부한 모습을 상상하도록 만들기에 출분하다. 플로렌스는 이처럼 과거의 트라우마를 되살리며, 현재의 상황을 이 같은 시각에 비춰 해석하는 모습을 보여준다. 이와 관련, 플로렌스는 지난날의 심정을 "당신이 어떻게 손가락을 내밀고, 소년이 그 것을 소유하는지. 마치 그는 당신의 미래인 것 같았어. 난 아니고"(165)라 고 회상한다. 대장장이가 말라이크에게만 그의 곁을 내준 것은 플로렌스 의 이어지는 행동을 막을 수 없게 만든 실수였는지도 모른다. 대장장이와 농장으로 함께 돌아가리라 기대했던 당초의 기대와 달리, 말라이크를 돌 보기 위해 오두막에 홀로 남은 플로렌스는 질투의 화신이 된다. 열여섯 살 소녀로서가 아닌, 어린 아이로서 나이 어린 동생에게 자리를 빼앗겼다는 환상(Wyatt 136)으로부터 비롯된 질투심이 그녀를 악의적으로 만든다. 플 로렌스는 말라이크가 그녀의 부츠를 훔친다는 이유로, 아이에게서 인형을 빼앗아 선반 위에 올려놓고 아이가 울자 밖으로 나간다(163). 하지만 플로 렌스가 돌아왔을 때 인형은 없어지고, 말라이크는 그녀를 보자 자신을 보 호해줄 대장장이의 빈자리 때문에 울고, 그녀에 대한 공포 때문에 더 강하 게 운다. 이에 화가 난 플로렌스는 어깨가 균열되는 소리를 들을 수 있을 정도로 말라이크의 팔을 잡아당기고, 말라이크는 자지러지며 식탁의 모서 리에 부딪혀 입에서 피까지 흘리게 된다(164). 플로렌스는 그녀의 폭력에 대해 말라이크의 울음을 멈추게 하기 위한 행동이라고 말하며 스스로를 변론하지만, 사실은 모성의 상실로 인한 트라우마와 질투의 표출이다. 장 퐁탈리스 라플랑슈Jean Pontalis Laplanche에 따르면, "트라우마의 재현은 해 결되지 않은 트라우마의 보편적인 징후"(Wyatt 138 재인용)라고 밝힌 것 처럼, 플로렌스의 행동을 잠재적으로 내재된 어머니의 거부에 대한 트라 우마가 대장장이의 거부를 계기로 충동적으로 표출된 행위로 해석한다. 즉 그녀의 폭력은 어린 아이가 유년시절에 어머니의 모성적 테두리 안에 서만 자신의 모습을 발견하려 하는 것처럼, 대장장이의 테두리 안에서만 자신의 모습을 하려다가 그 속에서 자신이 아닌 말라이크를 발견하고, 대장장이로부터 소외되었다는 상실감으로부터 비롯된 것이다(Wyatt 136).

플로렌스의 폭력이 있은 직후, 귀가한 대장장이는 플로렌스의 뺨을 때리고, 말라이크를 인형과 함께 침대로 데려가 상처를 어루만져준다. 대장장이의 이 같은 행동은 플로렌스를 또 다시 거부한 행동으로, 더 악의적인 그녀의 폭력을 초래한다. 하지만 모리슨은 이어져야 할 폭력장면을 이 장과 다름 장에서 보류하고, 장의 결말부분에서 대장장이와 플로렌스의 말싸움을 폭력의 전단계로 제시한다. 이 말싸움에서, 대장장이는 "넌 노예이기 때문에," "네 몸은 거칠어," "통제력도 없고, 이성도 없어"(166)란 그의 언급이 말해주듯 여성으로서 플로렌스에게 상처를 주는 폭언들을 쏟아낸다. 하지만 플로렌스는 대장장이의 폭언에 맞대응하는 대신, "난 당신을 흠모하고 있어," "당신만 나를 소유하고 있어"란 그녀의 언급이 말해주듯, 이 장의 서두에서 대장장이를 만났을 때 "털어놓지 못한 속마음"(161)을 털어놓는다.

한편, 플로렌스의 이 같은 고백은 대장장이의 폭력을 묵과한 것이 아니다. 플로렌스는 신발도 신지 않고 농장으로 돌아오는 도중에 "밤 내내 걸었다"(185)는 말과 함께 대장장이와의 육탄전을 회상한다. 뿐만 아니라, 그녀는 "난 당신에게 아무것도 아니다"(185)란 말로 시작되는 대장장이와의 싸움에서 얼마나 과격하고 당당하게 대장장이에게 맞섰는지를 회상한다. 즉 "부젓가락이 거기에 있습니다, 가까이. 가까이에. 저는 세게 휘두르고 휘두릅니다. 비틀거리고 피 흘리는 당신을 봅니다"(184)라고 회상하듯, 플로렌스는 대장장이의 폭력에 대해 폭력으로 맞서며, 무분별한 사랑으로 벗어나 억척스럽고 강한 여성의 모습을 보인다. 즉 삼인칭 화자는 장의 서두에서 이 사건 이후에 플로렌스의 변화된 모습에 대해 윌러드와 스컬리의 시각을 통해 각각 "맨발에 피투성이지만 긍지가 있는 영국군 병사와 같았다"(172)와 "나를 항상 가지세요"로부터 "나를 건드리지 마세요"(179)로 변했다고 밝힌다.

플로렌스는 레베카의 심부름을 충실히 마친 후에 농장으로 돌아왔지만, 레베카가 그녀를 팔아 버리려고 광고를 냈다는 사실을 듣는다. 하지만 플로렌스는 이에 대한 반응을 자제한 채 이야기의 시점을 과거로부터 현재로 돌려 첫 장에서의 글쓰기를 이 장의 결말부분으로 이어가게 한다. 즉 "이 단어들이 방바닥을 덮는다"(188)는 말로 시작하여 "난 한 손에 등을 들고 다른 손으로 글자들을 새기고 있다"(188)고 말하며 글쓰기의 상황을 공개한다. 그리고 그녀는 "내 팔이 아프지만 난 당신에게 이것을 말해야 한다. 당신 이외에 어느 누구에게도 말할 수 없다"(188)고 말하며, 어머니와 대장장이로부터의 거부로 인한 개인적 트라우마, 그리고 그녀와 같은 노예들의 비극적 역사를 기록하고자 하는 그녀의 소망과 기록해야 하는 사명감을 피력한다. 그리고 마지막으로 그녀는 어머니를 향해 어머니 곁을 떠날 때 약한 발바닥이었는데, 지금은 강한 발바닥이 되었다고 밝히며, 어머니가 기뻐할 것이라고 말한다(189). 하지만 그녀는 앞 장들에서 반복적으로 언급된 어머니의 거부 이유를 "아직도 한 가지 슬픈 일"(189)이라고 고백하며, 화자로서의 역할을 끝맺음한다.

바크 농장의 또 다른 여성노예인 소로는 흑백혼혈 여성으로, 이중적 자아인 트윈Twin과의 대화를 통해 소개된다. 트윈은 소로가 고독을 상쇄하기 위해 스스로 창조한 상상적 자아로, 그녀의 안전을 지켜주는 "보호자, 오락거리, 그리고 안내자"(Roye 114)이다. 이와 관련, 모리슨은 소로의 자아분열의 원인을 밝히는 방식으로 이야기를 전개한다.

소로의 자아분열은 고독에서 비롯된다. 그녀는 세상에 홀로 남겨진 고아이다. 선장인 그녀의 아버지는 배가 난파되어 선원들과 함께 죽고, 그녀만 목의 부스럼을 수술하기 위해 먹은 마취약 덕택에 홀로 살아남는다.

그녀는 제재공에 의해 난파선으로부터 구조되기 전에, 선장인 아버지가 미래의 선원으로 키우려 했기 때문에(149), 육지를 밟아본 적이 없는 여성이며, 육지의 삶에 대해 아무것도 할 줄 아는 것이 없는 여성이다. 따라서 제재공의 부인이 그녀에게 거위를 돌보라고 시키지만, 육지를 밟아보지 못한 연약한 발 때문에 흐트러진 거위를 모을 수도 없고(140), 청소와 같은 집안의 잔일들을 시켜도 할 줄 아는 일이 마무 것도 없다(141). 그녀는 또한 제재공의 부인이 알려주기 전까지 여성의 생리적 주기와 임신이 되었을 경우 생리가 중단된다는 사실도 알지 못한다. 그녀는 제재공의 집에서 아무것도 할 수 없다는 이유로 무용지물 취급을 받는 동안 한 무더기의 목재 뒤에서 제재공의 아들들과 교회의자에서 제세례파 집사의 성폭력에 무방비로 노출된다. 그녀의 첫 육지생활은 이처럼 쓸모없는 인간으로서, 그리고 성적 희생자로서의 삶이다.

소로는 바크의 농장에서도 여전히 고독하다. 제재공과 그의 아내는 바크에게 줄 돈 대신 쓸모없는 소로를 그에게 데려가도록 요청한다(141). 바크는 둘째 장에서 불쌍한 소로를 측은한 마음으로 농장에 데려왔다고 밝힌 것처럼, 동정심 때문에 그녀를 농장으로 데려온다. 바크는 열한 살 소녀를 말에 태워 오던 중 그녀가 구토를 해 외투를 더럽혔음에도(142), 그녀에게 벽난로 옆에서 잠을 잘 수 있도록 배려할 정도로 친절을 베푼다. 하지만 그녀의 농장생활은 바크의 친절에도 불구하고 여전히 쓸모없고, 주변과 소통이 단절된 이방인의 삶이다. 로이가 "소로는 . . . 가사일들을 수행하도록 요구받았을 때 일들을 뒷전에 내버려두고 방황하기 때문에 항상 아쉬움을 남긴다"(223)고 밝힌 것처럼, 레베카는 제재공의 아내처럼 일터에서 태만한 그녀를 곱게 보지 않는다. 그녀는 또한 농장의 다른 노예들로부터도 고립된다. 이와 관련, 삼인칭 화자는 거의 동시에 일어난 레베카와 소로의 출산을 이야기하며, 소로와 리나 사이에 불거진 불신과 갈등,

그리고 그 원인을 밝힌다. 소로는 레베카가 아들을 출산할 무렵 아이를 출산한다. 하지만 아이는 세상에 나오자마자 리나에 의해 살해된다. 즉 소로는 "아이가 하품을 했다"(145)고 생각했지만, 리나는 아이가 죽었다고 간주하고, 아이를 강물에 떠내려 보낸다.

리나의 이 같은 행동은 소로에 대한 그녀의 불길한 예감으로부터 비롯된 것이다. 리나는 레베카의 아이가 태어난 지 6개월 만에 죽자 소로의 탓으로 돌린다. 이와 관련, 삼인칭 화자는 리나가 새로 농장에 들어온 플로렌스와 함께 헛간에 나와 먹고 자면서 소로가 가까이 오면 쫓아버린 일(146), 그리고 죽은 아이가 모든 강물을 다 마시고 있다며 소로가 리나를 원망하고 슬퍼할 때 트윈이 위로하는 장면을 밝힌다. 이와 함께, 삼인칭 화자는 리나에 대한 소로의 불신과 원망이 결정적으로 나타난 사례를 그녀의 두 번째 출산과정을 통해 밝힌다. 소로는 물동이를 옮기다가 부상을 입고, 병까지 얻지만 대장장이의 치유로 회복하고, 둘째 아이를 출산을 한다. 이때 그녀는 첫째 아이의 출산을 도와 준 리나의 도움을 받지 않으려고 통증이 오자 홀로 칼과 천을 가지고 강둑으로 가서 주변의 낚시꾼들의 도움으로 출산을 한다. 그리고 그녀는 출산한 후 농장 집으로 데려다 주겠다는 스컬리와 윌러드의 제안마저도 거절한다(156). 소로가 이처럼 주위의 도움을 거절한 것은 "중단된 소녀의 시절의 부족한 점들을 채우려 노력하고, 완전한 여성성과 모성으로의 변화"(Roye 223)를 보여주는 것이다. 즉 그녀의 변화는 아무것도 할 수 없는 난판선의 표류자로부터 육지의 정착자로의 변화, 쓸데없는 인간으로부터 쓸모 있는 인간으로의 변화, 그리고 아이의 죽음조차도 확인하지 못한 모성으로부터 아이를 보호할 수 있는 모성으로의 변화를 의미한다. 소로는 이를 위해 자신의 이름을 컴플리트Complete로 개명하고, 농장으로부터 탈출할 계획을 세우고, 플로렌스에게도 동참을 권유한다.

여성노예들의 이 같은 노예역사와 더불어, 백인 임대노동자들인 윌러드와 스컬리 역시 노예와 다름없는 삶을 산다. 삼인칭 화자에 따르면, 윌러드는 13세 때 버지니아에 7년 계약으로 팔려와 20세 때에 자유를 얻게 될 거라고 기대했지만, 농장 주인이 조작한 도둑사건과 주인 아들에 대한 폭력사건(173) 때문에 계약기간이 3년 더 추가되고, 이후 북부 농장에서 두 차례에 걸친 탈출의 실패 때문에 또 계약기간이 연장되어 아직까지 임대계약 노동자로 살아가고 있다. 그가 바크의 농장에 온 이유는 밀농사를 망치고 목축업으로 업종을 전환한 그의 주인이 목축업에 필요한 초원을 바크로부터 빌리기 위해 교환조건으로 그를 임대했기 때문이다. 그는 바크의 농장에 임대된 뒤 과음도 해보고 과격한 행동도 했지만, 바크의 저택 건설에 참여하며 사교적으로 변한다(175). 백인이지만, 다른 노예들과 같이 취급되는 것에 대해 항상 불만을 가졌던 그는 대장장이가 품삯을 받는 걸 목격하고 분개한다. 하지만 거름에 빠져 옷을 버린 뒤, 컬러 달린 새 옷을 입고 나타났을 때에, 대장장이가 "굿 모닝, 미스터 본드"라고 불러주자 자신을 대우해준 것으로 믿고 사교적으로 변한다. 윌러드가 북부의 농장에서 처음 만나, 바크의 농장에서도 함께 살고 있는 스컬리는 12세에 학교에 입학하고, 사랑도 경험한다. 그가 임대 노동자가 된 이유는 영국국교도 목사의 배반 때문이다. 그는 어머니가 일하다 사망한 술집의 주인으로부터 어머니의 부채를 대신 갚으라고 3년 동안의 노동을 요구받는다. 이때 아버지란 사람이 나타나서 몸값을 지불하고 그를 종무회의Synod에 임대한다. 하지만 영국국교도 목사가 그를 성적으로 유린하고, 동성애의 모든 책임을 뒤집어씌우기 위해 그를 타락한 소년으로 매도한다. 결국 종무회의의 장로들은 그를 음란한 소년으로 낙인찍고, 너무 어려서 교정이 불가능하다는 이유로, 윌러드가 노예생활을 하고 있던 북부의 농장으로 임대해버린다. 스컬리는 이때부터 윌러드와 같은 농장에서 서로 의지하며 살았고(181), 바크의 농장에도 함께 왔다. 그들은 바크의 사망 이후 레베카로부터 임금을 받으며, 임대노동자의 신분으로부터 벗어나기 위해 임금을 꼬박꼬박 모으고 있다(181). 그럼에도, 생활방식은 윌러드가 음주를 즐기는 데 반해 스컬리는 어린 시절의 경험 때문에 음주와 여성을 멀리한다는 점에서 각각 다르다.

이 소설은 미국의 기원과 노예제도 형성과정을 이처럼 추적하며, 기독교적 인종우월주의와 폭력을 비판한다. 플로렌스는 이 소설의 다섯째 장에서 리나가 해먹에서 그녀에게 들려준 장로교도 가족의 폭력을 회상한다. 즉 플로렌스는 리나는 그녀에게 "우리는 유럽의 규범 속에서 살고 있다"고 말해준 것을 회상하며, 14세 때 동전을 잃어버려 눈이 안보일 정도로 구타당한 일, 장로교도 가족이 그녀를 팔아버리려고 신문광고를 낸 일, 장로교도 가족이 집안에 들이지 않아 개처럼 밖에서 잠을 잔 일, 그리고 바크가 소를 흑파리로부터 보호하려고 밖에 내놓지 않을 일 등을 회상하며 숲길을 걷는다.

한편, 리나가 겪은 장로교도 가족의 폭력에 대한 플로렌스의 회상은 그녀가 겪을 청교도들의 폭력을 예고해주는 회상이나 다름없다. 이 회상에서 플로렌스는 날이 저물어 하룻밤 동안 묵을 곳을 찾는 도중 작은 오두막을 발견한다. 이 오두막은 "창이 닫혀있고, 저녁연기도 없었다"(125)고 기억하듯, 외부로부터 단절되어 생기 없고, 무거운 분위기이다. 오두막의 주인인 위도우 일링Widow Ealing과 집안의 분위기도 이 같은 겉모습과 다르지 않다. 따라서 플로렌스는 외부로부터 단절되고, 생기 없고 무거운 환대가 기다리는 오두막 안으로 들어가기 위해 주인에 의해 심문과 수색을 당한 경험을 지난날에 대한 기억에서 지울 수 없다. 플로렌스의 기억에 따르면, 그녀가 문에 노크를 했을 때, 문을 열고 나타난 일링은 레베카 어머니가 딸의 신랑감을 선택하기 위해 했던 것처럼 상대방을 먼저 심문한다. 그녀는 키가 큰 여성으로, 플로렌스를 집안으로 들이기 전에 "누가 보냈는지," "기독교도인지 이교도인지"(125)에 대해 심문한다. 플로렌스는 첫 질문에 대해 "아무도 보내지 않았다"(125)고 답변하자 일링의 표정은 순간 굳어졌고, 둘째 질문에 대해 "이교도는 아니다"(125)라고 답변하자 그녀의 굳었던 표정이 부드러워지며 통과를 허용했다고 회상한다.

플로렌스의 회상은 계속 이어져, 오두막의 외부 분위기에 대한 그녀의 인상과 느낌을 내부로 옮겨간다. 플로렌스가 집안으로 안내되어 일링이 제공한 저녁식사를 마친 뒤, 집안에서 제일 먼저 포착한 대상은 볏짚 위에 누운 소녀이다. 소녀는 일링의 딸 제인Jane으로, 그녀의 "한 쪽 눈은 초점을 잃었고, 다른 한 쪽 눈은 암컷늑대의 눈처럼 곧고 흔들림이 없다"(125). 플로렌스는 제인의 이 같은 모습을 포착하고, 이어서 그녀로부터 "이게 죽음이라면 죽으려고 여기에 온 거네요"(127)란 말을 듣는다. 체념적인 어조에 가까운 제인의 이 같은 말은 플로렌스에게 닥칠 불길한 상황을 미리 예고해주는 말임과 동시에, 그녀 자신에게 닥칠 불길한 상황을 예고해주는 말이다. 즉 제인은 이 말을 마친 뒤 치마 속에 감춰둔 '검은 피가 흘러내는 다리'를 식탁의 등불에 공개하는데, 이 상처는 사탄이 아니라는 것을 증명하기 위해 일부러 회초리로 때려서 난 상처로, 그녀의 체념 섞인 말이 종교적 편견과 깊이 연관되어 있음을 밝혀준다. 이와 관련, 플로렌스는 제인의 상처를 목격한 후 충격으로 인해 쉽게 잠을 이루지 못하던 중에 엿들은 어머니와 딸의 대화내용을 회상하며, 제인의 체념 섞인 말과 상처가 종교적 편견으로부터 비롯되었음을 사실화한다. 플로렌스에 따르면, 기도에 이은 어머니와 딸의 대화에서, 딸은 자신이 "악마가 아니라는 것"(128)을 어떻게 증명해야 할지에 대해 어머니에게 자문을 구하고, 어머니는 "결정하는 사람은 그들"(128)이라고 답변한다. 즉 두 사람의 이 같은 대화내용은 딸이 신체 일부의 불구로 인해 이교도와 저주대상에 대한 청교도의 탄압수단인 마녀사냥의 희생자가 될 수 있다는 것과 그 심판의 날이 다음날임을 말해준다.

"이게 죽음이라면 죽으려고 여기에 온 거네요"란 제인의 말은 다음날 아침 청교도 사제가 제인에 대해 "악마의 덫에 걸렸다"(129)고 심판할 것을 미리 예고한 것이며, 동시에 플로렌스에게 닥칠 위험을 미리 예고한 것이나 다름없다. 청교도 사제의 심판에 대해 어머니가 반박하는 동안, 청교도 사제는 그들과 피부색이 다른 플로렌스를 포착하고, 플로렌스도 불가피하게 제인과 같은 심판의 대상이 된다. 플로렌스는 레베카의 편지를 청교도들에게 보여주며 이 위기에서 벗어나려 하지만, 그들은 편지를 가로챈 채 심판에 앞서 수색을 강요한다. 청교도들은 플로렌스에게 옷을 벗도록 강요하고, 마치 노예시장을 환기시키듯, 그녀의 주위를 돌며 몸 곳곳을 수색한 뒤, 편지를 나중에 되돌려주겠다는 말만 남기고 떠난다. 플로렌스는 이때 청교도들이 그녀의 알몸을 향해 던진 눈초리를 "모욕적인 눈초리"(133)로 기억하며, 현재시점에서 "알몸 상태에서 '나'는 그들의 눈 속에서 내 모습을 본다"(133)고 회상한다.

플로렌스를 마녀사냥의 희생양으로 삼으려는 청교도들의 폭력으로부터 벗어날 수 있도록 도운 사람은 이 같은 위험을 암시적으로 예고한 제인이다. 제인은 마녀사냥의 희생양으로서, 플로렌스가 자신과 같은 처지에 놓이지 않게 하기 위해 플로렌스를 탈출시킨다. 제인의 이 같은 행동은 플로렌스에게 은밀히 글쓰기를 가르친 리버랜드 파더의 행동을 연상하게 한다(Grewall 192). 제인은 플로렌스를 탈출시키기 위해 오리알을 보자기에 싸서 건네주고, 대장장이의 오두막으로 향하는 길까지 안내한다. 이 과정에서 플로렌스가 제인에게 "너 악마니"(134)라고 묻자, 제인은 플로렌스와 친구로서 교감하듯 "그래"(134)라고 화답한다.

플로렌스는 탈출과정에서 청교도들의 눈초리가 머물렀던 그녀의 신체부위들을 모멸감과 함께 하나하나 떠올리며 청교도의 종교적·인종적 차별주의와 폭력을 고발한다. 이와 관련, 그녀는 "그들이 내 혀가 뱀의 혀처럼 갈라져 있는지 또는 내 이빨이 그들을 씹도록 뾰족한지를 그들이 알고 싶어 했다"(134)고 언급하며, 청교도들의 알몸수색이 단순히 그녀에게 모멸감을 주기 위한 것이라기보다 그녀를 악마의 덫에 빠트려 마녀사냥의 희생양으로 만들기 위한 것이었다고 밝힌다.

## V. 맺음말

신노예서사 작가들은 시공간에 구애됨이 없이 플래시백을 통해 노예제도의 개인적·역사적 사건 또는 경험을 역류시키며, 이 같은 역사를 현실적 시각을 통해 재해석·재창조한다. 이와 관련, 토니 모리슨의『빌러비드』와『자비』는 노예해방과 노예제도의 전후를 동시대적 시각으로 재현하며, 노예제도와 그 후유증, 그리고 노예제도의 형성과정과 그 폭력을 추적한 소설들이다. 모리슨은 이 같은 역사쓰기를 통해 동시대 아프리카계 미국인들은 물론, 아프리카계 미국인들의 역사적·현실적 희생에 관심을 가진 독자들에게 과거에 대한 생생한 역사를 전달해준다. 뿐만 아니라, 모리슨은 이를 통해 지난날의 노예역사작가들이 밝힌 역사를 동시대적 역사관을 통해 재창조하고, 묵과하거나 간과한 역사를 재해석하며, 노예역사가 중지된 역사가 아닌 동시대에도 지속적으로 되살려야 할 역사임을 강조한다.

『빌러비드』는 전직 노예들인 작중인물 세스와 폴 디의 대화를 통해 노예제도의 비참한 삶을 역류시키고, 현재의 사건 역시 이 같은 과거에 비추어 전개한다. 이 소설의 첫 장은 세스와 그녀의 딸 덴버가 아기 유령의 출몰로 인해 불안 속에서 살아가는 현실을 제시한다. 모리슨은 이 같은 현실상황을 소설의 서두에 제시한 다음, 작중플롯 전개의 주요 역할을 하는 폴 디를 등장시켜 노예제도를 역류시킨다. 폴 디는 세스의 지난날 동료노예로, 느닷없이 124번가를 찾아 세스가 살아온 그동안의 일들을 물으며, 세스로 하여금 그녀의 과거를 역류시키도록 유도하고, 자신도 이에 화답하는 방식으로 그의 과거를 역류시킨다. 과거에 대한 그들의 이 같은 역류 방식은 흑인 민담의 스토리텔링을 연상하게 한다. 따라서 모리슨의 플래시백은 20세기 초 '의식의 흐름' 소설의 자아탐구에서 나타나는 플래시백과 차이를 보인다.

모리슨은 노예제도의 비참한 역사를 재현하는 데 있어서 육체적 상처를 통해 노예제도의 폭력을 역류시킨다. 모리슨의 이 같은 과거재현 방식은 역사적이고, 현실적이다. 세스의 등에 난 나무모양의 상처는 모성조차 보호받지 못한 아프리카계 미국여성에게 침묵을 강요한 제도적 폭력을 환기시키는 역사적 사료이다. 세스의 이 같은 상처는 목주위에 생긴 빌러비드의 상처로 이어진다. 빌러비드의 상처는 어린 딸을 노예제도의 폭력에 내맡길 수 없다는 어머니의 모성적 폭력으로 인해 생긴 상처이다. 따라서 빌러비드의 상처는 모성적 폭력 이 전에 노예제도의 폭력을 환기시키는 상처이다. 세스와 빌러비드처럼, 폴 디 역시 노예제도의 상처를 지니고 있다. 폴 디의 상처는 정신적 상처이지만, 인간으로서 그리고 남성으로서 이성을 선택할 자유도 허용하지 않은 노예제도의 억압과 폭력으로 인한 상처란 점에서 세스와 빌러비드의 상처와 배경을 같이한 상처이다.

모리슨은 또한 『자비』에서 일인칭 목소리와 삼인칭 목소리가 교차되는 서술형식을 통해 미국의 기원과 노예제도의 형성기를 재현한다. 이 소설에서 모리슨의 작중인물들인 리나, 소로, 그리고 플로렌스는 혼란스럽고 유동적인 미국의 식민시대와 노예제도의 형성기, 즉 아직 조직화되기 이전,

또는 조직화 되어갈 때의 상호 충돌적인 혼잡한 상황 속에서 소외되고 통제된 인종적·인종 문화적·종교적 희생자들이다. 하지만 모리슨은 농업경제로부터 자본주의 시대로 전환해가는 미국의 역사를 추적하면서, 인종적·경제적 배경에 따라 점점 선명해지는 피부색의 계급적 차이와 노예제도의 제도적 폭력과 희생을 백인과 인종적 타자들과 관계를 통해 제시한다.

모리슨은 또한 이 같은 미국의 기원과 노예제도의 형성과정을 구세계로부터 신세계로 이식된 기독교의 종교적 배타성과 폭력에 비춰 추적한다. 이와 관련, 모리슨은 백인여주인인 레베카의 종교적 트라우마를 제시하며, 구세계의 종교적 배타주의를 추적하고, 여성노예들인 리나와 플로렌스의 경험을 통해 신세계의 종교적 배타주의를 추적한다. 하지만 모리슨은 여기서 그치지 않고 남편과 아이들을 잃고 신세계의 개신교도가 된 레베카가 구세계의 종교적 배타주의로 회귀하는 모습을 추적한다. 레베카는 제세례파신도가 된 뒤에 리나를 엄격하게 주인과 노예의 관계로 대하는데, 그녀의 이 같은 태도는 인종적 배타주의와 동일시되는 태도로, 신세계의 인종차별주의가 이 같은 종교적 배타주의와 결합된 결과물임을 말해준다.

# 제9부

# 유머: 인종적 억압에 대한 공격수단과 방어수단

## I. 머리말

아프리카계 미국문학의 유머를 백인 문학적 시각으로 접근한다면, 그 본래의 목적과 취지를 왜곡하는 결과를 초래할 수 있다. 백인문학은 유머를 인간본성의 모순들, 약점들, 또는 기행들에 바탕을 둔 표현양식으로 간주한다.[15] 따라서 백인문학의 이 같은 시각으로 접근할 경우, 아프리카계 미국문학의 유머는 백인주인들(또는 보다 넓은 의미에서 식민주의자들)이 아프리카계 미국인들의 육체적 모습, 지적능력, 그리고 문화적 가치를 왜곡된 생물학적·정신적 시각으로 접근하여 노예제도(또는 식민주의)의 명분으로 활용하거나, 그들의 이 같은 행위를 정당화하려 한 인종차별주의자들의 명분과 논리를 수용하고 거들어주는 표현형식으로 간주될 수 있다.

아프리카계 미국문학의 대부분은 백인사회의 권력과 억압을 폭로하

---

15) 서양의 백인문학에서 유머는 인간본성의 모순들, 약점들, 또는 기행들을 비판대상으로 하여 웃음거리로 만들고, 풍자는 스캔들에 대한 폭로, 위선에 대한 비난, 그리고 악에 대한 징벌 또는 악인들의 제거를 요구하며, 임의적으로 코믹요소들을 끼워 넣어 공격대상이자 치유대상들을 웃음거리로 만든다(Draitser 3).

고, 이에 대항하기 위한 장르로 시작했으며, 이 같은 맥을 현재까지도 이어오고 있다. 아프리카계 미국문학의 유머에서 웃음을 유발하는 요인은 치유할 수 없는 인간본성의 결핍들과 모순들이 아니다. 그것은 노예제도의 착취와 억압에 의해 초래된 육체적·정신적 희생의 고통과 슬픔을 해소하거나, 그로부터 벗어나려는 저항의식과 자유에의 열망을 구현하기 위해 노예주인들의 권력과 우월감을 무기력하고 웃음거리로 만드는 지혜와 위트이다. 이와 관련, 랭스턴 휴스Langston Hughes는 「음유적인 사람」("Minstrel Man")에서 "나의 입이/웃음으로 넓어졌기에/나의 목구멍이/노래로 깊어졌기에,/당신은 내가 고통 받는다고 생각하지 못한다" (http://www.poemhunter.com 1)고 말함으로써, 아프리카계 미국인들의 웃음 뒤에 역사적·현실적 고통이 잠겨있음을 말해준다. 그리고 랠프 엘리슨Ralph Ellison은 「웃음의 무절제」("An Extravagance of Laughter")에서 웃음의 치유효과에 초점을 맞추어 "사회 내에서 스트레스가 크면 클수록, 코믹적인 해독제가 더 강하게 필요하기 때문에, 극단적인 미국사회의 혼란에 의해 강요된 스트레스가 코미디를 요구한다"(146)고 밝힌다. 즉 엘리슨에게 웃음은 아프리카계 미국인들에 의해 인내된 불의, 모욕, 그리고 질곡에 대한 전복적 행위이자 자각적·자기의식적 행위의 표현이다. 휴스와 엘리슨의 이 같은 견해들은 또한 아프리카계 미국문학뿐 아니라 구소련 작가인 미하일 바흐친Michael Bahktin의 대화론Dialogism과 축제론Carnivalism을 상기시키기도 한다. 바흐친의 대화론과 축제론은 스탈린 시대의 전체주의, 획일주의 그리고 통제주의에 맞서 복수음성polyphony의 자유분방함, 파괴성, 그리고 차별적 다양성을 강조한다(Pechey 8-11). 바흐친의 표현형식은 절대적인 권력에 저항하기 위해 간접풍자형식의 우회적 방법을 사용하고 있다는 점에서 이념적·제도적 시공간만 달리할 뿐 아프리카계 미국문학의 대항수단과 맥을 같이한다고 말할 수 있다.

아프리카계 미국문학의 유머와 관련하여 반드시 주목해야 할 사항은 단순히 웃음을 유발하기 위한 유머가 아니라는 점이다. 아프리카계 미국문학의 유머는 노예주인들의 권력과 우월감을 무기력하고 웃음거리로 만들어 노예제도의 문제점을 지적하고 개선을 요구하고 전복적 목적을 가지고 있다. 아프리카계 미국문학의 유머에 나타난 이 같은 목표는 비판대상과 수사학적 어조에 있어서 전통적 풍자문학과 차이를 보일지 모르지만, 궁극적으로, 스캔들 대신 인종차별에 대한 폭로, 노예주인의 인종우월주의적 위선에 대한 비난, 그리고 인종차별과 억압을 초래하는 악에 대한 징벌 또는 그 행위자들의 제거를 주된 목표로 삼고 있다는 점에서 전통적 풍자문학의 목표와 맥을 같이한다. 본 장은 이 같은 맥락에서 아프리카계 미국작가들이 유머를 어떤 목적으로 어떻게 활용하는지에 대해 논의한다.

## II. 계략, 아이러니, 그리고 역설을 통한 공격과 방어

아프리카계 미국작가들은 인종차별주의자들로부터 저항의지 또는 공격성을 드러낸 것이란 오해를 받지 않기 위해 유머를 활용한다. 아프리카계 미국작가들의 이 같은 시도는 노예제도의 폐지를 요구하는 글을 쓸 때에, 그리고 해방 후 짐 크로Jim Crow 흑인분리정책에 대항하는 글을 쓸 때에, 도덕적으로 너무나 중요하고 진지한 일들을 표현할 때에 형성된 기조이다. 아프리카계 미국작가들은 아프리카계 미국문학으로 전통으로 자리매김한 이 같은 관행에 따라 인종차별주의를 직접적으로 공격하기보다 세련된 유머형식으로 평가받는 아이러니, 풍자, 그리고 패러디를 활용하여 공격한다. 예컨대, 남북전쟁 이전의 작가들인 헨리 빕Henry Bibb과 윌리엄 웰스 브라운William Wells Brown은 아이러니한 속임수를 통해 노예제도의 억압과 폭력을 고발하고, 자유를 추구한 대표적 작가들이다.

빕은 1847년에 출간한 자필 노예서사 『미국의 노예, 헨리 빕의 생애
와 모험들에 대한 서사』(*Narrative of the Life and Adventures of Henry
Bibb, An American Slave*)에서 너무나 충격적이어서 직접 밝힐 수 없는
어머니와 누나가 당한 성폭행에 대하여 이야기한다. '나는 태어났다'로 시
작하는 이 서사에서, 그는 자신의 출생일, 출생지, 부모들에 대한 정보를
모호하게 처리한 다음, 노예제도로 인해 아내와 자식을 잃은 일, 흑백혼혈
아내를 백인주인에게 빼앗긴 일, 도피의 욕망, 안식일 학교를 운영하고자
한 노력, 그리고 실질적 자유추구에 대한 미국혁명 이념의 충격들에 대해
밝힌다. 특히, 미국혁명 이념과 관련하여, 독립선언서를 언급하며, 그는
"모든 사람이 노동에 대한 대가를 받을 권리, 아내와 자식을 가질 권리,
자유와 행복을 추구할 권리, 그리고 양심의 허락에 따라 신을 숭배할 권리
를 갖는다"(444)는 믿음을 가지고 있다고 언급한다. 물론, 빕의 이 같은
언급은 바라보는 시각에 따라 독립선언서를 백인사회를 향해 던지는 공허
한 외침 또는 정치적 요구처럼 여겨질 수 있다. 하지만 "상처를 주는 어떤
속임수도 사용하지 말라"(Use no hurtful deceit)(80)는 벤저민 프랭클린
Benjamin Franklin의 격언처럼, 빕은 백인사회가 기획한 이념에 대해 공격적
이거나 비판적인 어조를 자제한 채, 아이러니하게도, 존중하는 태도로 이
념에 대한 신뢰를 공공연화 하고, 이념의 기획자인 백인사회가 오히려 실
천의지의 결여로 그들의 이념을 스스로 파기하고 있는 것에 대하여 반성
을 촉구하는 모습이다. 따라서 빕의 아이러니는 미국의 국시나 다름없는
독립선언서의 이념을 사실상 공염불처럼 표류시켜온 백인사회를 자극하
지 않으면서, 역으로 백인사회의 허구와 위선을 효과적으로 비판하고자
한 당시의 유머형식을 말해주는 대표적 사례이다.

빕의 이 같은 유머는 아프리카계 미국문학의 최초 소설가인 윌리엄

웰스 브라운의 문학적 형식을 통해 더욱 더 발전한다. 브라운은 1847년 출간한 자서전에서 자유, 정의 그리고 평등을 목표로 내세운 미합중국의 혁명이상이 노예문제의 해결에 아무런 해답을 제공하지 못하고 있음을 확인하고, 주인들을 속일 수 있는 방법을 배워서 생존전략으로 활용할 필요성이 있음을 강조한다. 프랭클린의 격언처럼, 브라운은 "노예제도는 희생자들을 거짓말로 저속하게 만든다"(Levine 107 재인용)고 말함으로써, 노예제도의 어려운 환경 속에서 생존을 위한 유일한 출구가 미합중국의 혁명이상이 실현되기를 기다리는 것이 아니라, 급한 대로 현실의 위협을 모면할 수 있는 계략 또는 속임수임을 분명히 한다. 그 예로, 브라운이 노예무역상을 위해 경매에 나갈 노예들을 더 검게 만드는 일을 했던 것은 아이러니하게도 노예들의 피부색을 더 검게 만들어 노예들을 더 충실한 노예들로 보이게 하기 위해서이다. 그리고 그는 죄를 지은 그가 죄 없는 자유흑인에 자신의 죄를 뒤집어 씌워 때려도 좋다는 각서까지 써주고 도망친 사건에 대하여 밝히며, "이 불쌍한 동포에게 내가 저지른 속임수에 심히 유감스럽다"(Levine 107 재인용)고 술회하는데, 이 역시 그의 아이러니한 속임수가 서사의 전체적인 내용에서 그에게 도피를 허용하고, 자서전을 기술하는 핵심적 테크닉임을 말해준다. 1853년 출간한 브라운의 『클로틀, 대통령의 딸』(Clotel, a President's Daughter)은 최초의 아프리카계 미국소설이다(Lee 110). 이 소설에서, 브라운은 불과 10여 년 전에 겨우 사실로 밝혀진 당시의 가십gossip, 즉 토머스 제퍼슨Thomas Jefferson이 아프리카계 내연의 처를 두었다는 것과 혼혈 자식들이 있다는 것을 소재로 다룬다. 가십의 허구성을 소설의 허구성으로 승화시킨 브라운의 문학적 성과는 사실적 경험을 기록한 노예서사의 전통을 파기하고 소설의 시대를 연 것이다. 이 소설에서, 브라운은 미국의 이념적・법적 기초를 기획하고, 그것을 집행하고 관리해야 할 세 번째 최고 통수권자가 된 제퍼슨이 사생활을 감춰둔 채 자신의 이념을 표류시키고, 노예제도의 억압과 폭력을 방치한 아이러니와 위선을 폭로한다(Reid-Pharr 140). 즉 브라운의 폭로는 가십 또는 소설의 허구성을 활용하여 폭로된 당사자로부터의 공격을 방어하며, 허구성을 믿지 않는 사람들에게 웃음거리를 제공하는 데에 기여했음을 알 수 있다. 브라운은 이 밖에도 웃음을 자극하기 위한 방법으로, 백인이 아프리카계 미국인으로 분장한 가면극minstrel의 전통에서 차용한 아프리카계 노예들의 맬러프라피즘malapropism(우스운 말)들과 골계를 사용하여 희극적 오락comic relief을 보여준다. 예컨대, 작중인물 폼페이Pompey에 대해 "폼Pomp. . .정말 니그로 혈통이야, 그리고, 자신에게 말할 때, '이 니그로는 위조가 아니야, 그는 진정한 실물이라 말이야. 이 아이는 당신의 반반의 누구도 아니야. 그에 대한 가짜가 아니야'라고 말하곤 했지"(Reid-Pharr 141 재인용)라고 언급하는데, 폼과 자신이 모두 아프리카계 미국인임에도 자신을 이처럼 표현한 것은 상대방의 웃음을 유발하기 위한 것으로, 맬러프라피즘을 환기시킨다.

남북전쟁 이전의 이 같은 유머전통으로부터 벗어나 진보적인 사회적 목표를 추구하며 유머와 함께 희비극tragicomedy 형식을 개발한 작가는 후기재건시대의 찰스 체스넛Charles Chesnutt이다(Carpio 318). 데보라 맥도웰Deborah McDowell에 따르면, 체스넛은 조지 워싱턴 케이블George Washington Cable의 1897년 작 『옛 크렐 시절들』(Ole Crele Days), 토머스 넬슨 페이지Thomas Nelson Page의 1827년 작 『옛 버지니아에서』(In Ole Virginia), 그리고 조엘 챈들러 해리스Joel Chandler Harris의 1881년 작 『리머스 아저씨: 그의 노래들과 말씀들』(Uncle Remus: His Songs and Sayings)에서와 같이 남부농장을 목가화 하고 남북전쟁 전의 남부를 이상화했던 농장소설들의 향수적 전통규범을 파기한 작가이다(157). 남부농장 소설에 대한 체스넛의 이 같은 부정적 반응은 엄격히 말해서 당시의 대중적 경향에 반기를

든 것이나 다름이 없다. 체스넛은 또한 남북전쟁 전 작가들의 벌레스크나 언어적 아이러니verbal irony 중심의 유머를 우화에 바탕을 둔 극적 아이러니dramatic irony 형식16)으로 발전시킨 작가이다. 1899년 출간한 단편집『여성마법사』(The Conjure Woman)는 체스넛의 이 같은 경향을 살필 수 있는 대표작이다.『여성마법사』는 1880년 조엘 챈들러 해리스가 출간한『리머스 아저씨, 그의 노래들과 말씀: 옛 농장의 전래이야기』(Uncle Remus, His Songs and Saying: The Folklore of the Old Plantation)를 패러디한 소설이지만, 남부농장의 목가화와 향수적 전통을 배제하고, 코믹 풍자를 통해 작가의 사회적 비판의식을 우회적으로 보여준 소설이다.

체스넛의 단편집,『여성마법사』에 수록된 일곱 편의 이야기들은 모두 전직 아프리카계 노예인 엉클 줄리어스Uncle Julius에 의해 이야기되는 형식을 취하고 있다. 이 단편집의 첫째 이야기인「마법 걸린 포도나무」에 따르면, 엉클 줄리어스는 아프리카계 미국인 같지 않은 엷은 피부색과 기민한 성격의 소유자이다. 한편,「마법 걸린 포도나무」는 체스넛이 단편집의 타이틀을『여성마법사』로 정했는지를 알 수 있게 하는 이야기이다. 이 이야기의 전반부에서 화자인 '나'는 병든 아내의 건강이 그레이트 레이크Great Lake의 추운 기후로 인해 더욱 악화되자 의사의 충고에 따라 따뜻한 지역으로 옮기려고 물색하던 중 사촌이 살고 있는 페이스빌Patesville을 선택한다. 평소 포도재배에 관심이 있던 그는 이곳에서 사촌으로부터 포도밭을 소개받고, 인수하기 전에 아내와 포도밭을 구경하러갔다가 소설의 중반부터 화자 역할을 하는 줄리어스 아저씨를 만나 포도밭에 얽힌 사연을 듣는

---

16) 아이러니는 일반적으로 화자가 말하고자 하는 의미가 겉으로 드러난 것과 다른 진술이다 (Myers 147). 아이러니는 종류를 논할 때, 언어적 아이러니로부터 소크라테스적 아이러니 Socratic irony, 극적 아이러니, 우주적 아이러니cosmic irony, 낭만적 아이러니romantic irony 등 다양하게 소개되어질 수 있지만, 본 연구에서 필자가 사용한 아이러니라는 용어는 언어적 아이러니와 극적 아이러니의 의미를 다 같이 포함한 용어이다.

다. 줄리어스는 이 포도밭에서 일했던 전직 노예이고, 포도밭의 사연을 누구보다 잘 알고 있는 사람이다. 그는 이들 부부에게 포도나무에 마법이 걸린 사연, 마법에 걸린 포도를 먹으면 얼마 후 죽는 자는 사연, 헨리라는 새로운 노예가 이 사실을 모르고 포도를 훔쳐 먹은 사연, 앤트 페기Aunt Peggy가 마법 걸린 포도를 훔쳐 먹다가 시름시름 해져서 앤트 페기에게 가서 병을 치료받고 더 많이 훔쳐 먹을 수 방법을 알게 된 사연, 그리고 주인이 여름이면 젊고 활기차지고 가을이면 허약해지는 헨리를 여름에 팔고 가을에 되사들여 재미를 본 사연, 그리고 주인의 탐욕이 포도밭을 황폐하게 만든 사연 등에 대하여 상세하게 말해준다. 엉클 줄리어스가 이 같은 사연들을 부부에게 말해주는 주된 이유는 그가 근처 오두막에 살면서 특정한 주인이 없이 방치된 포도밭을 통해 그동안 누려온 생존수단을 방어하기 위해서이다. 즉 새 주인이 포도밭을 인수하여 제대로 관리할 경우 그는 더 이상 포도를 먹을 수도 팔수도 없고, 이곳을 떠나야 하는 처지가 될 수밖에 없기 때문이다.

하지만 체스넛은 부부에게 겁을 주어 포도밭 인수를 포기하게 하려 한 엉클 줄리어스의 이 같은 속임수를 '나'의 포도밭 인수와 함께 좌절시키고, 웃음과 풍자의 효과 역시 반감시킨다. 대신, 이 이야기에서 체스넛의 웃음과 풍자는 엉클 줄리어스의 이야기들 중 헨리에 대한 이야기에서 발견할 수 있다. 헨리는 포도밭의 노예로 팔려와 포도가 마법에 걸린 줄도 모르고 훔쳐 먹다가 시름시름 앓는다. 헨리가 죽으면 헨리를 사들일 때 지불한 돈을 다 날린다는 것을 알고 있는 주인은 헨리를 마법사인 앤트 페기에게 데려가 건강을 회복하게 한다. 하지만 헨리는 앤트 페기를 다시 찾아가 포도를 먹어도 회복할 수 있는 방법을 알게 되고, 이후 마음껏 포도를 먹을 수 있게 된다. 이와 관련, 앤트 페기가 백인주인을 속이고 헨리에게 포도를 먹을 수 있게 해준 것은 노예제도하에서 속임수를 통해 주인에게 저항하는 아프리카계 미국인의 저항의지와 행동을 의미한다. 그리고 주인이 이 사실을 모른 채 헨리를 팔았다 되사는 방법으로 약간의 이익을 챙기다가, 급기야 포도의 생산성을 높여 더 이익을 보려다가 포도밭의 토양을 망쳐 치명적인 손해를 입은 것은 자신의 탐욕적인 꾀에 스스로 넘어가 주위의 웃음거리가 된 격이나 마찬가지이다.

엉클 줄리어스의 이야기는 이처럼 노예제도의 전형적인 인물을 통해 노예제도를 코믹하게 풍자하고, 노예제도 이후의 재건시대에 아프리카계 미국인들의 삶을 고발한다는 점에서 해리스의 작중화자인 리머스Remus의 동물우화[17]와 많은 차이를 보인다. 리머스의 이야기와 달리, 엉클 줄리어스의 이야기는 남북전쟁 전의 과거와 이야기가 진행 중인 남북전쟁 후 현재의 과거가 때때로 서로 이어지고, 때때로 남과 북, 문명과 비문맹, 텍스트적인 것과 대화적인 것, 전전시대와 전후시대와 같은 많은 이분법적 요소들을 긴장 속에 몰아넣으며, 서로서로 복잡한 방식으로 정보를 전달한다. 또한 이야기들이 조장하는 다양한 대조물과 유사물은 높은 수준의 아이러니를 이루어내고, 노예해방 이후 재건시대Reconstruction의 경기침체와 그로 인한 현상들에 대하여 신랄하게 고발한다. 그럼에도, 엉클 줄리어스의 이야기가 리머스의 이야기에 나타난 폭력과 코미디를 결합하여 노예제도의 희비극을 창조하고 있다는 점은 두 이야기들의 공통점으로 주목하지 않을 수 없는 사항이다. 카르피오의 견해에 따르면, 엉클 줄리어스의 이야기들은 모두 리머스의 브러 래빗 이야기들에서 발견된 폭력과 코미디를

---

17) 이 소설에 수록된 많은 이야기들은 이솝 이야기들처럼 교훈적이다. 작중화자인 친절한 전직 노예 할아버지인 엉클 리머스는 아이들을 주위에 모아놓고 브러 래빗Br'er Rabbit(또는 Brother Rabbit)이 힘이 훨씬 더 센 브러 폭스Br'er Fox, 브러 베어Br'er Bear, 브러 카우Br'er cow 또는 브러 불Br'er Bull을 선제공격하거나 그들로부터 공격을 당했을 때, 기지를 발휘하여 골려먹는 이야기를 들려준다. 노예제도의 주종관계에 비추어볼 때, 가장 힘이 약한 브러 래빗은 생존을 위해 힘이 더 센 자들을 견제하고, 그들의 억압으로부터 벗어나야 하는 아프리카계 미국인이다.

결합하고 있으며, 동시에 노예들이 대상물, 동물, 또는 영적인 것들로 변형되는 현실적 변화형식들을 갖추고 있다. 따라서 그 이야기들은 노예들이 그들의 육체의 운명 또는 고결함을 통제할 수 없을 때 직면해야 하는 고통스럽고 비극적인 종말을 보여준다. 엉클 줄리어스를 통해, 체스넛은 웃음이 유쾌함과 별도로 생각되게 하고, 대신 아프리카계 미국인의 육체와 정신에 대한 노예제도의 폭력을 재현하기 위한 수단으로 노예제도의 희비극을 창조했다(Carpio 318).

체스넛의 이 같은 유머는 조지 슐러George Schuyler로 이어지면서 특정목표에 대한 신랄한 풍자로 발전한다. 1931년 출간된 슐러의 『더 이상 검지 않다』(Black No More)는 인종차별주의의 영속화를 경제적·정치적 이해관계로 간주하는 보수적 백인들, 백인의 재정지원을 호소하고 아프리카계 미국인의 주체성을 망각한 아프리카계 지도자들, 그리고 인종차별적 수식어들로 무지와 증오를 감추려고 하는 사람들을 신랄하게 풍자한 소설이다. 그의 공격목표들은 백인극우인종폭력단체KKK의 보수적 백인들과 전미 유색인 지위 향상 협회NAACP(National Association for the Advancement of Colored People)의 아프리카계 지도자들, 듀보이스Du Bois, 제임스 웰든 존슨James Weldon Johnson, 마커스 가비Marcus Garvey 등이다. 이야기의 전체적인 내용은 인종갈등을 해결하기 위해 아프리카계 미국인 과학자들이 유전자들을 변화시켜 아프리카계 미국인들을 백인들로 전환시켰을 때에 나타나는 사건들이다. 이때 백인의 인종차별주의를 묵묵히 받아들인 사람들, 사회적으로 경제적으로 기회를 얻지 못한 사람들, 그리고 성적 교제범위를 넓히고 싶어 하는 사람들이 전환을 위해 줄을 선다. 특히 난폭한 젊은 아프리카계 미국인인 맥스 디셔Max Disher는 백인으로 전환한 다음 아프리카계 미국인이었을 때 거절당한 백인여성과 결혼하고, KKK를 패러디 한 '노르디카의 기사들'Knights of Nordica이란 백인지상주의단체의 수장이 된다. 하지만 다른 동료들과 함께 인종에 대한 비밀이 폭로되고, 그는 동료들과 함께 남부 소도시인 미시시피의 해피 힐Happy Hill로 도망치지만, 인종차별주의가 강한 이곳에서 그들의 비밀을 보호하기 위해 얼굴을 코르크로 검게 하기로 결심한다. 하지만 그들은 아이러니하게도 비밀이 폭로되었기 때문이 아니라 검게 보인다는 이유 때문에 폭력을 당하는 수난을 겪는다. 따라서 이 소설은 아프리카계 미국인들이 흑인의 주체성과 정신을 망각하고 인종적 콤플렉스를 통해 지나치고 터무니없는 욕망과 허영을 만들어내는 것에 대해 비판한 소설이다. 즉 슐러는 이 소설을 통해 아프리카계 미국인들에게 억압자들을 모방하고 싶게 만들고, 그들의 동족들을 착취하게 만들며, 얄팍한 물질주의에 투자하고 싶게 만든다. 그리고 그는 그들에게 지위향상에 대한 이상에 투자하고 싶게 만든 뒤, 지나칠 때, 어떻게 그들을 부패시키는지를 보여준다(Carpio 319).

## III. 맺음말

아프리카계 미국작가들의 유머는 서구사회의 권력에 무방비로 노출되었던 아프리카인들의 생활과 문화로부터 노예무역과 함께 미국에 이식된 아프리카계 미국인들의 일상생활과 문화적·문학적 표현양식이다. 다시 말하면, 노예제도와 인종차별의 폭력이 지배하던 시절에, 아프리카계 미국작가들에 유머는 노예제도의 제도적 폭력과 노예해방 이후의 인종차별주의에 저항할 수 있게 해준 공격수단이고, 공격에도 불구하고 보복의 빌미를 제공하지 않음으로써 생존의 위협을 피하게 해준 약자의 방어수단이다.

아프리카계 미국작가들의 유머는 이 같은 시작과 함께 시대적 환경과 그에 따른 목적에 따라 변화를 거듭해오고 있다. 아프리카계 미국작가들의 유머의 이 같은 변화는 무엇보다도 아프리카계 미국인들의 부단한 노력으로 키워온 자산이 정치, 사회, 문화 등 미국사회의 여러 분야에서 백인우월주의자들의 공격대상이 될 수 없을 만큼 성장한 것과 무관하지 않다. 부분적으로 미약한 부분들도 있고, 시기상조라는 주장도 있지만, 아프리카계 미국작가들의 유머는 더 이상 유치하고 저질적인 유머가 아니다. 즉 그것은 이 같은 변화에 힘입은 아프리카계 미국작가들의 끊임없는 재해석·재창조를 통해 문학적 표현양식으로 자리매김 해오고 있다.

남북전쟁 이전의 아프리카계 미국작가들인 헨리 빕, 해리엇 제이콥스, 윌리엄 웰스 브라운의 유머는 노예제도와 인종차별의 폭력을 우회적으로 비판한다. 그리고 노예해방 선언 이후의 작가인 찰스 체스넛의 유머는 노예제도 시절을 환기시키며, 노예해방에도 불구하고 인종적 편견과 경제적 빈곤에 시달여야 하는 아프리카계 미국인들의 고난스러운 삶을 재치와 해학을 통해 전달해준다. 체스넛의 이 같은 유머는 조지 슐러에게로 이어지면서 보다 더 정치적이고, 해학적인 유머로 나타난다.

제10부
# '시그니파잉'과 '다즌스'

## I. 머리말

아프리카계 미국인들과 다른 지역 흑인들의 '시그니파잉'Signifying을 사전적 의미에 의존하여 '악담하기' 또는 '욕하기'로 번역하는 것은 '시그 니파잉'에 대한 번역이라기보다 '다즌스'Dozens에 대한 번역이다. '다즌스' 는 아프리카계 미국사회의 외설적 농담게임으로, 기지가 넘치고 비유적인 외설, 악담, 그리고 욕설을 주고받는 게임이다.[18] 따라서 '시그니파잉'을 이 같은 관점에서 번역할 경우, 부분적인 의미를 전달하는 번역이 될 수밖 에 없다. '시그니파잉'을 다양하고 심도 있게 분석한 아프리카계 미국비평

---

18) '다즌스'는 '사운딩'Sounding와 함께 '시그니파잉'의 하부 장르로(Gates 81), 외설적이고 혐 오스러운 부분이 많아 학술논문에서 소개하기 힘들다. 따라서 본 연구는 외설적인 부분과 혐오스러운 부분을 '××'처리하는 방식으로, 두 장르를 소개하고, 각각의 차이를 소개하고자 한다. 먼저 '다즌스'의 대표적인 사례는 랩 브라운Rap Brown의 엄마와 관련한 '다즌스'이다. 서두의 일부를 소개하면, "난 네 엄마와 ××했지/그녀는 멍해졌어./그녀의 숨은 악취를 풍겼 어,/하지만 그녀는 분명 맷돌질을 할 수 있어./ . . . "(Gates 72). 반면, '시그니파잉'은 외설 적이긴 하지만, 인간적인 면을 보인다. 이 장르의 대가이기도 한 브라운의 '시그니파잉' 중 서두를 소개하면, "내게 간섭하기에 앞서/토끼와 달리기 경주나 해, 똥이나 처먹고/달에게 나 짖어대."라고 말하는 형에 의해 말씨름 한 판이 시작될지도 몰라/그때, 그가 내게 말한다 면, 나는 이렇게 말하겠지:/난 감미로운 못된 놈, ××,/아기제조기, 요람교반기,/수사슴 바인 더, 여자 사냥꾼 . . . "(Gates 72).

가인 헨리 루이스 게이츠 주니어Henry Louis Gates, Jr에 따르면, '다즌스'는 "누군가를 언어로 파괴하고자 하는 무자비하게 저속한 게임"(Gates 72)인 반면, '시그니파잉'은 "보다 더 인간적"(72)이다.19) 게이츠의 이 같은 구분은 '시그니파잉'이 '다즌스'보다 상대적으로 저속하지 않다는 의미로 들릴 수 있지만, 좀 더 의미를 확대해보면, '다즌스'와 달리 저속한 수사법을

---

19) '시그니파잉'은 "언어적 가면 쓰기 또는 비유적 표현하기의 중요방식"(Gates 77), "수사학적 공격양식, 카타르시스를 유도하는 상징적 행위양식"(Kochman 257), 그리고 승리와 설득을 위한 "즉흥적 순발성ad lib quickness과 계속적인 언어적 유희"(Langham 2)이다. 토머스 코흐먼Thomas Kochman의 정의를 환기시키듯, 글렌다 카르피오Glenda Carpio는 '시그니파잉'을 "인종차별주의의 고통을 해결하기 위한 방법"(*Laughing* 4), '시그니파잉'의 하부 장르들을 "공격성을 감춘 아주 비위협적인 형식"(*Laughing* 5)과 "유보된 단언적이고 신랄한 유머"(*Laughing* 5)로 정의하며, 그 사례를 '노예해방 직후의 유머'와 '교수대 유머'Gallow's Humor를 통해 소개한다. 카르피오가 소개한 '노예해방 직후의 유머'에서, 백인주인은 감정에 호소하는 미사여구를 통해 작별인사를 고하는 아프리카계 노예를 붙잡아두려 하지만, 아프리카계 노예도 같은 미사여구로 응수하며 그동안 제도적 폭력과 억압을 행사해온 백인주인의 저자세를 유머러스하게 조롱한다. 백인주인은 이제까지 해온 것과 달리 농장을 떠나는 아프리카계 노예 톰Tom을 "오 믿을 수 있고 충성스러운 톰 아저씨!"(5)라고 칭하며 그에게 호감 있는 태도로 다가서려 한다. 그리고 백인주인은 그를 붙잡아두기 위해 "내가 소망하는 것과 반대로, 링컨이 당신에게 자유를 얻도록 강요했어, 확신하건대 그것은 당신의 희망과도 반대되는 것이겠지"(5)라고 말하며, 톰이 떠나지 않도록 설득한다. 이에 대해 톰은 "고맙습니다, 존경스럽고, 친절하며, 사랑스러운, 관대한 주인님, 저는 떠날 생각입니다"(5). 하지만 그는 백인주인의 저자세에 감춰진 지난날의 억압과 폭력을 기억하며 "하지만 떠나기에 앞서 전 주인님께 알려주고 싶어요, 제가 예나 지금이나 항상 당신을 개자식으로 기억할 것이란 걸 말이죠"(5)라고 응수한다. 이 유머에서 백인주인의 저자세는 이기적이고 비열하다. 하지만 톰은 백인주인의 계략에 속지 않겠다는 단호하고 공격적인 의지를 유머스럽게 드러내며, 백인주인을 조롱한다. '교수대 유머'와 관련, 카르피오는 20세기와 미시시피Mississippi를 시공간적 도시를 배경으로 주고받는 백인과 아프리카계 미국인의 수사학적인 대화를 '시그니파잉'의 대표적 사례로 소개한다. 이 대화에서 한 아프리카계 미국남성이 낯선 소도시에 도착한다. 그는 주위에서 아프리카계 미국인들을 찾을 수 없게 되자, 한 백인에게 "여기서 유색인들은 어디서 돌아다니나요?"라고 묻는다. 이에 대해 백인은 공공광장을 가리키며, "당신 저 나무줄기가 보이지?"라고 답변한다. 백인의 답변은 아프리카계 미국인들이 공공광장에서 나무에 묶인 채 고문과 처형을 당한 아프리카계 미국인들의 역사를 떠올린다. 즉 백인은 이 같은 비유적 답변을 통해 말하고자 하는 것은 그의 개인적인 인종차별적·배타적 태도를 드러내며, 이 도시에서 아프리카계 미국인은 고문과 처형으로 이미 모두 사라져버려서 아무도 남아있지 않으니 더 이상 찾지 말라는 것이다.

활용하여 상대방을 굴복시키거나 파괴하려는 유머형식이 아니라, 언어적 폭력과 다른 형태의 폭력에 의해 파괴되거나 좌절한 사람을 이로부터 벗어나도록 도와주는 수사적 표현양식임을 말해준다.

게이츠는 1989년에 발표한 『시그니파잉 멍키』(*The Signifying Monkey*)에서 '시그니파잉'을 "흑인의 이중적 목소리"(black double-voicedness)(xxiv)로 정의하고, 이 같은 목소리의 주인공을 아프리카의 요루바Yoruba 신화에서 찾는다. 요루바 신화에 따르면, 주인공인 이수-엘레그바라Isu-Elegbara 또는 에주Edju는 인간과 신 또는 신과 인간, 진실과 이해, 신성한 것과 속세적인 것을 연결시켜주는 메신저 역할을 하는 책략가trickster이다. 그는 열여섯 명의 신들이 인간들이 제물을 바치지 않아 기아상태에 이르자 이를 해결하기 위해 오런간Orungan을 찾아가 도움을 요청한다. 오런간은 그에게 열여섯 개의 야자열매로 만들어진 큰 물건이 있다는 것과 이를 얻어서 의미를 이해하면 인간의 선의를 다시 얻을 수 있다는 것을 말해준다. 이를 듣고 이수는 야자나무가 있는 곳을 찾아가고, 여기에서 만난 원숭이들이 그에게 열여섯 개의 야자열매를 준다. 하지만 그는 어떻게 해야 할지 모른다. 이에 원숭이들은 그에게 세상으로 나가 물어보라고 말한 뒤, 열여섯 곳에서 열여섯 가지의 말을 들을 것이라고 일러준다. 그리고 이 일이 끝난 다음 신들에게로 돌아가서 그동안 알게 된 것을 이야기해주고, 다시 인간들에게 돌아와 신들의 말을 전해주면 인간들이 다시 두려워하여 제물을 바칠 것이라고 조언한다. 신화의 취지는 전달자적인 이수와 계략가인 원숭이들의 역할로 신과 인간의 관계가 회복된 것이며, 인간이 전과 달리 신들에게 저항적 의지를 관철시키고 신으로부터 제물에 대한 보상을 이끌어낸다는 것이다. 다시 말하면, 신이 인간에게 나쁜 일이 일어날 것에 대한 미리 정보를 제공하면, 인간은 신에 대한 두려움과 함께 나쁜 일에 대비를 하고, 대가로 신에게 제물을 바치게 된다는 것이 이 신화의 취지이다.

이수는 이 신화 속에서 "흑인의 모국어를 사용하는 자기의식의 원리, 즉 메타 인물meta-figure 자체, 흑인적 수사법을 활용하는 인물"(Gates 53), 그리고 그의 의식적·행동적 양식에 대하여 "개성, 풍자satire, 패러디, 아이러니, 매직, 불확정성interminancy, 개방성, 모호성, 성욕sexuality, 운명적 가능성chance, 불확실성, 분열과 화해, 배반과 충성, 닫힘과 열림, 그리고 감금과 탈출을 의미하는 인물"(Gates 14)이다. 이와 관련, 게이츠는 이수의 다양하고 역설적인 상징성을 아프리카의 대표적인 동물인 원숭이의 의인화로 재해석하고, 원숭이를 "이수-엘레그바라의 기능적 등가물"(75)이라고 밝힌다. 게이츠의 이 같은 해석은 그의 저서명인 '시그니파잉 멍키'가 이수-엘레그바라의 신화적 인물임과 동시에, 자유로운 자의식적·개방적 기지와 다양한 수사학적 표현의 대가임을 밝혀준다.

'시그니파잉'은 보다 더 구체적으로 흑인들의 토착어로 이루어진 모든 수사학적 체계와 표현을 집약한 용어이다. 게이츠에 따르면, '시그니파잉'의 체계는 일상적 언어의 투명성과 대조적으로 자유로운 언어의 놀이와 의미의 치환을 지향하는 체계이며, 이 같은 체계를 지향한 문학은 의미를 명확히 전달하기보다 의미를 지연시키고 수사학적 구조와 전략에 치중한다(53). 게이츠의 이 같은 견해는 '시그니파잉'의 의미를 '다즌스'의 정의에서 벗어나 보다 광범위한 수사학적 표현양식으로 확대해석하고 있음을 말해준다. 즉 게이츠가 '시그니파잉'을 정의하는 데 있어서 이처럼 수사학적 양식을 강조한 것은 '시그니파잉'의 정의가 '다즌스'와 같은 공격적 효과와 상관없이 다양한 수사학적 표현양식을 토대로 얼마든지 논의될 수 있음을 말해준다. 이와 관련, 게이츠는 '시그니파잉'에 대한 토머스 코흐먼의 정의를 제한적 정의로 간주한다. 코흐먼은 '시그니파잉'을 "수사법의 공격적 양식, 카타르시스를 유도하는 상징적 행위의 양식"(257)으로 정의한다. 코흐먼의 이 같은 정의는 '다즌스'에 치우친 정의로, '다즌스'와 '시그니파잉'에 대한 랩 브라운의 차별적인 정의에도 크게 못 미치는 정의이다.

　게이츠가 '시그니파잉'을 코흐먼의 제한적 정의에 머물지 않고 수사학적 체계와 표현양식으로 정의하는 데에 중요한 역할을 한 이 분야의 대표적인 학자들은 로저 에이브러햄스Rodger D. Abrahams, 리처드 랭햄Richard Langham, 그리고 클라우디아 미첼 커넌Claudia Mitchell-Kernan이다. 로저 에이브러햄스는 '시그니파잉'을 특별한 수사학적 전략과 목적을 가진 언어로서 정의한 첫 학자이다. 그는 '시그니파잉'을 간접적인 언어적 또는 제스처적 수단을 통해 의미를 함축하기(Deep 264), 그리고 언어적 가면 쓰기 또는 비유적 표현하기의 중요방식으로 정의한다(Gates 77). 그의 이 같은 정의는 '시그니파잉'이 주제에 대해 요점을 말하지 않고 우회적으로 말하는 수사학적 표현형식 또는 비유적 표현형식임을 말해준다.

　한편, 에이브러햄스는 '시그니파잉'의 목적, 장르, 그리고 사례를 형식적·일상적 관점에서 제시한다. 먼저 '시그니파잉'의 목적과 관련하여 에이브러햄스는 계략가가 상대를 "조롱하거나 빈정거리고, 흠을 잡거나 감언으로 속이기 위한 목적(Deep 51-52), 그리고 꾸짖어 괴롭히거나goad 떠벌리려는boast 목적(Deep 264)으로 사용한다고 밝힌다. 그리고 '시그니파잉'의 형식과 관련하여 에이브러햄스는 '남 말하기'toasting와 '대놓고 말하기'loud-talking or louding를 '시그니파잉' 계열의 대표적인 형식들로 꼽는다. 에이브러햄스에 따르면, '남 말하기'는 비유적 표현을 통해 없는 사람 또는 집단에 대해 말하는 양식으로, 있는 사람과 없는 사람 사이에 문제를 유발시키는 데에 목적을 두고 있으며, '대놓고 말하기'는 비유적 표현을 통해 누군가의 무엇에 대해 큰소리로 말하는 양식으로, 상대방이 듣더라도 대꾸하지 못하도록 하며 조롱하거나 질책하는 데에 목적을 두고 있다(Talking 19). 끝으로, 에이브러햄스는 '시그니파잉'의 사례들을 일상적인 삶을 통해 제시한다. 즉 그는 일상적인 삶 속에서 빈번히 발견할 수 있는 이웃들 간의 싸움 부추기기, 등 뒤에서 패러디를 통해 경찰 조롱하기, 그리고 '내 동생이 케이크를 먹고 싶어 해요.'라고 속여 케이크 구걸하기(Gates 77) 등을 '시그니파잉'의 수사학적 표현양식과 목적을 발견할 수 있는 대표적 사례들로 제시한다. 따라서 표현양식, 목적, 형식, 그리고 사례에 따라 제시된 에이브러햄스의 '시그니파잉'에 대한 정의와 기능을 종합해볼 때, '시그니파잉'은 상대를 자극하거나 공격하고, 상대에게 구걸하거나 과시할 수 있는 수사학적 표현 또는 설득력 있는 테크닉, 그리고 함축적 언어라고 말할 수 있다.

에이브러햄스에 이어, 랭햄은 '시그니파잉'을 승리와 설득을 위한 "즉흥성improvisation, 즉흥적인 순발성ad lib quickness, 그리고 계속적인 언어적 유희"(2) 등으로 정의하고, 목표를 상대방을 공격하여 파괴하는 것이 아닌, "득점하기"(3)로 정의한다. 랭햄의 정의는 '시그니파잉'을 수사학적 언어의 유희로 정의하고 있다는 점에서 브라운과 에이브러햄스의 정의에 깊이 공감하고 있음을 말해준다. 이와 관련, 인류언어학자인 미첼 커넌 역시 '시그니파잉'을 앞서의 학자들과 같은 맥락에서 정의한다. 그녀는 '시그니파잉'을 정의하는 데 있어서 '언어적 모욕'을 주된 목적으로 행해지는 '사운딩'과 '욕하기'를 '시그니파잉'의 범주로부터 배제한다. 대신, 그녀는 수사학적 표현양식, 즉흥성, 게임에 근거하여, '시그니파잉'을 게임에서 활용되는 전략, 말싸움verbal dueling, 그리고 메시지의 비유화하기로 정의한다(311). 미첼 커넌의 정의는 에이브러햄스와 랭햄의 정의를 모두 반영하고 있다는 점에서 포괄적이다. 하지만 게이츠는 커넌의 정의에 깊이 공감하면서, 다른 한 편으로 부분적인 문제점을 지적한다. 게이츠에 따르면, '시그니파잉'은 "단순히 하나의 특정한 언어적 게임"이 아니라 "설득력 있는 언어사용법"(80)이다. 게이츠의 견해는 '시그니파잉'을 정의하는 데 있어서 언어게임의 유희적 측면보다 메시지적 측면을 강조한다.

게이츠는 '시그니파잉'에 대해 "메시지를 전달하는 영리한 방법, 일종의 예술"(83)로 정의한다. 게이츠의 이 같은 정의는 '시그니파잉'의 수사학적 표현양식이 언어적 게임의 유희성에 머물기보다, 궁극적으로 "문체에 초점을 둔 메시지"(style-focused message)(78)를 전달하기 위한 표현양식임을 밝혀준다. 뿐만 아니라, 게이츠의 정의는 그의 저서명이기도 한 '시그니파잉 멍키'의 상징성을 통해 '시그니파잉'을 문학적 표현양식으로 재해석하고자 한 의도를 담고 있다. 게이츠에 따르면, '시그니파잉 멍키'는 계략가, 기교의 달인일 뿐 아니라, 문학적 기교, 문체 또는 언어를 상징한다(54).

'시그니파잉'에 대한 연구는 게이츠에 이어 동시대의 아프리카계 미국문학 연구가인 글렌다 카르피오에 의해서도 부분적으로 진행된다. 카르피오의 연구는 이 용어를 여러 유머형식들 중 일부로 접근하고 있다는 점에서 게이츠의 경우와 차이를 보인다. 카르피오에 따르면, '시그니파잉'은 농담 주고받기 배틀과 엄마 위트 배틀[20]의 저속한 말싸움 또는 모욕을 넘어 언어적 위트와 함께 순화sublimation를 강조한다(Humor 317). 그것은 일반적으로 '엄마 위트'(mother wit)로도 알려져 있지만, '엄마 위트'처럼 조크 형식에 의존하지 않고, 폭로에 초점을 둔다(Humor 317). 카르피오의 이 같은 견해는 게이츠의 경우와도 상당부분 일치하는 견해이다. 이와 관련, 본 장은 아프리카계 미국작가들의 대표적인 유머형식들인 '다즌스'와 '시그니파잉'을 아프리카계 미국작가들의 여러 사례들을 통해 논의한다. 아프리카계 미국작가들 중에, 특히 해리엇 제이콥스Harriet Jacobs, 랭스턴

---

20) '너희 엄마 대결'Yo mama battle에서 화자들은 대부분의 문화권에서 비하나 욕설의 대상으로 용인하지 않는 어머니를 대결의 대상으로 삼고 있다. 뿐만 아니라, 예컨대, "너희 엄마는 너무 뚱뚱해, 그래서 제멋대로인 성기를 금붕어처럼 보이게 하지. 차차! / 너희 엄마는 너무 우둔해, 그래서 슈퍼볼을 숟가락으로 오해하지."에서 볼 수 있듯이, 그것은 일종의 폭로전을 방불케 하듯 금기시 되어야 할 어머니의 성적·육체적·정신적·도덕적 대상들을 여과 없이 도발적·조롱적 어조로 폭로한다.

휴스Langston Hughes, 조라 닐 허스턴Zora Neale Hurston, 리처드 라이트Richard Wright에 이어, 시카고 후반기의 랠프 엘리슨Ralph Ellison, 그리고 토니 모리슨Toni Morrison 등은 '다즌스'와 '시그니파잉'을 문학적 표현양식으로 활용한 작가들이다.


## II. 비유적 공격, 언어적 유희, 그리고 재충전을 위한 유머로서 '시그니파잉'


해리엇 제이콥스는 1861년 남북전쟁 중 발표한 『어느 노예소녀의 인생사들』(Incidents in the Life of a Slave Girl)에서 백인주인의 빈곤, 그리고 신앙과 도덕성의 결여를 '시그니파잉'의 비유적·역설적 언어와 하부장르인 '남 말하기'를 통해 비판한다.

일인칭 시점에서 서술된 이 자서전적 작품에서, 브렌트Brent는 어린 나이에 노예가 된 사연을 밝히고, 10대 때에 백인주인인 닥터 플린트Dr. Flint에게 노예로 팔려가서 성적 학대를 당한 이야기, 저명한 변호사인 새뮤얼 트레드웰 소여Samuel Treadwell Sawyer와의 애정관계를 구실로 백인주인의 성폭력을 피할 수 있게 된 이야기, 그리고 백인주인의 폭력을 피해 할머니의 작은 다락방에서 숨어 지내다가 북부도시인 뉴욕으로 자유를 찾아 도망친 이야기를 자서전 형식으로 밝힌다. 제이콥스는 백인주인의 성적 위협과 이를 피하기 위한 애정관계를 묘사하면서도, 여성의 모성을 강조한다. 즉 그녀는 할머니의 집으로 도망친 뒤에 소여와의 사이에서 출생한 두 아들들을 노예제도의 폭력으로부터 구해내기 위해 많은 노력을 기울인 끝에 뉴욕에서 그들과 재회한다. 하지만 도망노예처벌법The Fugitive Slave Law 때문에, 그녀는 뉴욕에서도 여전히 전주인의 추적의 대상이 된다. 이 같은 상황에 처한 그녀를 위해 닥터 플린트에게 몸값을 지불하고, 그녀에게 자유를 얻게 해준 사람은 뉴욕에서 만난 코넬리아 윌리스 Cornelia Willis이다.

글렌다 카르피오Glenda Carpio가 "빈곤한 백인들의 가난, 무지, 그리고 도덕적 타락을 풍자한다"(317)고 평가한 것처럼, 제이콥스는 이 노예서사를 통해 노예제도하에서 직접 경험한 제도적·성적 억압과 폭력을 밝히며, 가난한 백인주인의 도덕적 결핍과 종교적 허영을 '시그니파잉'의 비유적·역설적 언어와 하부장르인 '남 말하기'를 통해 비판한다.

플린트 부인은 많은 남부의 여성들처럼 완전히 기력이 없다. 그녀는 가정의 대소사들을 감독할 힘도 없지만, 담력이 아주 강하여 편안한 의자에 앉아 여성이 채찍에 의해 피가 맺힐 때까지 매질 당하는 것을 지켜본다. 그녀는 교회의 신도였지만 기독교 정신도 없이 성찬식에 참여한다. 그런 특별한 만찬에서 저녁이 정확한 시간에 제공되지 않으면, 그녀는 부엌에 서서 접시에 요리가 담길 때까지 기다린 다음, 요리하는 데에 사용된 모든 솥들과 팬들에 침을 뱉는다.

Mrs. Flint, like many southern women, was totally deficient in energy. She had not strength to superintend her household affairs; but her nerves were so strong, that she could sit in her easy chair and see a woman whipped, till the blood trickled from every stroke of the lash. She was a member of the church; but partaking of the Lord's supper did not seem to put her in a Christian frame of mind. If dinner was not served at the exact time on that particular Sunday, she would station herself in the kitchen, and wait till it was dished, and then spit in all the kettles and pans that had been used for cooking. (22)

이 장면은 당사자가 없는 상황에서의 '남 말하기'를 연상하게 한다. 제이콥스는 이 장면을 통해 노예들을 관리할 육체적·경제적 힘도 없고, 노예들을 배불리 먹이지도 못하면서 악만 살아서 노예들을 매질하고, 학대하는 가난한 백인주인을 조롱조로 비난한다. 카르피오가 이 노예서사에 대해 "괴롭힐 그들 소유의 검둥이들도 가지고 있지 않은 백인들의 빈곤, 무지, 그리고 도덕적 타락을 풍자한다"(Humor 317)고 밝힌 것처럼, 플린트 부인은 노예제도의 지배력과 운영능력을 상실한 채 제도적 억압과 폭력만을 강요하는 백인사회의 경제적 무능력뿐만 아니라, 기독교의 종교적 사랑과 절제를 노예제도의 억압과 폭력을 미화하기 위한 도구로 전락시킨 백인여성이다.

플린트 부인에 대한 제이콥스의 '남 말하기'는 닥터 플린트에 대한 비판에서도 반복된다. 제이콥스는 가난한 백인주인인 닥터 플린트를 미식가로 소개하고, 아프리카계 여성노예가 그의 입맛에 맞는 요리를 하지 못했을 때 일어나는 그의 난폭한 반응을 우회적으로 비난한다.

　　　닥터 플린트는 미식가이다. 요리사는 두려움으로 떨지 않고 그의 식탁에 저녁을 내놓은 적이 없다. 그는 좋아하는 요리가 대령되지 않으면, 여성노예를 매질하게 하든지 면전에서 음식을 그녀의 입속에 가득 넣고 먹도록 강요하곤 한다. . . .
　　　그들은 애완견을 가지고 있지만, 그의 집에서는 무용지물이었다.

　　　Dr. Flint was an epicure. The cook never sent a dinner to his table without fear and trembling; for if there happened to be a dish not to his liking, he would either order her to be whipped, or compel her to eat every mouthful of it in his presence. . . .
　　　They had a pet dog, that was a nuisance in the house. (23)

제이콥스가 이 장면을 통해 비판하고자 하는 것은 닥터 플린트가 자신의 입맛에 맞지 않는 음식을 애완견에게 던져주는 대신, 음식을 요리한 아프리카계 여성노예에게 강제로 먹게 한 것이다. 이에 대해, 제이콥스는 닥터 플린트의 행위를 욕설적인 표현을 통해 비난하는 대신, "그들은 애완견을 가지고 있지만, 그의 집에서는 무용지물이었다"라는 우회적 표현을 통해 비난한다. 즉 제이콥스가 이 같은 표현을 통해 독자들에게 전달하고자 하는 메시지는 닥터 플린트가 아프리카계 여성노예를 개보다도 못한 존재로 인식했기 때문에, 먹기 싫은 음식을 개에게 먹이지 않고, 음식을 요리한 아프리카계 여성노예에게 억지로 먹게 했다는 것이다. 이와 관련, 제이콥스는 닥터 플린트와 애완견을 아무런 쓸모도 없는 아프리카계 여성노예의 상전들로 동일시하고, 경제력과 노동력도 없이 아프리카계 노예들의 봉사에 의존하며 살아가는 닥터 플린트를 주인이 먹다 남긴 음식을 처리해주는 일상적인 개의 역할도 해주지 못하는 애완견에 빗대어 공격한다.

제이콥스의 이 같은 기지와 비유적 표현은 '시그니파잉'의 수사학적 표현양식에 기초한 것으로, 노예해방 이후의 아프리카계 미국여성작가들에게로 이어진다. 허스턴은 백인주인과 아프리카계 노예 또는 소작인의 위트 배틀로 잘 알려진 '올드 마스터와 존'Old Master and John에 각별한 관심을 보이며, 존John의 캐릭터에 대해 "길이 없음으로부터 길(a way out of no-way)을 만들고, 부러진 지팡이로 일격을 가하거나, 내기 돈 없이 웃음만으로 잭팟을 얻는 인물"(Hurston 543)로 평한다. 허스턴의 이 같은 평은 존을 통해 노예제도하에서 아프리카계 미국인들이 겪은 비극적 삶을 고발함과 동시에, 그들의 기지 넘치는 유머가 이 같은 삶의 고통을 해소하고 극복할 수 있게 하는 동력으로 작용했음을 밝혀준다. 이와 관련, 허스턴에게 존은 노예제도의 억압과 폭력으로 초래된 슬픔의 전체적인 혼돈을 압도하는 최고의 인간이며, 슬픔을 이겨내어 시원스럽게 만들고 웃음으로 마무리 짓는 인간이다(Humor 319).

　　제이콥스에 이어, 허스턴은 게이츠가 "비유어들을 인상적으로 사용할 뿐 아니라 말하는 주체가 되는 선결조건으로서 이중적 의식의 메타포를 인상적으로 사용한다"(Gates 207)고 평가할 만큼 '시그니파잉'의 비유적 표현양식을 문학적 표현양식으로 승화시킨 작가이다. 허스턴은 『내 말에게 말해』(*Tell My Horse*)에서 대상을 비유적인 언어를 통해 비판하는 '시그니파잉'을 보여준다.

> 미스 아메리카, 세계의 최고 여성, 너는 너의 산책하는 자아를 카리브의 코발트 청색 바다로 가져가서 무슨 일이 일어나는지를 본다. 너는 네게 소란스러운 사랑을 해줄 수 있지만, 달리 마음을 주지는 않을 많은 시커먼 남자들을 만난다. 만약 네가 센스를 말하고자 한다면, 그들은 동정적으로 너를 바라본다.

> Miss America, World's champion woman, you take your promenading self down into the cobalt blue waters of the Caribbean and see what happens. You meet a lot of darkish men who make vociferous love to you, but otherwise pay you no mind. If you try to talk sense, they look at you right pitifully. (57-8)

　　위 인용문에서 허스턴은 은유와 과장을 통해 비판대상을 한껏 치켜세우고, 카리브의 가부장제도, 카리브 여성들의 자각과 지혜의 결여, 그리고 미국여성의 독립을 방해하는 유해한 효과 등을 비판한다. 이와 관련, 미셸 앤 스티븐스Michelle Ann Stephens는 허스턴의 문학적 특징을 카리브 섬나라들의 민속적 문화에서 찾는다. 허스턴은 카리브 섬사람들의 대화와 이야기를 듣고 기록한 흑인언어의 창조적 요소들, 흑인대화의 행위적 범주와 흑인언어의 비유적 능력을 말해주는 '시그니파잉'의 형식들에 깊은 관심을 보였고, 자메이카 속담(격언)들이 일상의 흑인대화에 배어있는 심적 경향, 삶에 대해 세련되고 비꼬는 듯한 접근을 보이는 철학, 아이러니, 유머를 풍부하게 갖추고 있다는 것을 발견한 작가이다(Stephens 224). 따라서 위 인용문은 허스턴이 이처럼 흑인 이방인 지역에서 발견하고 수집한 민속적 유머와 풍자를 반영한 대표적 실례라고 말할 수 있다.

허스턴의 '시그니파잉'은 『내 말에게 말해』에서 달리 '말장난'을 연상하게 하는 대화형식으로도 나타난다. 허스턴의 이 같은 유머는『노새들과 인간들』(*Mules and Men*)에서 알AI이 제이크Jake와 주고받는 대화를 통해 나타난다.

> "그래서 넌 새 셔츠를 산거야, 응, 알?" 제이크가 이빨을 핥으며 다리를 팔걸이에 걸치고, 조용히, 불확실하게 물었다.
> 알은 손가락들로 셔츠의 칼라를 조심성 있게 만지작거렸다.
> "야, 어제 내가 주운거야."
> "어디서 그걸 훔쳤어?"
> "훔치다니?" "검둥아, 넌 이런 셔츠를 훔칠 수 없어"
> "넌 그걸 사지 않았어"
> "왜 내가 사지 않았다는 거야?" "내가 돈이 없다는 거야?" 알은 말했다. 그는 똑 바로 앉아 있었고, 그의 둥근 검은 얼굴은 거짓 분개한 표정으로 붉어졌다.
> "네가 무엇을 산적이 있어?" 제이크가 물었다.
> 알은 일어났고, 주머니 속에 손을 쑤셔 넣고, 제이크 앞에 섰다.
> "너나 마셜 필즈Marshall Field's로 들어가서 셔츠를 훔치지!" "이 같은 옷을 입으려면 돈이 필요해!"
> "마셜 필즈"
> "마셜 필즈"!
> "네가 마셜 필즈에 도착한 가장 가까운 곳은 쇼윈도야." 제이크가 말했다.
> "빌어먹을 그건 거짓말이야!" 알이 말했다.

"So you got a new shirt, hunh, Al?" asked Jake quietly, tentatively,
　　sucking his teeth and throwing his leg over the arm of the chair.
Al modestly stroked the collar of his shirt with his fingers.
"Yeah, I picked it up yesterday."
"Where you steal it from?"
"Steal it? Nigger, you can't steal shirts like this!"
"How come I didn't buy it? Ain't I got money?" said Al. He was
　　sitting upright, his round black face flushed with mock indignation.
"What did you ever buy?" asked Jake.
Al rose, rammed his hands deep into his pockets, and stood in front of
　　Jake.
"You go into Marshall Field's and steal a shirt! It takes kale to wear
　　clothes like this!"
"Marshall Field's?"
"Yeah, Marshall Field's!" (Gates 97 재인용)


　　이 장면에서 알은 제이크의 선제적이고 날선 추궁 때문에 자신도 모
르게 도둑질한 사실을 인정하여 독자의 웃음을 유도한다. 알이 제이크의
추궁에 방어자세로 임하다가 도둑질한 사실을 인정하는 꼴이 된 시점은
"너나 마셜 필즈로 들어가 셔츠를 훔치지"라고 말한 순간이다. 제이크는
이 대답에 앞서 알에게 "어디서 그걸 훔쳤어?"라고 추궁했고, 알은 훔치
지 않았다고 변명하다가 제이크를 공격하려는 순간 "마셜 필즈"라고 말하
여 결국 "마셜 필즈"에서 옷을 훔친 곳임을 자신도 모르게 털어놓은 것이
다. 제이크의 영리한 추궁과 알의 어리석은 변명은 일명 '올드 마스터와
존 시리즈'Series of Old Master and John라 불리는 전통적인 아프리카 민담에
뿌리를 두고 있다. 이 민담 시리즈에서 올드 마스터와 존은 이중적 모습을
보여준다. 올드 마스터는 고집이 있고 까다로우며, 거칠지만, 또한 가부장

적, 보호적, 애정적이기도 하다. 존 또한 우둔하기도 하고, 민첩하기도 하다. 예컨대, 「존이 올드 마스터의 아이들을 구하다」("John Saves Old Master's Children")에서 존은 올드 마스터의 아이들이 익사 직전에 있을 때 바로 구하지 않고 주인에게 먼저 이 사실을 말한 뒤, 주인이 오자 아이들을 구해 준다. 존의 이 같은 행동은 주인으로부터 아이들을 구해준 대가로 자유를 얻기 위해서이다. 결국, 주인은 존에게 자유를 주겠다고 약속하고, 존은 카르피오가 소개한 '시그니파잉'의 톰처럼, "존 난 너를 사랑해"(Courlander 429)라고 말하는 주인의 애정공세를 뿌리치고 떠나버린다. 이 민담에서 존은 민첩하고 영리하다. 하지만 「요람 속의 아기」("Baby in the Crib")에서 존은 순진하고 우둔하다. 존은 주인의 돼지를 도살한 뒤, 돼지고기를 아기의 요람 속에 감추고, 주인이 찾아오자 요람을 흔들어주고 있다. 주인이 요람을 돼지고기를 찾으려고 살펴보겠다고 말하자, 존은 아이가 홍역에 걸려서 만약 요람의 이불을 걷으면 홍역에 걸려 죽을 것이라고 둘러댄다. 주인은 이를 무시하자, 다급해진 존은 "아이가 돼지로 변했더라도, 저를 탓하지 마세요"(Courlander 431)라고 둘러댄다. 여기서 존의 변명은 주인뿐 아니라 독자가 믿을 수 없을 정도로 순진하고, 어리석다. 존의 이 같은 모습은 「존이 돼지와 양을 훔치다」("John Steels a Pig and a Sheep")에서 어리석은 듯 보이지만 저항적인 모습을 보이기도 한다. 이 민담에서 존은 배가 고파서 주인의 돼지와 양을 훔쳐 먹고, 밴조를 연주한다. 존은 돼지를 고의적으로 먼저 죽여 놓고, 주인이 죽은 돼지를 먹도록 허용할 것을 알기 때문에, 주인에게 "제가 먹어도 될까요?"(Courlander 430)라고 묻는다. 존은 이런 방법으로 돼지고기를 먹는 데 성공하고, 돼지고기가 싫증나자 이제는 양을 죽여 앞서와 같은 방법으로 포식을 한다. 하지만 주인이 세 번째 양을 죽인 것을 알아채고, 존에게 "왜 양을 죽였나?"라고 묻자 존은 "주인님, 말씀드립니다만, 저는 누구의 양도 저를 물어뜯게 하지 않을 것입니다"(Courlander 430)라고 대답한다. 즉 존의 대답은 양을 먹여 살리기 위해 고된 노동을 해야 하는 아프리카계 노예의 고통과 이를 더 이상 감내할 수 없다는 저항의식을 보여준다.

허스턴에 이어, 라이트와 엘리슨은 '다즌스'를 표현양식으로 활용한 작가들이지만, 다른 한편으로 아프리카계 미국인들의 또 다른 유머형식인 '시그니파잉'을 활용한 작가들이기도하다. 라이트는 또한 『주인님 오늘』 (*Lawd Today*)을 통해 '시그니파잉' 사례를 보여준다.


"넌 하나를 내리고, 다시 배를 올렸어." 스코어를 기록하며, 슬림이 치켜
    세웠다.
"어린애로부터 사탕을 뺏는 것처럼 쉽지!" 알이 웃었다.
"딴 것을 숨기네!" 슬림이 의자 뒤로 몸을 젖히고 담배연기를 천장을 향
    해 뿜으며 말했다. 알이 카드를 섞으며 노래했다.
"통나무를 굴러 트리는 것처럼"
"매끄러운 전봇대를 내려오는 것처럼"
"손을 터는 것처럼"
"침을 뱉는 것처럼"
"콧대 높은 혼혈 여자와 사랑에 빠진 것처럼."

"You's one down, redoubled!" boomed Slim, marking down the score.
"Easy's taking candy from a baby!" laughed Al.
"Smoother'n velvet!" laughed Slim rearing back in his seat and
    blowing smoke to the ceiling.
"Like rolling off a log!" sang Al, shuffling the cards.
"Like sliding down a greasy pole!"
"Like snapping your fingers!"
"Like spitting!"
"Like falling in love with a high yellow!" (Gates 96 재인용)

라이트의 이 장면은 카드게임 중에 오가는 알과 슬림의 대화이다. 허스턴의 '시그니파잉'처럼 대화형식에 바탕을 둔 언어적 유희를 통해 웃음을 유도한다. 즉 카드게임의 승자인 알은 패자인 슬림과 비유적 농담을 주고받으며 게임의 경쟁의식을 웃음과 함께 즐거운 오락으로 승화시킨다.

라이트에 이어, 엘리슨은 허스턴과 라이트의 대화형식이 아닌 시각적 표현을 통해 웃음을 유도한다. 엘리슨은 『보이지 않는 인간』(*Invisible Man*)에서 열악한 환경의 페인트 공장에서 일하던 중에 부상을 당한 주인공의 시각을 통해 '시그니파잉'을 보여준다. 주인공이 일하기 시작한 페인트공장은 열악한 환경 속에 위험과 폭력이 도사린 곳이다. 하지만 엘리슨은 공장의 이 같은 노동환경보다 폭발사고로 인해 주인공이 입원한 공장병원의 과학만능주의에 풍자적 초점을 맞춘다. 공장병원은 과학과 기계가 지배하는 곳이다. 즉 이곳은 인간적 맥박과 음성이 과학의 기계적 리듬과 소음 속에 잠식된 곳이다. 이와 관련, 엘리슨은 병원의 기계적 환경을 담당의사의 모습과 음성을 통해 재현하고, 이를 풍자적 수사양식을 통해 신랄하게 비판한다(Selisker 582).

"자, 어때?" 한 목소리가 말했다.
두 개의 눈이 코카콜라 병 밑바닥만큼 두꺼운 렌즈를 통해서 나를 내려다보았다. 불거진 눈은 광이 나고 혈관이 나타난 게 꼭 알코올 속에 오랫동안 저장해둔 생물 표본과도 같았다.

"How are you feeling, boy? a voice said.
A pair of eyes peered down through lenses as thick as the bottom of a Coca-Cola bottle, eyes protruding, luminous and veined, like an old biology specimen preserved in alcohol. (235)

이 장면에서, 주인공을 내려다보는 의사의 음성은 반복적으로 이어지기에 적합한 기계적인 단조음이고, 그의 모습은 파충류의 눈을 연상하게 하는 '불거진 눈'에 '코카콜라 병 밑바닥만큼 두꺼운' 안경을 쓴 알코올 속의 '생물표본'이다. 즉 기계적 인간에 대한 엘리슨의 이 같은 묘사는 비판대상을 의도적으로 흉측하고 섬뜩하게 묘사했다는 인상과 함께, 비판의 극적효과를 강화하기 위해 풍자만화의 인물을 떠올리게 할 만큼 수사적 과장과 왜곡에 의지하고 있음을 보여준다.

엘리슨에 이어, 토니 모리슨도 '시그니파잉'을 문학적 표현양식으로 활용한 아프리카계 여성작가이다. 모리슨의 유머는 『사랑』(*Love*)에서 '남 말하기' 또는 '대놓고 말하기,' 그리고 '시그니파잉'의 원류인 아프리카계 민담의 위트대결을 문학적 표현양식으로 활용한다.

『사랑』은 1990년대를 작중 현재시점으로 자본주의적 성공신화를 이룬 아프리카계 자본가 빌 코지Bill Cosey의 생전과 사후 그의 유산을 노리는 여성들의 이야기이며(Pinckney 20), 아프리카계 가부장제와 불평등한 성 관계gender relation를 다룬 이야기이다(Gallego 94). 이 소설에서, 모리슨은 가족들을 증오하며 그들을 또 다른 분열로 몰아넣는 코지의 가부장적 권위를 공개하며, 이에 대항하지 못하는 코지의 며느리 메이May의 불만을 '남 말하기'를 통해 묘사한다. 메이는 자신의 불만을 코지의 일방적인 결혼발표를 계기로 마치 통제불능의 폭발물을 가슴 속에 담고 있었던 것처럼 한꺼번에 터트린다. 하지만 코지의 가부장적 권위와 상속권 도전할 수 없는 메이는 코지를 직접 겨냥하기보다 코지의 결혼상대인 히드 더 나이트Heed the Night를 겨냥한다.

그는 더 잘 알았지만, 메이는 남자 속옷을 옷 대신 걸친 꼬마 히드를 이 모든 걸 망가트릴 망조로 여긴 거야. 대문으로 들어온 똥파리 말이야. 음식이 쌓인 식탁에 윙윙 거리며 날아다니다가 크리스틴에게 앉기라도

하면 쓰레기더미 출신답게 얼룩을 남길 거란 생각이지.

He knew better, but May believed it and that's why little Heed with a
man's undershirt for a dress looked to her like the end of all that —
a bottlefly let in through the door, already buzzing at the food table
and, if it settled on Christine, bound to smear her with the garbage it
was born in. (136)

이 장면에서, 메이는 히드를 혐오스러운 해충에 비유하고, 코지와의
결혼을 통해 코지의 가문의 일원이 되는 그녀의 모습 역시 불청객의 침입
으로 비하하고 있다. 메이의 이 같은 험담은 딸 크리스틴Christine의 소꿉친
구인 히드를 시어머니로 모셔야 하는 부담감뿐 아니라, 히드가 코지와의
결혼을 통해 코지의 재산 상속인 크리스틴 앞에 또 다른 경쟁자로 등장
한 것을 의식하고, 이에 대한 거부감을 표현한 것이다.
    메이의 '남 말하기'는 여기에 그치지 않고 그녀의 히드의 친정인 존
슨Johnson 가문으로 확대된다.

존슨 부부는 단순히 가난하고 하찮은 인간들이고, 그들의 딸들은 치마
를 훌렁 걷어 올리는 데 있어서 기가 막히게 빠르다는 말이 있어.

The Johnsons were not just poor and trifling, their girls were though to
be mighty quick in the skirt-raising department. (139)

이 장면에서 메이는 존슨 가문의 경제적 빈곤을 공격하고, 히드를
'남성들을 잘 유혹하는 여성' 또는 '남성들에게 쉬운 상대'로 비하한다. 이
때 메이의 '남 말하기'는 과장, 은유, 환유와 같은 비유적 표현양식들에 바
탕을 두고 있다는 점에서 우회적이고, 비유적이다. 메이는 존슨 가문의 여

성들을 '남성들을 잘 유혹하는 여성들' 또는 '남성들에게 쉬운 상대들'로 과장하고, 이를 비유적으로 제시하기 위해, 환유법적 관점에서 '치마'를 그들의 여성적 메타포로 제시하며, 남성 앞에서 치마를 들어 올리는 즉각적이고 성급한 그들의 행동을 통제되지 않는 성적 유혹 또는 욕구의 행위로 은유화 한다.

히드에 대한 메이의 '남 말하기'는 사실에 근거한 공격이기보다 자기 감정을 통제할 수 없는 분노의 폭발이며, 코지의 가부장적 권위에 도전할 수 없는 무기력의 표출이다. 따라서 모리슨은 메이의 근거 없는 분노를 웃음거리로 만들고, 잘못된 정보에 대한 독자의 오해를 불식시키기 위해, 존슨 가문과 히드의 경제적 빈곤에 대한 메이의 공격이 그녀 자신의 과거에 대한 이야기임을 밝힌다.

> 내가 1929년에 빌리 보이 옆에 서있는 그녀를 처음 봤을 때, . . . 너무 많이 수선한 외투를 입고 있고 예쁘지만 귀여움을 받지 못하고 자란 소녀였어. 그 변변치 못한 모피 칼라의 조각, 상추 색깔 같은 초록빛 드레스, 그리고 흑백구두는 여러분들께 보자마자 자선바자를 떠올리게 했지.

> When I first saw her in 1920 standing next to Billy Boy . . . A pretty, undercherished girl in an overmended coat. The little scrap of fur collar, the lettuce-green dress and black-and-white pumps put you right away in mind of a rummage sale. (137)

이 장면에서 모리슨의 작중 숨겨진 화자인 엘L은 가난한 순회목사의 딸인 메이의 빈곤을 자선바자의 허름한 상품을 떠올리는 "변변치 못한 모피칼라 조각, 상추 색깔 같은 초록빛 드레스," 그리고 "흑백구두"와 같은 비유적 언어들을 통해 공개한다. 이때 엘의 '남 말하기'는 메이가 자신의 과거를 생각할 때 히드를 공격할 처지가 아니라는 것을 밝혀줌과 동시에, 그럼에도 히드를 공격한 메이의 오만을 되레 비난함으로써 그녀에 대한 독자들의 쓴웃음을 유도한다. 뿐만 아니라, 엘의 이런 비난은 메이에 대한 독자들의 신뢰를 떨어트리게 만들어 그들로 하여금 존슨 가문의 여성들을 '남성들을 잘 유혹하는 여성들' 또는 '남성들에게 쉬운 상대들'로 비하한 그녀의 공격이 사실적 근거도 없는 분노의 폭발에 지나지 않은 것으로 인식하도록 유도한다.

모리슨은 메이의 분노를 '남 말하기' 형식을 통해 묘사하고, 이어 크리스틴과 히드의 갈등과 육탄전을 아프리카계 민담의 위트대결을 통해 묘사한다. 즉 코지의 유산을 놓고 벌이는 크리스틴과 히드의 쟁탈전은 브러 래빗Br'er과 브러 폭스Br'er Fox, 브러 옥스Br' Ox, 또는 브러 베어Br' Bear의 위트 대결을 환기시킨다. 브러 래빗이 다른 동물과 벌이는 이 위트대결은 작고 온순한 동물인 브러 래빗이 상대적으로 크고 강한 동물들인 브러 폭스, 브러 옥스 또는 브러 베어 등을 재치와 속임수로 압도하며 그들을 조롱하는 이야기이다. 이때 큰 동물은 백인주인의 메타포이고, 작은 동물은 아프리카계 노예의 메타포로, 두 동물주인공들은 올드 마스터와 존의 전형이나 다름없다(Courlander 466-67). 이와 관련, 모리슨은 크리스틴과 히드를 각각 브러 폭스와 브러 래빗으로 형상화 한다. 즉 모리슨은 크리스틴과 히드를 각각 부유한 사업가의 손녀와 가난한 노동자의 딸, 그리고 몸집이 크고 힘이 강한 여성과 몸집이 작고 연약한 여성으로 묘사하여 크리스틴을 통해 강한 자와 백인주인의 이미지를 환기시키고, 히드를 통해 약한 자와 아프리카계 노예의 이미지를 환기시킨다. 뿐만 아니라, 모리슨은 크리스틴을 교육을 받았지만 육체적 힘과 감성에 의존하는 우둔한 인물로 묘사하고, 상대적으로 히드를 교육을 받지 못했지만 두뇌와 이성에 의존하는 민첩하고 지혜로운 인물로 묘사한다.

체격과 의욕으로 보면 크리스틴이 압도적인 승리자가 되어야 했다. 손
힘도 약하고 몸집도 작은 히드는 한 번도 이기지 못했어야 옳았다. . . .
히드의 민첩함은 크리스틴을 상쇄하고도 남았고, 재빠른 잔꾀는 예상하
고, 방어하고, 피하며 상대를 녹초로 만들었다.

For size and willingness Christine should have been the hands-down
winner. With weak hands and no size, Heed should have lost every
match. . . . For Heed's speed more than compensated for Christine's
strength, and her swift cunning—anticipating, protecting, warding off
exhausted her enemy. (73)

이 장면은 크리스틴이 코지의 후계자임을 과시하듯 코지로부터 물려
받은 다이아몬드 반지를 세 손가락에 각각 두 개씩 끼고 히드에게 대드는
장면이다. 하지만 크리스틴의 이 같은 공격을 무너트리는 히드의 힘은 지
능적이고 민첩한 반응이다. 즉 히드는 브러 래빗처럼 몸집이 크고 힘이 센
크리스틴을 지혜와 기지를 통해 물리친다.

모리슨은 히드에 대한 메이의 '남 말하기'와 크리스틴과 히드의 갈등
과 육탄전을 통해 보여준 유머는 강한 어조와 비유적 언어로 이뤄져 있다.
이와 관련 그녀의 어조는 제이콥스의 경우를 환기시키고, 비유적 언어와
위트대결을 환기시키는 유머형식은 허스턴의 경우를 환기시킨다.

## III. 공격적·외설적 유머로서 '다즌스'

'다즌스'는 랭스턴 휴스, 리처드 라이트, 그리고 랠프 엘리슨의 문학
적 표현을 통해 살필 수 있다. 휴스는 1957년 출간한 『심플이 소유권을 주

장한다』(*Simple Stakes a Claim*)에 붙인 서문에서 "미국에서 인종문제는
진지한 일이다, 나는 인정한다. 그러나 그것이 항상 진지하게만 쓰여야 하
는가?"(Carpio 321 재인용)라고 밝히는데, 그의 이 같은 언급은 인종문제
의 진지성을 인정하면서도, 표현양식까지 진지해야 하는지에 대한 반문이
다. 휴스는 그의 이 같은 견해를 반영하듯『네 엄마에게 물어봐』(*Ask Your
Mom*)에서 '다즌스'를 통해 인종차별주의에 대한 비판의식을 보여준다.

> 매일 신문들에 이름을 올리지!
> 유명한 −고통스러운 길−
> 아무도 그리고 아무것도 없는 곳으로부터
> 내가 있는 곳까지
> 그들은 역시 나를 알아, 시내에서,
> 나라 전역에서, 유럽 전역에서−
> 별 볼일 없는,
> 검둥이들의 거주지에서
> 오직 또 다른 그림자 일뿐인 나를,
> 지금은 이름을! 나의 이름을−이름을!
>
> 그럼에도 그들은 나의 테라스에서 나를 불러냈어,
> 내가 돈을 어디서 얻었는지를?
> 난 말했어, 네 엄마로부터라고!

> Name in the papers every day!
> Famous-the hard way−
> From nobody and nothing to where I am.
> They know me, too, downtown,
> All across the country, Europe−
> Me who used to be nobody,

Nothing but another shadow
In the quarter of the negroes,
Now a name! My name—a name!

Yet they asked me out on my patio
Where did I get my Money?
I said, From your mama! (Gates 101 재인용)


휴스는 이 장면에서 자신이 미국 전역에서 유명한 사람이 되었음에
도, 가난한 아프리카계 미국인이란 이유로 무시당하는 것에 대해 불평하
며, 상대방에게 모욕적이고 욕설적인 대응을 한다. 즉 '네 엄마로부터'란
시행은 시각에 따라 다양하게 해석할 수 있지만, '내가 왜 그것까지 네게
말해야 하는데?'란 반문과 함께 '나는 대답할 수 없으니 네 엄마에게 물어
봐,' '네 엄마는 내게 돈을 줄만큼 나와 그렇고 그런 사이'란 함축적 의미
를 통해 상대방에게 모욕적이고, 욕설적인 공격성을 보여준다.

휴스의 이 같은 유머는 시카고 르네상스Chicago Renaissance를 이끈 리
처드 라이트에 이어, 시카고 후반기의 랠프 엘리슨을 통해서도 살필 수 있
다. 이와 관련, 휴스의 '다즌스'를 계승한 작가는 휴스의 거의 동시대 또는
다음세대 작가인 라이트가 아니라, 이를 건너 뛴 작가인 엘리슨이다. 엘리
슨은 『보이지 않는 인간』에서 휴스의 '네 엄마에게 물어봐'와 같은 공격적
'다즌스'를 보여준다.


"내 개인적 책임입니다."라고 내가 말했다.
"그의 개인적 책임이라네요," 잭 동지가 말했다. "여러분들도 들었지요,
동지들? 내가 정확히 들은 거지요?" "동지, 당신은 그걸 어디서 알았
어?" 그는 말했다. "이건 놀라워, 그걸 어디서 알아낸 거야?"
 "당신의 엄마로부터 – 란 말이 나오기 시작했지만 간신히 참았다."

"My personal responsibility." I said.

"His personal responsibility." Brother Jack said. "Did you hear that, Brothers? Did I hear him correctly?" "Where did you get it, Brother?" he said. "This is astounding, wjere did you get it?"

　　"From your ma―" I started and caught myself in time. (463)

이 대화는 『보이지 않는 인간』의 22장에서 작중 주인공이 경찰에 의해 사살된 토드 클리프턴Tod Clifton의 장례식 행렬에 참가한 뒤 동지회 사무실로 돌아왔을 때 일어난다. 동지회 지도자 잭과 다른 동지회 간부들은 클리프턴을 반흑인적·반소수민족적 인종주의 편협자로 비난하며, 클리프턴의 장례식에 참석한 작중 주인공에게 동지회의 뜻에 반한 행동을 한 것에 대해 책임을 추궁한다. 주인공은 이에 대해 장례행렬이 군중의 마음을 움직였기 때문에 성공적이었다고 평가하고, 근거가 뭐냐고 다그치는 잭의 추궁에 "너희 엄마로부터"란 저항적·공격적 답변을 떠올린다. 즉 "위원회로부터"란 답변을 하기에 앞서 떠올린 주인공의 이 같은 답변은, 비록 입 밖으로 표현되지 않았지만, 휴스의 '네 엄마에게 물어봐'와 맥을 같이하는 '다즌스'이다.

　　한편, 리처드 라이트의 '다즌스'는 휴스의 '다즌스'와 달리 인종적·사회적 이슈에서 벗어난 유머로, 외설적이다. 「빅 보이가 집을 떠나다」("Big Boy Leaves Home")에 나타난 라이트의 유머는 '다즌스'의 대표적 사례이다.

　　네 엄마는 속옷을 입지 않았어,
　　　아 난 그녀가 벗었을 때 보았어,
　　그리고 그녀는 그것을 알코올로 빨았어,
　　　그리고 그녀는 그것을 홀 밖에 걸었어,

그리고 그녀는 엉덩이에 다시 입었어.

Ye mamma don wear no drawers,
  Ah seena(I seen her) when she pulled them off,
N(And) she washed em in alcohol,
  N she hung em out in the hall,
N she put em back her Quall(female secret)!

(http://www.nbu.bg/webs/amb/american/5)

라이트는 이 장면에서 상대방의 엄마를 단정하지 못하고 분별력 없는 여성으로 묘사하며 상대방에게 모멸감을 준다. 즉 "속옷을 입지 않았어"와 "알코올로 빨았어"란 표현이 말해주듯, 라이트의 이 '다즌스'는 상대방의 엄마를 성적으로 헤픈 여성, 분별력 없는 여성, 그리고 품행이 단정하지 못한 여성으로 표현하여 상대방을 모욕한다.

## IV. 맺음말

해리엇 제이콥스, 조라 닐 허스턴, 리처드 라이트, 랠프 엘리슨, 그리고 토니 모리슨은 이제까지 살핀 것처럼 아프리카계 미국인들의 유머를 문학적 표현으로 재창조한 작가들이다. 즉 그들은 아프리카계 미국인들의 대표적인 유머형식들인 '시그니파잉'과 '다즌스'를 통해 노예제도 시절과 노예해방선언 이후의 아프리카계 미국인들의 삶과 의식을 표현한 작가들이다.

노예제도 시절의 아프리카계 여성작가인 해리엇 제이콥스는 자서전 노예서사인 『어느 노예소녀의 인생사들』에서 '시그니파잉'의 수사학적 양식을 통해 노예제도의 제도적 억압과 폭력뿐 아니라 아프리카계 미국여성의 성적 폭력을 비난한 작가이다. 제이콥스는 노예제도를 직접 경험한 작가로, 작중인물의 대사를 통해 아프리카계 여성노예로서 직접 경험한 성폭력을 고발하며, 능력도 안 되면서 아프리카계 노예를 거느리고 폭력을 일삼는 백인주인의 경제적 무능력과 악행, 종교적 위선, 그리고 양심적·지적 무능력을 비난한다.

노예해방 선언 이후의 작가인 허스턴은『나의 말에게 이야기해』에서 비유적인 언어를 통해 상대방을 비판하는 '시그니파잉'을 보여주고, 『노새들과 인간들』에서 '올드 마스터와 존 시리즈'를 떠올리는 '시그니파잉'을 보여준다. 『나의 말에게 이야기해』에서 그녀의 '시그니파잉'은 아프리카계 미국사회와 다른 지역 흑인사회의 가부장제도와 이에 순응하는 아프리카계 미국여성들과 다른 지역 흑인여성들의 문제점을 비유적 언어로 비판한 것이다. 그녀의 '시그니파잉'은 여기서 그치지 않고『노새들과 인간들』에서 상대방의 행위를 추궁하는 사람과 이를 방어하려는 사람 사이의 대화형식으로 진행된다. 이때 변명을 늘어놓는 방어자는 진실을 알아내려고 유도하는 상대방의 질의에 의해 자신의 덫에 걸린 모습으로 진실을 고백함으로써 독자의 웃음을 유도한다. 허스턴에 이어 '시그니파잉'을 문학적 표현양식으로 활용한 작가들은 리처드 라이트, 랠프 엘리슨, 그리고 토니 모리슨이다. 라이트는 '시그니파잉'을 표현양식으로 활용한 작가이지만, 그의 '시그니파잉'은 인종적 이슈와 상관없는 언어적 유희와 다름없다. 반면, 엘리슨은 '시그니파잉'을 인종차별에 대한 비판의식을 표출하기 위한 표현양식으로 활용한다. 이 같은 관점에서 엘리슨은 허스턴의 전통을 이은 작가임과 동시에, 허스턴의 전통을 모리슨에게 이어준 작가이다. 아프리카계 미국문화가 미국사회의 주류문화로 자리한 동시대 미국을 대표하는 작가인 모리슨의 '시그니파잉'은 엘리슨과 허스턴의 '시그니파잉'을 계승한 작가이다. 즉 모리슨의 비판적 시각을 담고 있다는 점에서 '시그니파

잉'은 라이트의 '시그니파잉'이라기보다 엘리슨의 '시그니파잉'과 맥락을
같이한다. 뿐만 아니라, 그녀의 '시그니파잉'은 또한 '시그니파잉'의 원류
인 아프리카인들의 신화를 환기시킨다는 점에서 허스턴의 '시그니파잉'과
맥락을 같이한다. 즉 모리슨이 아프리카계 자본가의 가부장적 권위에 의
해 억눌린 크리스틴과 히드의 유산쟁탈전을 배경으로, 그들의 육탄전을
통해 브러 래빗과 다른 동물들의 대결을 환기시킨 것은 허스턴의 선례를
재현한 것이나 다름없다.

한편, '다즌스'는 휴스, 라이트, 그리고 엘리슨의 문학적 표현양식이
다. 휴스의 '다즌스'는 인종차별주의에 대한 공격적·해학적 목소리를 반
영한다. 휴스의 이 같은 유머는 그와 같은 시대 또는 다음 세대 작가인 라
이트에게로 이어지지 않고, 한 세대를 건너뛴 작가인 엘리슨에게로 이어
진다. 즉 라이트는 휴스처럼 '다즌스'를 표현양식으로 사용하지만, 그의
'다즌스'는 인종차별주의에 대한 공격적·해학적 목소리가 아니라, 외설
적인 목소리이다. 엘리슨은 휴스와 같은 '다즌스'를 문학적 표현양식으로
활용한 작가란 점에서 라이트를 뛰어넘어 휴스를 계승한 작가로 평가할
수 있다. 엘리슨은 휴스처럼 아프리카계 미국인들의 의식을 대변하지 못
하는 인종적 조직에 대해 '다즌스'를 통해 저항적 태도를 보인다.

# 제11부

# 여성작가들의 내부 지향적 비판*

## I. 머리말

　　동시대의 아프리카계 미국문학 비평가인 글렌다 카르피오Glenda Carpio
는 아프리카계 미국문학이 1960년대 이후부터 내부 비판적 시각을 본격화
했다는 입장이다. 카르피오에 따르면, 1960년대 시민운동들의 반사작용으
로, "20세기의 최근 몇 십 년은 격변의 움직임이 목격된 시기이고, . . . 문
제의식의 초점은 백인의 인종차별주의에 맞춰지지 않고, 소수 인종들의
도덕성 결핍에 맞춰진다"(3). 카르피오의 이 같은 견해는 미국사회에서 아
프리카계 미국인들이 많은 시민운동들을 통해 이룩한 정치적 · 문화적 성
과와 이를 기반으로 이룩한 아프리카계 미국작가들의 변화된 시각을 포괄
적으로 반영한 것이라는 점에서 설득력이 있다. 하지만 아프리카계 미국
문학에서 작가들이 정치적 · 사회적 문제들에 대한 그들의 비판적 시각을
백인사회로부터 아프리카계 미국사회 내부로 전환한 첫 시점은 할렘 르네
상스 시대이다.

---

* 본장의 내용은 2014년에 『현대영미어문학』의 제32권 2호에 발표한 필자의 논문 「아프리카계
　미국여성작가들, 허스턴, 워커, 그리고 모리슨의 내부 비판적 시각」을 수정, 보완한 내용임.

할렘 르네상스Harlem Renaissance의 조라 닐 허스턴Zora Neale Hurston은 아프리카계 미국사회 내부의 가부장적 권위와 폭력을 비판하는 데에 주제적 초점을 맞춤으로써 아프리카계 미국사회의 문제들에 대한 비판적 시각을 백인사회로부터 아프리카계 미국사회 내부로 돌린 첫 작가이다. 허스턴은 여행기인『내 말에게 말해』(*Tell My Horse*)에서 아프리카계 미국여성들에 대해 "미스 아메리카, . . . 너는 . . . 마음을 주지는 않을 많은 검은 남성들을 만난다. 네가 사리를 말하고자 한다면, 그들은 동정적으로 너를 바라본다"(57)고 지적함으로써 아프리카계 미국사회와 다른 지역 흑인사회의 가부장적 권위와 폭력은 물론, 이를 자각하지 못하고 무분별하게 순응해온 흑인여성들의 문제점을 비판한다(Stephens 223). 즉 허스턴이 비판하고자 하는 것은 아프리카계 미국여성들과 다른 지역 흑인여성들을 성적 유희의 대상으로 여긴 흑인남성들의 성적 우월감과 가부장적 권위뿐만 아니라, 아프리카계 미국남성들의 성적 편견과 가부장적 권위를 여과 없이 용인한 아프리카계 미국여성들의 무비판적인 의식이다. 허스턴의 이 같은 내부 비판적 시각은 백인사회의 재정적 후원을 받았다는 사실을 고려할 때 백인사회를 차마 비판할 수 없었기 때문이라고 추측해볼 수 있다. 허스턴은 할렘 르네상스의 절정기에 아프리카계 평론가인 알레인 로크Alaine Locke의 주선으로 아프리카계 미국인의 원시적 문화에 깊은 관심을 가진 샬럿 오스굿 메이슨 부인Mrs Charlott Osgood Mason을 만나 재정적 후원을 받으며, 그 대가로 미국과 주변국을 여행하며 흑인의 원시적 문화와 관련한 문학적 · 회화적 · 음악적 자료들을 수집하여 그녀에게 소개한다. 물론, 허스턴의 이 같은 역할은 메이슨 부인과의 상호 호혜적 관계에서 이루어졌다기보다 고용주와 피고용자의 관계에서 이뤄진 것이다. 예컨대, 저자에 대한 논의가 분분했던『당나귀들과 인간들』(*Mules and Men*)은 허스턴이 수집한 자료들을 바탕으로, 허스턴의 만든 책이다. 하지만 이 책이 처음에 메이슨 부인의 책으로 소개된 이유는 메이슨 부인이 자료 수집을 위한 여행경비를 지원하는 대가로 허스턴에게 저작권을 포기하도록 강요한 계약 때문이다. 메이슨 부인은 이 계약에서 허스턴에 의해 수집된 자료들과 텍스트의 소유권자가 자신이어야 한다는 조건으로 허스턴에게 재정적 지원을 약속하고 있다(Hemenway 117-34). 메이슨과 허스턴의 불평등한 관계는 『당나귀들과 인간들』의 저작권을 두고 맺어진 계약에서뿐만 아니라 일상적인 교류에서도 나타난다. 허스턴은 『길 위의 먼지 자국』(Dust Tracks On a Road)에서 메이슨 부인에게 아프리카계 미국인의 원시적 문화를 소개하는 일이 얼마나 강요된 일이었는지를 소상히 기록하고 있다.

> 그녀는 식탁의 위쪽에 앉아서 제재소에서의 다양한 삶에 대한 모든 이야기를 열정적으로 들으며 반짝거리는 은그릇에 담긴 식용수탉과 상어 알 요리를 먹고 있고, 나는 이야기 하고, 노래를 부르고, 춤을 추어야 했으며, 세련되지 못한 흑인들의 말들과 행동들을 최대한 많이 반복적으로 말해야 했다.

> There she was sitting up there at the table over the capon, caviar, and gleaming silver, eager to hear every word on every phase of life on a saw-mill job. I must tell the tales, sing the songs, do the dances, and repeat the raucous sayings and doings of the Negro furthest down. (145)

허스턴과 메이슨 부인의 관계는 사실상 아프리카계 미국인의 원시적 문화를 담보로 맺어진 일종의 주종관계, 또는 이 같은 관계하에 맺어진 흑인 문화의 구매자와 조달자의 관계나 다름없어 보인다. 하지만 허스턴은 그녀와 똑같은 위치에서 메이슨 부인으로부터 같은 요구를 강요당한 할렘 르네상스 시대의 작가 랭스턴 휴스와 다른 시각에서 메이슨 부인에 대한 평가와 자신의 입장을 표현한다. 『길 위의 먼지 자국』에서 허스턴은 메이슨 부인에 대해 "대단히 인간적"(145)이라고 평하고, 『당나귀들과 인간들』의 서문에서 '위대한 영혼'(Great Soul)과 '세상에서 가장 당당한 여성'(the world most gallant woman)(4)이란 긍정적 평을 아끼지 않는다. 반면 휴스는 메이슨 부인이 재정적 지원의 대가로 흑인의 민담, 방언, 그리고 유머 등을 소개 해달라고 강요한 사실과 아프리카계 미국인으로 살아온 그가 메이슨 부인의 요구를 충족시켜줄 수 없어서 심리적으로 압박을 받은 경험에 대해 "아프리카인이 아닌, 아프리카계 미국인으로서 온몸으로부터 솟아오르는 원시적인 것에 대한 리듬을 느끼지 못했다"(BS 317)고 밝힌다. 휴스의 이 같은 언급은 메이슨 부인의 강요된 요구에 대해 비교적 부드럽고 담담하게 반응하려 한 것처럼 보인다. 하지만 마크 헬블링의 증언에 따르면, 휴스는 메이슨 부인의 강요된 요구 때문에 마음과 몸이 쇠약해지는 고통을 받았다(17).

휴스는 메이슨 부인의 강요된 요구로 인한 고통스러운 심경을 허스턴에 대한 비판을 통해 재현한다. 그는 허스턴이 메이슨 부인의 요구를 거부감 없이 수용하는 것에 대해 "젊은 시절에, 그녀는 항상 부유한 백인들로부터 장학금과 물품을 받고 있었고 . . . " 이런 백인들을 위해 그녀는 "웃기는 일화들, 재미있는 이야기들, 그리고 희비극적 이야기들을 들려주고, 백인 친구들에게 '완벽한 흑인여성'이 되어주는 것으로 그녀의 종족을 대신했다"(BS 239)고 밝힌다. 그리고 그는 허스턴에 대해 "순진하고, 유치하며, 달콤하고, 재미있으며, 그리고 대단히 채색된 흑인이었다"(BS 239)고 비판한다.

허스턴은 아프리카계 미국사회 내부로 비판적 시각을 돌려 그 안에 내재된 문제점을 비판한다. 이와 관련, 허스턴의 비판적 시각은 표면적으로 백인사회를 의식하지 않을 수 없는 그녀의 위치로부터 비롯된 것처럼 보일 수 있지만, 이보다 그녀와 동시대에 활동을 한 여성작가들의 글쓰기와 무관하지 않다. 허스턴과 동시대의 여성작가들을 연구한 샌드라 길버트Sandra Gilbert는 여성의 특징에 대해 "주위에 있는 실물뿐 아니라 은유적인 거울을 응시하며, . . . 자신의 육체로 환원된다"(54)고 소개하며, 여성작가의 창작적 근원을 공간적 이미지에 비춰 "자궁 형태의 동굴"(95)에 비유한다. 길벗의 이 같은 견해는 허스턴의 동시대 여성작가들이 여성의 내밀한 육체를 환기시키는 작중 공간을 설정하고, 남성 중심사회의 폭력에 대한 고발과 함께 여성의 주체와 내면적 의식을 탐구했음을 말해준다. 이와 관련, 허스턴이 그녀와의 동시대 여성작가들과 얼마만큼 교류했는지 명확하게 밝히기는 힘들지만, 헨리 루이스 게이츠Henry Louis Gates가 "흑인작가들과 비평가들은 문학, 즉 유럽 전통의 정전적 텍스트를 읽는 것으로 글쓰기를 배운다"(xiii)고 언급한 것처럼, 그녀 역시 여성문학의 이 같은 특징을 충분히 경험하고 수용했다고 추론할 수 있다.

허스턴의 내부 비판적 시각은 다음 세대 아프리카계 미국여성작가들인 앨리스 워커Alice Walker와 토니 모리슨Toni Morrison에게로 이어져 아프리카계 미국여성문학의 전통으로 자리매김한다. 아프리카계 미국사회에 대한 워커의 내부 비판적 시각은 트루디어 해리스와 캘빈 헌튼Calvin Hernton의 혹평을 받을 정도로 강하게 나타난다. 해리스는 『자줏빛』(*The Color Purple*)에 나타난 워커의 내부 비판적 시각에 대해 "흑인사회의 일반적인 남성의 모습으로 간주될 수 있기 때문에, 백인사회에게 인종차별을 정당화할 수 있는 빌미를 줄 수 있다"(156)고 혹평하고, 헌튼 역시 "흑인여성들이 흑인남성들에 대해 흑인여성들의 거세자들과 억압자들이라고 쓴다면, 흑인남성들은 흑인여성들에 대해 흑인사회에 분열의 씨앗을 뿌린다고 비난한다"(36)라고 혹평한다. 해리스와 헌튼의 이 같은 비판은 모두 워커의 비판적 시각이 아프리카계 미국사회의 내부를 겨냥하고 있음을 말해주는 것이다. 워커에 이어, 모리슨 역시 아프리카계 미국사회의 문제점을 비판할 때 내부 비판적 시각을 보여준다. 모리슨은 첫 소설인 『가장 푸른 눈』(*The Bluest Eye*) 이래로 끊임없이 아프리카계 미국사회 내부에 비판적 초점을 맞춰온 작가다. 특히, 『낙원』(*Paradise*)에서 모리슨은 마르니 고시어Marni Gauthier가 이 소설에 대해 "흑인민족주의에 대한 환상이 . . . 지옥향dystopia으로 넘어가는 과정을 고찰한 작품"(Gauthier 397)이라고 평가할 정도로 아프리카계 미국사회 내부의 문제점을 비판한다. 따라서 본 장은 허스턴의 내부 비판적 시각을 계승한 앨리스 워커와 토니 모리슨의 내부 비판적 시각에 대해 논의한다.

## II. 가부장적 · 자본주의적 폭력에 대한 비판

벨 훅스Bell Hooks에 따르면, 아프리카계 미국여성문학은 서구문화를 성, 인종, 그리고 계급 등에 침투시켜온 지배적 이념을 청산하고, 인간의 자기발전을 제국주의, 경제적 팽창, 그리고 물질적 욕망보다 우선시하는 미국사회를 재구성하려는 데에 그 목표를 두고 있다(194). 즉 엘리스 워커와 토니 모리슨은 훅스의 이 같은 견해처럼 아프리카계 미국여성작가로서 미국사회에서 아프리카계 미국인들이 겪은 희생을 여성사회의 내부적 비판의식에 비추어 고발하며, 그녀의 여성 주인공이 이 같은 희생을 극복하고 성적 주체성은 물론, 인종적 주체성을 실현해가는 과정을 탐구한다.

엘리스 워커는 1982년 발표한 『자줏빛』에서 아프리카계 가정의 내부에 주제적 초점을 맞춰 여주인공인 셀리Celie가 의붓아버지의 성폭력과 강요된 결혼, 그리고 남편의 가부장적 폭력에 희생되며, 이를 어떻게 극복하고 여성적 자아를 성취해 가는지를 탐구한다. 셀리는 어려서 의붓아버지인 알폰소Alphonso로부터 상습적으로 성폭행을 당하고, 성장한 뒤 의붓아버지의 강요된 결혼으로 비극적인 결혼생활을 이어가며 자아를 성공적으로 구축해가는 아프리카계 미국여성이다. 이와 관련, 워커는 이 소설에서 두 남성들의 폭력에 침묵으로 일관하던 셀리가 침묵의 폭발과 함께 자아 구축의 반전을 이루어가고, 마지막으로 두 남성들마저 용서로 포용하는 과정을 극화한다.

셀리는 알폰소의 상습적인 성폭행에 시달리며 두 아이를 낳지만, "하느님 말고는 아무에게도 말하면 안 돼. 엄마가 들으면 널 죽이고 말거야"(11)란 알폰소의 위협이 말해주듯이, 그녀는 알폰소로부터 침묵을 강요당하며 그의 폭력에 무방비로 노출된 아프리카계 미국소녀이다. 그녀의 이 같은 비극은 우선 여성으로서 아직 성숙하지 않은 자아의식에서 이유를 찾을 수 있다. 그녀는 임신을 하고도 자신의 몸이 왜 뚱뚱해지는지를 아직 모르는 소녀이며, 자신의 희생을 같은 또래의 아프리카계 소녀들의 일상으로 이해할 만큼 사회적 의식도 아직 갖추지 못한 소녀이다. 뿐만 아니라, 그녀는 자신이 의붓아버지의 성적 상대가 되어줌으로써 의붓아버지가 병든 어머니를 괴롭히지 않는 것에 대해 행복이라고 생각할 만큼 아직 성적 주체성과 분별력을 갖추지 못한 소녀이다.

셀리의 이 같은 고통과 침묵은 알폰소의 강요로 맺어진 앨버트Albert와의 결혼생활로 이어진다. 앨버트가 당초에 결혼상대로 선택한 사람은 셀리의 동생 네티Nettie이다. 하지만 알폰소는 이를 허락하지 않고, "상한 물건"(17)으로 취급한 셀리를 네티 대신 앨버트와 결혼하도록 한다. 그리고 그는 이 같은 셀리를 앨버트에게 권한 이유에 대해, 허스턴의 비판적 주인공들인 로건Rogan과 조Joe를 상기시키듯, 그녀가 못생겼지만 일에는 이골이 났기 때문이라고 말한다(18).

앨버트와의 결혼생활에서 셀리는 강간, 매질, 극심한 노동, 그리고 의 붓자식들의 학대로 인해 자신의 육체와 존재를 부정하는 모습이다.

> 그는 애들을 때리듯 나를 때려. 그는 애들은 때리지 않고, 셀리 허리띠를 가져오라고 말해. 애들은 밖으로 나가 틈으로 안을 들여다보지. 나는 완전히 울 수도 없어. 나는 나무가 돼. 셀리, 너는 나무야 라고 나 자신에게 말해. 그 때문에 나는 나무들이 남성을 두려워한다는 걸 알아.

> He beats me like he beat the children. Cept(however) he don't never hardly beat them. he say, Celie, git(bring) the belt. The children be outside the room peeking through the cracks. I all I can do not to cry. I make myself wood. I say to myself. Celie, You a tree. That's how come I know trees fear man. (30)

셀리는 이 장면이 말해주듯 폭력에 무감해진 식물인간이나 다름없다. 그녀는 폭력을 당하는데도, 저항보다 폭력에 무감각해져 폭력을 흡수하려한다.

셀리가 억압과 고통으로부터 자아각성과 함께 새로운 자아로의 반전을 이룩해가는 과정은 이 소설의 또 다른 플롯이다. 셀리의 반전을 유도한 사람은 네티이다. 셀리는 "도망치려면 머리가 똑똑해야 한다는 것을 알기 때문에, 우리는 둘 다 네티의 책을 무척 열심히 공부했어요"(19-20)라고 회상하듯, 폭력과 억압으로부터 벗어나기 위해 네티와 함께 공감했던 지적 능력과 행동의지의 필요성을 가슴 깊이 간직하고 있다. 네티는 예쁘고 공부를 잘하는 소녀로, 셀리의 희생으로 알폰소와 앨버트의 성폭력 위협으로부터 벗어나 아프리카계 목사와 함께 아프리카에서 선교활동을 한다. 네티가 이처럼 아프리카에서 선교활동을 할 수 있게 된 것은 셀리의 희생 덕분이다. 셀리는 알폰소가 네티를 탐하려 하자, 병든 어머니를 대신하여 알폰소의 성폭력을 감내했던 것처럼, 알폰소의 성적 노예가 되어 네티를 보호한다. 네티에 대한 셀리의 이 같은 보호본능은 여기서 끝나지 않고, 앨버트와의 결혼 후에도 계속된다. 셀리는 결혼 후에 홀로 집에 남은 네티 가 알폰소의 폭력에 시달리자 그녀를 앨버트의 집으로 데려온다. 하지만 앨버트 역시 네티를 탐하자, 그녀는 또 다시 네티를 아프리카계 목사에게 로 보내어 앨버트의 폭력으로부터 벗어나게 한다. 셀리의 이 같은 희생과 보호본능에 보답이라도 하듯, 아프리카에 머물고 있는 네티는 앨버트의 억압과 폭력에 의해 침묵을 강요당하는 셀리에게 자아에 대한 각성과 저 항의지를 촉구하는 안내자가 된다. 네티의 이 같은 역할은 그녀가 아프리 카로 간 목적과도 맥을 같이 한다. 네티가 아프리카 행을 택한 목적은 가 부장적 남성들의 억압과 폭력을 목격하고 "세상의 모든 곳에서 흑인의 지 위를 향상시키겠다"(127)는 의지를 실현하기 위해서이다. 하지만 네티가 아프리리카에 머무는 동안, 그녀의 이 같은 의지는 셀리에게 전달되지 못 한다. 다름 아닌, 앨버트가 셀리의 각성을 막기 위해 30년 동안이나 셀리 에게 보낸 네티의 서신들을 모두 중간 차단했기 때문이다.

　　네티의 이 같은 현실적 부재를 메워주며, 셀리의 각성을 이끈 사람들 은 앨버트의 의붓아들인 하포Harpo의 아내 소피아Sopia와 앨버트의 여동생 케이트Kate이다. 소피아는 친정아버지와 앨버트의 반대에도 불구하고 하퍼 와 결혼한 의지적 여성이다. 그녀는 자신에 대하여 "나는 지금까지 싸우 기만 하면서 살아왔어요. 나는 아버지하고 싸워야 했어요. 나는 형제들과 도 싸워야 했어요, 나는 사촌들과 아저씨들하고도 싸워야 했어요"(46)라 고 소개하듯 저항의지와 행동력을 갖춘 여성이다. 그녀는 이 같은 자신의 자아를 말해주듯 셀리에게도 부당한 대우를 받으면 자신의 권리를 지키기 위해 싸워야 한다고 충고한다(46). 그리고 하포와의 싸움에서 '아내'가 아니라 '개'를 원하느냐고 대들고 집을 나간다(67). 케이트는 앨버트에게 옷을 사주라고 요구하고, 하포에게는 셀리를 도와 일을 하라고 말한다. 그리고 그녀는 셀리에게 소피아처럼 "그들과 싸워야 해요, 셀리. 내가 대신 싸워줄 수 없잖아요. 당신을 위해 싸워야 해요"(29)라고 충고한다.

셀리가 주위의 이 같은 충고처럼 침묵으로부터 분노를 폭발하는 장면은 앨버트가 네티의 서신들을 30년 동안 숨긴 사실을 확인했을 때이다.

> 당신이 개처럼 형편없는 인간이라는 게 문제야. 당신과 헤어져서 나도 내 세상을 찾아야 할 때가 됐어. 그리고 당신의 눈에 흙이 들어가는 날이 빨리 오면 정말 좋겠어.

> Your a lowdown dog is what's wrong, I say. It's time to leave you and enter into the Creation. And your dead body just the welcome mat. (181)

이 장면에서 셀리의 폭발은 세상에서 가장 사랑하는 동생의 소식을 30년 동안이나 중간에서 탈취하여 동생을 죽었다고 생각하게 만든 앨버트의 행위를 더 이상 묵과할 수 없다는 뜻을 담고 있다. 그 동안의 침묵을 한꺼번에 폭발시킨 순간적 파괴력은 식탁 주위에 앉아있던 가족들에게 아무 말도 할 수 없도록 입이 벌어지게 만들고, 앨버트에게 말을 제대로 못하고 더듬게 만든 충격을 준다(202).

하지만 워커는 셀리의 폭발을 자아발견의 계기와 상대에 대한 포용의 계기로 유도한다. 셀리는 이 사건 이후 천 조각들을 이어 이불 만드는 과정을 통해 자아를 발견하고, 'Mr___'로 호칭했던 남편을 '앨버트'로 호칭함으로써, 억압과 폭력으로 점철된 고통 속의 침묵으로부터 자율과 행복을 추구하는 포용적이고 주체적 자아로 변화한다.

허스턴으로부터 시작된 워커의 이 같은 비판적 시각과 포용력은 모리슨에 이르러 다민족·다문화주의와 결합된 비판적 시각으로 발전한다. 모리슨의 인종관과 문화관은 미국의 사회학자들인 앨런 울프Alan Wolfe와 글레이저Nathan Glazer의 다문화주의적 담론들에 비추어 보다 구체적으로 살필 수 있다. 울프는 아프리카계 미국인들과 백인들 사이에 기회에 대한 견해의 차이가 존재한다고 전제하고, 백인들은 그렇게 생각하지 않지만, 아프리카계 미국인들은 인종차별이 미국인들의 삶속 어디에나 존재하고 있는 것으로 믿는다고 지적한다(456). 그녀의 이 같은 지적은 종래의 흑인 인권신장운동이 아프리카계 미국인들을 백인사회 속에 흡수하려 한 동화정책의 바람직성에 대하여 많은 의문을 품어왔음을 밝히며, 이에 대해 아프리카계 미국인들에게 자성을 촉구하는 어조를 담고 있다. 글레이저 역시 울프처럼 다문화적 취지가 교육현장에서 발견될 것이며, 결국에는 동화작용이 일어날 것이라고 언급하고, 뒤이어 유럽계 미국인들보다 아프리카계 미국인들이 더 늦게 천천히 동화된다고 지적한다(445). 이와 관련, 울프와 글레이저 모두 백인과 흑인의 인종적 경계를 넘어 미국사회의 사회적 통합을 강조하는 모습이다.

모리슨은 1997년 발표한 『낙원』에서 이전의 소설들에서와 달리 백인의 인종우월주의를 모방한 아프리카계 미국남성사회의 모방적 인종차별주의와 과거의 인종적 폭력을 되풀이 하는 환원적 폭력을 고발하고, 이로 인한 상처의 치유를 인종의 벽을 초월한 다민족·다문화적 소통과 교류를 통해 제시한다. 모리슨의 이 같은 고발은 아프리카계 미국사회가 인종적 폭력에 대항해오는 과정에서 배타적 민족주의에 빠져들지 않았나 하는 것을 되새기게 해준다. 그리고 아프리카계 미국사회의 이 같은 경험이 또 다른 인종에게 인종적 희생을 강요하고 있는 것은 아닌지에 대해서도 되 묻게 해준다. 이 소설에서 모리슨은 그녀의 이 같은 우려를 아프리카계 미 국남성사회의 배타적 인종주의, 가부장주의, 그리고 되갚음의 환원적 폭 력에 대한 비판적 시각을 통해 전달하고 있다. 이 소설에서 모리슨의 작중 인물이자 역사기록자인 패트리샤 베스트Patricia Best가 '제8암층'8-rock으로 명명한 루비Ruby의 남성중심사회는 인종폭력의 상처를 치유한다는 명분으 로 백인의 인종우월주의는 물론, 종교적·역사적 신화를 모방하고 환원적 으로 강요해온 사회이다. 즉 이 소설에서 모리슨의 주된 비판의 대상은 흑 인혈통법칙을 백인의 종교적·역사적 신화로 둔갑시켜 타인종들에게 강 요하는 루비의 남성들이다. 루비의 남성들은 모건Morgan 가문을 중심으로 조상 때부터 후손들에 이르기까지 혈통법칙과 신화를 유지하기 위한 공동 체적 이념은 물론 상점에서 은행에 이르기까지 경제생활의 전반을 주도하 고 통제하는 대표적 아프리카계 미국인들이다. 이때 '제8암층'의 문제점들 은 공동체적 이념을 도덕적 교훈이 아닌 비이성적인 욕망을 통해 사유화 한 것이며(361), 공동체적 이념의 위기상황을 조성하여 이를 유지하기 위 한 규범을 강요한 것이다(Davidson 359).

　'제8암층'의 이 같은 문제점들은 백인의 종교적·역사적 신화를 모방 하고 사유화한데서 비롯된다. '제8암층'의 조상들은 성서적으로 출애굽기 의 주인공들과 역사적으로 미국의 청교도 조상들의 구체화avatar이다 (Gauthier 397). 예컨대, '제8암층' 조상들이 백인의 인종폭력을 피하고 순 수혈통을 지키기 위해 오클라호마의 오지인 헤이븐Haven에 이를 때까지의 고난극복의 신화는 노예선의 갑판 아래 감금되어 목마름으로 대서양을 건 너야 했던 아프리카계 노예들의 대장정이 아닌 구약성서의 '출애굽기' 또 는 '청교도들의 대서양 항해'를 연상케 하는 것이며, 혈통법칙의 상징인 루비는 『빌러비드』(*Beolved*)에서 "자유를 활성화하기 위해 사랑의 복구를 강조하며 전직 노예들의 상처를 달래주고 위로해준 베이비 석스Baby Suggs" (Wardi 202)의 클리어링Clearing이 아닌, 배타적 민족주의의 성소나 다름이 없다.

> 그들 모두 잘 생겼고, 일부는 아주 빼어났다. 서너 명을 제외하면, 모두 가 석탄처럼 검었고, 운동선수처럼 날렵한 몸매에 모호한 눈매를 가졌 다. 그들 모두 외지인에 대해 얼음처럼 찬 불신을 유지하고 있다.

> All of them were handsome, some exceptionally so. Except for three or four, they were coal black, athletic, with non-committal eyes. All of them maintained an icy suspicion of outsiders. (160)

'제8암층'이 이처럼 배타적인 혈통법칙을 만든 배경은 상처의 징후인 '환경에 대한 통제력 상실'을 강력한 배타주의와 사회규범을 통해 회복하 려 한 데서 비롯된다(Syri 145). 먼저 '제8암층'의 상처는 두 차례에 걸친 인종차별로 거슬러 올라간다. 즉 첫 사례는 '제8암층'의 조상들 중 모건 가문의 제커라이어, 주브널 가문의 뒤프레Juvenal DuPres, 그리고 미시시피 주의 블랙호스Blackhorse가 건강하고 품위 있는 아프리카계 미국인들로 공 직에 선출되었지만 피부색 외에는 다른 아무 이유도 없이 공직에서 쫓겨 난 것이고, 둘째 사례는 공직에서 쫓겨난 뒤 15년 동안 궁핍한 생활 끝에 81명(당초 79명이지만 길에서 주운 아이 2명을 합친 숫자)의 일행이 백인 의 인종차별이 없는 곳을 찾아 시작한 대장정 중 오클라호마 주의 페어리 Fairy에서 일자리를 구하고자 했지만, 일명 '불허사건'the Disallowing으로 알 려진 것처럼, 이곳의 엷은 피부색light-skinned의 부유한 아프리카계 미국인들이 일자리는커녕 하루 밤 이외에 더 이상 마을에 머무는 것조차 허용치 않는 수모를 겪은 것이다.

'제8암층' 남성들은 이 같은 고난과 수모를 되갚음 하기 위해 배타적 인종주의의 성지와 다름없는 화덕oven을 통해 그들의 이 같은 인종주의를 대물림하고자 한다. 이 화덕이 만들어진 당초의 이유는 '제8암층'의 조상들이 루이지애나Louisiana를 떠나 대장정 끝에 헤이븐을 첫 정착지로 정했을 때 '제8암층' 여성들 중 한 명도 백인의 부엌에서 일한 적이 없기에 혈통의 오염 가능성이 없었음을 보여주기 위해서이며, 부엌의 역할과 함께 금속명판 위에 새겨진 "그의 이마의 주름을 조심하라"(Beware the Furrow of His Brow 87)라는 문구가 말해주듯, 대장정에서 겪은 수치와 분노를 기억케 하고 내부적 결속을 다지기 위해서이다. 그러나 루비로 옮겨진 이 화덕은 당초보다 더 자의적이고 배타적인 혈통법칙을 강요하는 민족주의의 성소 또는 상징물이 된다. 즉 패트리샤가 화덕의 문구를 "신봉자들에게는 명령이 아니었지만 그들을 허락하지 않았던 사람들에게는 협박이었다"(195)고 회고한 것처럼, 화덕은 '제8암층'의 혈통법칙을 강요하는 전체주의적이고 절대주의적인 학습의 성소이자 혈통법칙을 수성하기 위해 폭력도 불사하는 명분축적의 장이 되었다고 말할 수 있다. 따라서 루비사회의 순수혈통에 대한 자부심은 인종적 타자성에 대한 포용력을 상실한 채 오만으로 퇴색되었고, 민족의식의 차원에서 조상에 대한 신격화와 함께 배타적 민족주의와 그것을 지속시키기 위해 조작된 우상숭배의 동력으로 타락한 것이다. 그리고 화덕을 통해 드러난 루비사회의 타락한 민족주의는 루비사회가 수녀원의 다민족적이고 다문화적인 가치관과 질서에 의해 해체 또는 전복되어야 할 대상이지 대립 속의 공존의 대상이 될 수 없음을 말해주는 것이다.

반면, 이 소설에서 모리슨의 작가적 인물들인 수녀원 여성들은 백인 모방사회인 루비Ruby의 이방인들 또는 주변인들로서 인종적·성적 희생의 메타포들임과 동시에 민족적·문화적 정체성의 메타포들이다. 모리슨의 여성들이 이처럼 이중적 희생의 메타포로 투영되는 까닭은 무엇보다도 백인사회를 모방한 아프리카계 남성중심사회의 희생자들로서 아프리카계 미국여성의 실존뿐만 아니라 희생에 대한 치유의 대안으로 자리 잡은 민족적·문화적 정체성을 동시에 반영하기 때문이다.

이 소설에서 수녀원 여성들, 즉 콘솔래타Consolata, 지지Gigi(코니가 Grace로 개명), 메이비스Mavis, 세네카Seneca, 그리고 팰러스Pallas 등은 모두 수녀원에 들어오기 전 남성으로부터의 가정적 폭력 또는 성적 폭력을 당하거나, 부모로부터 유기된 여성들이다. 수녀원을 이끌고 있는 콘솔래타는 브라질 출신의 황금빛 피부색의 소유자로 9세 때 난교를 당하고, 24세 때까지 하녀생활을 하다가 30년 전에 수녀원으로 들어왔고, 작중 현재의 나이는 54세이다. 하지만 모리슨은 콘솔래타에 대한 소개에서와 달리 다른 여성들에 대해서는 인종적 배경을 밝히지 않은 채, 수녀원에 들어오기 전에 그들이 겪은 다양한 상처와 현재의 나이만 소개한다. 수녀원의 첫째 손님인 메이비스는 27세로, 밤마다 술을 좋아하는 남편의 폭력적인 성행위를 두려워하며 살았던 여성이다. 그녀가 수녀원에 들어온 사연은 마트에서 남편의 반찬을 준비하던 중 쌍둥이 아이들을 차안에서 질식사하게 만들었기 때문이다. 둘째 손님인 지지는 아버지는 사형수이고 어머니는 행방불명인 여성으로, 오클랜드 시위에 참여한 후 오갈 데 없이 재미와 모험을 찾아 수녀원에 온 여성이다. 이곳에서 그녀의 낙은 자유분방한 성적 쾌락을 즐기는 것이다. 셋째 손님인 세네카는 5살 때 어머니로부터 버림받고, 수양오빠에 의해 성폭력을 당한 여성이다. 그녀는 겁탈을 피하려다 청바지 안전핀이 배에 긁혀 피가 나온 것이 오히려 수양오빠의 겁탈을 자극한 것 때문에 습관적으로 자해행위를 하며 살아간다. 마지막 손님인 팰러스는 예술가인 어머니와 변호사인 아버지로부터 유기된 소녀이다. 그녀는 부모로부터 물질적인 지원을 받고 있지만, 어머니의 부재와 어머니의 빈자리를 대신 채워줄 아버지의 부재로 인해 깊은 마음의 상처를 입은 소녀이다.

모리슨은 수녀원 여성들이 이 같은 상처를 어떻게 치유해가는지를 강조한다. 모리슨은 이를 위해 수녀원의 공간적 의미를 콘솔래타의 범신론적 신앙을 통해 제시하며, 수녀원 여성들이 이 같은 신앙 속에서 상처로 인해 닫힌 마음을 어떻게 열어가는지를 추적한다. 콘솔래타의 신앙은 수녀원을 서로의 상처를 고백하고, 서로의 관계를 인식하며, 사랑을 나누는 방법을 습득해가는 과정을 통해서 화해와 치유를 이루어 가는 곳으로 만든다(Gauthier 418). 그녀의 신앙은 루비사회의 백인모방적 신앙과 달리, 가톨릭 신앙과 아프리카적 영혼숭배를 결합한 브라질 원주민의 신앙으로, 대지, 공기, 물 등 자연의 요소들과 결합된 범신론적이고, 다자적이며, 내재적인 신앙이다(Romero 417). 따라서 그녀의 이 같은 신앙은 지상과 천상, 육체와 정신, 감정과 이성의 이율배반적 조화를 강조한 신앙으로, 수녀원 여성들에게 상호 소통적, 자기-창조적, 그리고 자율적 행동양식을 갖도록 만들어 서로의 상처를 치유하는 데에 중심적 역할을 했다. 예컨대, 콘솔래타는 젊은 시절 '제8암층'의 대표적인 가문인 모건Morgan 가문의 첫째 아들인 디컨Deacon과의 사랑을 통해 과거의 상처와 함께 수녀원의 심연에 감금되었던 자신을 세상 밖으로 나오게 했고(Collis 51), 메이비스는 지지와의 갈등과 육탄전을 통해 남편의 성적 카리스마에 무방비로 노출되었던 과거의 수동적 자아로부터 자기방어를 할 수 있는 적극적인 자아로 변화시켰으며, 세네카는 목욕을 좋아하는 지지가 목욕을 싫어한다는 이유로 그녀를 놀려대는 과정에서 과거의 상처를 치유한다. 그리고 팰리스는 세네카의 위로를 통해 그녀의 상처를 치유한다. 즉 세네카의 이 같은 위로는 자해행위를 되풀이 하면서도 상대방의 상처를 포용한다는 점에서 자해 속의 위로 또는 고통 속의 치유라는 이율배반적 의미를 지닌다.

콘솔래타로부터 시작된 수녀원의 치유력은 동질적인 것들은 물론, 이질적인 것들까지도 포용하는 타자성에 대한 상대적 흡인력이다. 모리슨은 수녀원 여성들의 이 같은 포용력을 순수혈통법칙에 의해 고통 받는 '제8암층' 여성들의 상처를 치유하는 힘으로 제시한다. '제8암층'의 일원인 제프 플릿우드Jeff Fleetwood의 아내 스위티Sweetie는 순수혈통을 지키기 위한 근친결혼으로 인해 네 명의 장애아를 두었고, 아이들을 돌보느라 6년간 집 밖을 나간 적이 없는 여성이다. 그녀는 수녀원에 처음 도착했을 때 수녀원 여성들이 주는 음식조차 입에 대지 않겠다고 결심을 한다. 하지만 그녀는 차츰 수녀원의 여성들에 대한 편견을 불식시키는 과정을 통해 루비의 남성들에 의해 강요된 폐쇄적 법칙에 의해 마비된 타자성을 되찾는다(129). 스위티뿐 아니라, 모건 가문의 후손인 케이. 디K. D의 아내 아넷Arnette은 임신을 했는데도 불구하고 케이. 디가 여성편력을 계속하자 수녀원을 찾아가서 위로를 받는다. 이와 관련, 획일화된 '제8암층'의 인종적·성적 잠금장치를 풀어버린 수녀원의 포용력을 통해 제시하고자 하는 모리슨의 메시지는 아주 구체적이다. 즉 모리슨은 '제8암층'의 순수혈통법칙에 대한 비판을 통해 아프리카계 미국사회가 미국사회의 주체로 자리매김하는 동안 백인사회의 배타적 민족주의를 되풀이하는 모순에 빠졌음을 고발하고, 수녀원 여성들의 혼종적 포용력을 통해 미국사회의 조화를 이끄는 힘이 인종적·성적 타자성을 적극적으로 수용하는 다인종적·다문화적 포용력임을 강조한다.

# III. 맺음말

본 장은 엘리스 워커와 토니 모리슨의 내부 비판적 시각에 대해 논의했다. 워커는 『자줏빛』에서 허스턴처럼 내부 비판적 시각과 함께 아프리카계 미국남성사회의 가부장적 폭력과 모방적 자본주의에 의해 초래된 아프리카계 미국여성의 성적 희생을 고발한다. 워커는 이 소설에서 아프리카계 여성주인공인 셀리를 의붓아버지와 남편의 성폭력 희생자로 제시하고, 아프리카계 미국사회의 가부장적 폭력을 비판한다. 하지만 워커의 이 같은 비판은 단순히 아프리카계 미국사회의 가부장적 폭력에 대한 문제의식의 표출이 아니다. 워커는 셀리의 변화를 통해 그녀의 비판이 아프리카계 미국여성으로서의 자아각성과 지난날의 가해자에 대한 용서와 화해를 강조하기 위한 비판임을 보여준다. 즉 이 소설에서, 셀리는 남편의 가부장적 폭력에 무방비로 노출된 채 침묵을 강요당하지만, 남편이 30년 동안 분신과도 같은 여동생과의 소통을 방해했다는 사실을 알았을 때에 그동안의 침묵을 중지하고 남편을 향해 폭발한다. 하지만 남편에 대한 그녀의 이 같은 태도변화는 자아의 이탈과 남편과의 단절을 의미하지 않는다. 그녀는 이를 계기로 아프리카계 미국여성으로서의 자아각성을 이루고, 뒤이어 남편을 용서하여 부부관계를 복원하는 포용력을 보여준다.

워커와 거의 동시대 작가인 모리슨은 내부 비판적 시각에 자성의 목소리를 추가하여 다민족적·다문화적 조화를 추구한다. 모리슨은 『낙원』에서 아프리카계 미국사회의 모방적 폭력과 환원적 폭력을 비판하며, 인종적 띠를 초월한 다원주의적 조화를 추구한다. 모리슨의 이 같은 주제는 1970년대 중반까지 이어진 아프리카계 미국인들의 인권운동들이 이룩한 정치적·문화적 성과로부터 비롯된 것이다. 모리슨은 후반기 작품인 이 소설에서 전반기 작품들에서와 달리 아프리카계 미국인들에게 인종은 더 이상 미국사회의 논쟁적 이슈가 아님을 말하고자 했다. 즉 이 소설에서 아프리카계 미국인의 순수 혈통을 강조하는 아프리카계 미국인들은 지난날에 겪은 백인사회의 인종적 억압과 폭력을 다시 재현하지 않겠다는 신념으로 순수 혈통주의 신화를 만들지만, 이 신화를 과거의 폭력을 되갚기 위한 신화와 새로운 인종차별을 기획하기 위한 신화로 만든다. 이에 대해 모리슨은 과거의 상처를 간직한 여성 작중인물들을 통해 그들이 인종적 차이와 상관없이 어떻게 그들의 상처를 치유하고 조화를 이끌어내는지를 보여준다. 즉 모리슨은 수녀원 여성들의 포용력을 통해 미국사회의 조화를 이끄는 힘이 인종적·성적 타자성을 적극적으로 수용하는 다인종적·다문화적 포용력임을 강조한다.

# | 노예무역의 역사 |

**아**프리카계 미국인들의 조상들은 세네갈Senegal 강으로부터 포르투갈 Portugal 령인 앙골라Angola의 남방한계까지 3천 마일에 걸쳐 펼쳐진 아프리카 서해안지역 출신들이 대부분이다. 용모와 관련하여, 그들은 큰 키, 곱슬머리, 펑퍼짐한 체형, 두툼한 입술, 그리고 몸에 털이 없는 진한 검은색 피부를 가지고 있다. 즉 그들은 키가 크고 검은색 피부를 가진 북부 산림지대의 아산티Asanti 족과 비슷하지만, 콩고Congo 분지의 반투Bantu 족보다 더 밝은 색과 작은 키를 가지고 있다.

아프리카 노예무역은 15세기 중반에 포르투갈 인들에 의해 시작된다. 1441년 포르투갈의 해양왕인 헨리Henry의 명령에 따라 가죽과 기름을 구하기 위해 아프리카 서해안에 도착한 젊은 선장 안토니오 곤잘브스Antonio Gonsalves는 헨리를 기쁘게 해주기 위해 약간의 사금과 함께 10명의 아프리카인들을 데리고 리스본으로 돌아오는데, 이것이 바로 노예무역의 첫 사례이다. 서해안 교역에서의 주된 무역상품은 후추와 상아이지만, 20년이 채 되기도 전에 아프리카인들이 유럽시장에서 가장 수지맞는 무역상품으로 떠오르게 된다. 이로 인해, 노예무역은 점점 더 확대되고, 유럽의 노예무역상들은 아프리카인들을 유럽뿐만 아니라 미국까지 공급한다.

포르투갈은 16세기 후반까지 노예무역 독점권을 유지한 다음, 1570년대에 세네갈과 잠비아Zambia 강 유역의 무역독점권을 프랑스에게 넘겨주고, 17세기 중반에 이르러 아프리카의 노예무역 독점권을 모두 상실한다. 포르투갈에 이어, 아프리카의 노예무역 독점권을 장악한 국가들은 네덜란드, 덴마크, 스웨덴, 그리고 독일이다. 그럼에도, 가장 강력한 독점권을 행사한 국가는 네덜란드이다. 네덜란드는 1621년 서인도회사를 설립하고, 16년 후에 아프리카에서 포르투갈의 가장 튼튼한 요새였던 황금해안의 엘미나Elmina를 장악한다. 이후 50년 동안 네덜란드인들은 이 지역의 노예무역을 주도한다. 네덜란드에 이어, 이 지역의 노예무역 독점권을 장악한 국가는 영국이다. 영국은 1655년에 스페인이 노예무역 독점권을 행사하던 자메이카를 장악하고, 이어 네덜란드로부터도 노예무역 독점권을 양도받으며, 1700년 이후에 가장 강력한 노예무역 독점권을 행사한다.

　　유럽의 노예무역상들은 대서양과 맞닿은 아프리카 서해안에 항구, 교역장, 그리고 노예수용소를 건설하고, 이를 전진기지로 노예무역을 행한다. 노예조달은 노예무역상들이 직접 아프리카 내부로 들어가는 대신 현지의 아프리카인들에게 일임하는 방식이다. 예컨대, 아프리카의 어떤 부족은 유럽 상품과 교활할 포로를 잡기 위해 다른 부족을 급습하고, 전쟁포로, 죄인, 그리고 채무불이행자를 노예로 만들어 건장한 남성은 60달러, 그리고 여성은 15달러를 받고 팔아넘겼다.

　　유럽과 북미로의 항해를 위해 반드시 통과해야 하는 대서양중앙항로는 매우 악명 높은 고통과 죽음의 항로이다. 1679년에 '아프리카의 태양Sun of Africa' 호에 승선한 250명의 아프리카인들 중 7명이 황금해안으로부터 마티니크Martinique까지 항해하던 중에 사망한 이래, 평균 8명 중 1명이 이 항로를 통과하던 중에 사망한다. 대서양중앙항로가 이처럼 죽음의 항로가 된 이유는 지나친 화물 적재로 인해 식사 때 기어 나오기도 벅찰 정도로 비좁은 갑판에서 잠을 자야 하는 선상환경 때문이다. 뿐만 아니라, 이 같은 선상환경은 아프리카인들을 전염병·유행성 괴혈병 그리고 감기에 무방비로 노출, 사망에 이르게 한다. 그 밖에 투신자살 또한 이 항로에서 발생한 아프리카인들의 대표적인 희생사례이다. 아프리카인들은 이 항로를 지나며 노예로 평생을 살아가기보다 투신자살 또는 단식을 선택한다. 노예무역상들은 투신하는 것을 막기 위해 배의 주위에 그물을 설치하지만, 아프리카인들은 그물로 뛰어내린 뒤에 다시 바다로 뛰어들고, 단식을 중단시키기 위해 강제로 입을 벌리게 하여 음식을 먹이지만, 이 방법역시 자살을 효과적으로 막지 못한다. 노예무역상들은 예방적 차원에서 피들fiddle, 하프, 백파이프와 같은 악기의 연주에 맞춰 '춤추는 노예'란 의식을 행하지만, 이 역시 효과를 발휘하지 못한 것으로 전해진다.

# | 아프리카계 미국인들의 기원 |

**아**프리카계 미국인들의 역사는 1619년 8월 하순에 네덜란드의 범선이 대략 3명의 아프리카여성들을 포함한 20명의 아프리카인들을 태우고, 1607년에 영국에 의해 식민지화된 버지니아Virginia 주의 제임스타운 Jamestown에 우연히 상륙한 것을 기점으로 시작된다. 이 일은 버지니아가 식민화 된지 12년 후에 일어난 사건으로, 이때 도착한 아프리카인들은 당시 버지니아가 영국의 식민지이므로, 영국법에 의해 세례를 받는다. 당시의 영국법에 따르면, 가톨릭으로 개종한 노예는 '자유인'의 지위를 얻을 수 있다. 영국법의 이 같은 관행은 이교도를 기독교인으로 만들기 위해 노예로 삼았기 때문에, 노예의 원인이 제거되면 당연히 자유롭게 된다는 논리에 기초한다. 하지만 이 법은 거의 실천이 불가능한 법이나 다름없다. 아프리카인들은 백인주인이 대납해준 여행경비를 갚기 위해 일정기간 동안 백인주인을 위해 일해야 하기 때문에, 개종을 해도 이 의무를 지켜야한다. 비록 의무를 지킨다 해도, 백인주인은 식자능력이 없는 노예를 속여 계약기간을 연장하거나 강제로 떠나지 못하게 함으로써 무려 75년 동안 계약제 하인의 뿌리가 되어 아프리카인들이 자유인으로서의 지위를 얻을 수 없게 만든다.

미국의 노예제도는 17세기 후반 이후에 제도적 틀을 갖춘다. 따라서

1619년 제임스타운에 도착한 아프리카인들은 25년 동안 계약제 하인으로 살던 중에, 일부는 계약기간의 만료와 함께 자유인이 되고, 다른 일부는 백인주인의 부당한 농간에 의해 계약기간이 연장되거나 강제로 노예가 된다. 백인주인들은 자신이 고용한 아프리카계 하인들이 식자능력을 갖추지 못한 점을 이용하여 그들에게 계약서를 보여주지 않거나 도둑 또는 범죄의 덫을 씌워 계약기간을 연장한다. 아프리카인들이 백인주인의 이 같은 농간으로부터 벗어나는 유일한 방법은 추적을 피해 늪과 같은 오지로 도망치는 것뿐이다.

아프리카계 미국인들을 법적 재산으로 전환시킨 첫 장소는 버지니아Virginia이다. 버지니아 법원은 1640년에 두 명의 백인동료들과 도망치던 중에 체포된 아프리카계 노예 존 펀치John Punch에 대한 판결에서 두 백인들에게는 노역의무기간을 4년 더 연장하도록 명령하고, 펀치에게는 죽을 때까지 노예로 살도록 명령한다. 뿐만 아니라, 1677년에 버지니아 의회는 아프리카계 미국이 개종할 경우 자유인의 지위를 부여하도록 규정한 영국법을 폐기한다. 버지니아 의회의 이 같은 결정은 메릴랜드Merryland, 노스캐롤라이나North Carolina, 사우스캐롤라이나South Carolina, 뉴욕New York, 그리고 뉴저지New Jersey, 펜실베이니아Pensyvania 등도 같은 결정을 내리게 하고, 한 발 더 나아가 메릴랜드, 뉴욕, 뉴저지, 펜실베이니아, 조지아가 1644년, 1664년, 1700년, 1751년에 각각 노예제도를 합법화하도록 촉매역할을 한다.

# | 노예역사 연보 |

출처: 〈http://www.pbs.org/wnet/slavery/timeline〉 (October 28 2014)

1612 · 첫 상업용 담배가 제임스타운에서 재배됨.

1619 · 버지니아Virginia 주의 제임스타운Jamestown에서, 약 20명의 납치된 아프리카인들이 영국의 북미 식민지역으로 팔려감.

1626 · 네덜란드 서인도제도 식민회사가 11명의 아프리카계 남성노예들을 뉴네덜란드New Netherlands로 수입함.

1636 · 미국이 노예운반선 '디자이어'Desire를 건조하여 매사추세츠 Massachusetts에서 출항함으로써 북미식민지의 노예무역이 시작됨.

1640 · 아프리카계 도망노예 존 펀치John Punch가 종신형을 선고받음. 두 명의 백인 동료들은 노예기간만 연장되고, 펀치는 문서로 기록된 첫 종신노예가 됨.

· 뉴네덜란드가 주민들에게 도망노예를 숨겨주거나 먹여주지 못하도록 함.

1641 · 드앙골라D'Angola의 결혼이 뉴암스테르담New Amsterdam에서 아프리카계 미국인들 간의 첫 결혼으로 기록됨.

· 매사추세츠 주가 노예제도를 합법화한 첫 식민지가 됨.

1643 · 매사추세츠 주, 코네티컷Connecticut 주, 그리고 뉴헤이븐New Haven

주, 플리머스Plymouth의 뉴잉글랜드 연맹The New England Confederation
이 도망노예처벌법을 채택함.

1650  · 코네티컷 주가 노예제도를 합법화함.

1652  · 로드아일랜드Rhode Island 주가 노예제도를 규제하고, 10년 이상
의 기간 동안 노예화를 금지하는 법을 통과시킴.

· 매사추세츠 주가 모든 아프리카계 미국인들과 미국원주민들에
게 군사훈련을 받도록 함.

1654  · 버지니아 주가 아프리카계 미국인들에게 노예를 소유할 수 있는
권리를 허용함.

1657  · 버지니아 주가 도망노예처벌법을 통과시킴.

1660  · 영국 왕, 찰스 2세Charles II가 해외농장위원회The Council of Foreign
Plantations에 노예와 하인을 기독교로 개종시킬 수 있는 전략을
기획하라고 명령함.

· 버지니아 주가 노예 어머니로부터 출생한 아이들의 경우 어머니
의 노예지위를 승계해야 한다고 규정한 노예세습법을 제정함.

1662  · 매사추세츠 주가 아프리카계 미국인들에게 군대에서 훈련을 받
도록 허용한 1652년의 법을 뒤집음. 뉴욕New York 주, 코네티컷
주, 그리고 뉴햄프셔New Hampshire 주가 같은 법을 통과시킴.

1663  · 버지니아 주의 글로스터 카운티Gloucester County에서 문서로 기
록된 식민지의 첫 노예반란이 발생함.

· 메릴랜드Maryland 주가 노예제도를 합법화함.

· 영국 왕, 찰스 2세가 캐롤라이나Carolina를 불하함. 1680년대까지
이 지역에 거주한 대부분의 정착민들은 바베이도스Barbados 출
신의 소규모 지주들임.

1664  · 뉴욕 주와 뉴저지New Jersey 주가 노예제도를 합법화함.

· 메릴랜드 주가 백인여성과 아프리카계 남성의 결혼을 금지하는 법적 조치를 취함.

· 메릴랜드 주정부가 모든 아프리카계 노예들에게 종신노예를 명령함. 뉴욕 주, 뉴저지 주, 사우스캐롤라이나South Carolina 주와 노스캐롤라이나North Carolina 주, 그리고 버지니아 주가 같은 법을 통과시킴.

1666 · 메릴랜드 주가 도망노예처벌법을 통과시킴.

1667 · 버지니아 주가 기독교 세례를 받았다고 하더라도 노예의 지위는 변하지 않는다고 선언함. (찰스 2세의 영국법을 거부한 조치임.)

1668 · 뉴저지 주가 도망노예처벌법을 통과시킴.

1670 · 버지니아 주정부가 아프리카계 미국인들과 미국원주민들에게 기독교도 하인을 거느릴 수 없도록 함.

1674 · 뉴욕 주가 노예화 이후에 기독교로 개종한 아프리카계 미국인들의 경우 해방될 수 없다고 선언함.

· 버지니아 주에서 아프리카계 노예들, 아프리카계 미국인들과 백인 임대계약 노동자들이 베이컨의 반란Bacon's Rebellion에 참여함.

1680 · 버지니아 주정부는 아프리카계 미국인들과 노예들의 무기소지와 대규모 집회참가를 금지하고, 기독교도를 공격하거나 도망을 시도하는 노예들에게 강한 처벌을 명령함.

1682 · 버지니아 주가 수입된 모든 아프리카계 노예들을 종신노예로 선언함.

1684 · 뉴욕 주가 아프리카계 미국인들의 매매행위를 불법화함.

1688 · 펜실베이니아Pennsylvania 주의 퀘이커교도들이 공식적인 반노예제도 결의를 통과시킴.

| 1691 | · 버지니아 주가 백인과 아프리카계 미국인 또는 백인과 미국원 주민 간의 혼인을 금지하는 '혼종결혼 금지법'을 통과시킴. |
|---|---|

· 버지니아 주가 백인과 아프리카계 미국인 또는 백인과 미국원 주민 간의 혼인을 금지하는 '혼종결혼 금지법'을 통과시킴.

· 버지니아 주가 국경 내에서 노예해방을 금지함. 해방된 노예들은 지역을 강제로 떠나도록 함.

· 사우스캐롤라이나 주가 포괄적인 첫 노예법을 통과시킴.

· 캐롤라이나에 벼의 재배방법이 소개됨. 이로 인해 노예수입이 급격히 증가함.

1696 · 왕립 아프리카인 무역회사The Royal African Trade Company가 독점권을 상실하고, 뉴잉글랜드New England가 노예무역을 시작함.

1700 · 펜실베이니아 주가 노예제도를 합법화함.

1702 · 뉴욕 주가 3인 이상 노예들의 집회, 노예의 무역, 노예의 법정증언을 금지하는 노예규제법An Act for Regulating Slaves을 통과시킴.

1703 · 매사추세츠 주가 노예를 해방시키는 모든 주인에게 해방된 노예가 사회의 성가신 존재가 될 경우에 50파운드를 지불하도록 함.

· 코네티컷이 평화를 저해하고 백인을 살해한 노예는 어떤 노예든 태형에 처하기로 함.

· 로드아일랜드 주가 아프리카계 미국인과 미국원주민의 야간통행을 불법화함.

· 버지니아 노예법이 주의 영토로 들어오는 모든 비기독교 하인들을 노예로 취급한다고 선언하고, 모든 노예를 부동산으로 취급하며, 징벌 도중에 노예들을 살해한 주인에게 죄를 묻지 않는다고 규정함. 그리고 노예들과 유색인들이 백인들을 육체적으로 공격하는 것을 금지하고, 아프리카계 미국인들이 무기를 소지하거나 문서화된 허가증이 없이 주의 영토 밖으로 이동하는 것을 금지함.

| 1705 | ・뉴욕시가 어떤 도망노예든 사형집행이 가능하다고 선언함. |
|---|---|
| | ・매사추세츠 주가 아프리카계 미국인과 백인 간의 결혼과 성적 관계를 불법화함. |
| 1706 | ・뉴욕시가 백인을 살해한 아프리카계 미국인, 미국원주민, 그리고 노예들에 대해 사형에 처한다고 선언함. |
| | ・코네티컷 주가 인디언, 혼혈, 그리고 아프리카계 하인들이 상업적 거래에 참여하기 위해서는 주인들로부터 허락을 받도록 함. |
| 1708 | ・남부 식민지들이 민병대 지휘관들에게 백인병사들 개개인에게 한 명의 노예를 징집하여 훈련시키도록 함. |
| | ・로드아일랜드 주가 노예의 경우 자유인의 집을 방문할 때에 주인과 동반하도록 함. |
| | ・사우스캐롤라이나 주에서 아프리카계 미국인의 수가 백인의 수를 초과함. |
| 1710 | ・뉴욕 주가 아프리카계 미국인, 미국원주민, 그리고 혼혈인에 대해 등불을 휴대하지 않고 야간통행을 할 수 없도록 함. |
| 1711 | ・펜실베이니아 주가 아프리카계 미국인과 미국원주민의 수입을 금지함. |
| | ・로드아일랜드 주가 아프리카계 노예와 미국원주민 노예들의 비밀수입을 금지함. |
| 1712 | ・펜실베이니아 주가 노예수입을 금지함. |
| | ・뉴욕 시에서 노예반란이 발생함. 9명의 백인이 살해되고, 18명의 노예가 사형선고 받음. |
| | ・뉴욕 주가 아프리카계 노예와 미국원주민 노예가 다른 아프리카계 노예와 미국원주민 노예의 살해를 불법화함. |
| | ・뉴욕 주가 자유 아프리카계 노예, 미국원주민 노예, 그리고 혼 |

혈 노예의 부동산 소유와 재산 소유를 금지함.

- 사우스캐롤라이나 주의 찰스턴Charleston에서 (주인의 농장이 아닌) 외부에서 노예들이 품팔이하는 것이 금지함.

1715 · 로드아일랜드 주가 노예제도를 합법화함.

- 메릴랜드 주가 국경 내로 들어오는 모든 노예들과 그들의 후손들을 종신노예로 취급한다고 선언함.

1717 · 뉴욕 주가 도망노예처벌법을 제정함.

1723 · 버지니아 주가 노예해방을 불법화함.

1724 · 프랑스 식민지인 루이지애나Louisiana 주가 주인의 허락 없는 노예의 결혼을 금지함.

1730-50 · 북미에 수입된 남성노예와 여성노예의 수가 처음으로 동등해짐.

- 스페인 식민지들이 '1730년 결정'을 뒤집고, 캐롤라이나 주로부터 플로리다Florida로 도망쳐온 노예들이 팔려갈 수도 반환될 수도 없다고 선언함.

1732 · 뉴햄프셔 호의 선장 존 메이저John Major의 선박에 탄 노예들이 선장과 선원을 살해하고, 배와 화물을 접수함.

1733 · 퀘이커교도 엘리후 콜맨Elihu Coleman의 『인간 노예화의 반기독교적 관행에 대한 증언』(A Testmony Against That Anti-Christian Practice of Making Slaves of Men)이 출간됨.

1735 · 영국법을 따르는 조지아Georgia 주가 노예의 수입과 활용을 금지함.

- 조지아 주가 영국에 노예제도의 합법화를 청원함.

- 프랑스 왕, 루이 15세Louis XV가 노예여성이 자유인의 아이를 출산하는 경우에 어머니도 아이도 팔아넘겨질 수 없고, 얼마간의 시간이 흐른 후에 자유의 몸이 될 수 있다고 선언함.

| 1738 | · 조지아 주의 신탁관리자가 아프리카계 노예들의 수입을 허락함. |
|---|---|
| | · 스페인 식민지인 플로리다 주가 도망노예들에게 토지와 자유를 허용함. |
| | · 사우스캐롤라이나 주의 스토노Stono에 거주하는 노예들이 무기고를 강탈하고 백인들을 살해함. 식민지 민병대가 반란을 일으킨 노예들이 플로리다로 도피하기 전에 반란을 진압함. |
| 1740 | · 사우스캐롤라이나 주가 포괄적인 '검둥이 법'Negro Act을 통과시킴. 노예들이 외부로 이동하는 것, 집단으로 모이는 것, 식량을 재배하는 것, 돈을 버는 것, 영어를 배우는 것을 금지함. 주인들은 필요할 경우 노예를 살해하도록 허용함. |
| 1740 | · 조지아 주와 캐럴라이나 주가 도망노예에 대해 호의적 정책을 시행하는 플로리다 주에 대해 징벌을 한다는 명분으로 침범하려 함. |
| 1749 | · 조지아 주가 노예수입 금지를 철회하고, 수입을 허용함. |
| 1751 | · 조지 2세George II가 노예를 부동산으로 간주한 1705년 결정을 철회함. |
| 1758 | · 펜실베이니아 퀘이커교도들이 구성원들의 노예소유 또는 노예무역 참여를 금지시킴. |
| 1760 | · 뉴저지 주가 주인의 허락 없이 노예들을 군대에 징집하지 못하도록 함. |
| 1767 | · 버지니아 버기스 하원The Virginia House of Burgess이 타운센드 법 Townshend law*에 저항하여 영국노예무역을 보이콧함. |

---

* 식민지의 정부와 사법기관, 세관, 그리고 미국에 주둔하는 영국군을 부분적으로 지원할 세원을 마련할 목적으로 영국의 재무장관 찰스 타운센드Charles Townshend가 기획한 법이다. 타운센드

1770 ·아프리카계 도망노예 크리스퍼스 어턱스Crispus Attucks가 보스턴
에서 영국군에 의해 살해됨. 그는 독립전쟁에서 죽은 첫 식민
지인들 중 한 사람이 됨.

1772 ·제임스 앨버트 우카소 그로니소James Albert Ukawsaw Gronniosaw가
자서전적 노예서사를 출간함.

·미국에서 첫 아프리카계 교회가 사우스캐롤라이나에 설립됨.

1773 ·매사추세츠 주의 노예들이 자유를 달라고 정부에 탄원했지만
실패함.

·필리스 휘틀리Phillis Wheatley가 런던의 출판사를 통해 첫 시집을
출간함으로써 시집을 출간한 첫 아프리카계 미국인이 됨.

1774 ·첫 대륙의회The First Continental Congress가 영국과의 무역을 금지
시키고 12월 1일 이후에 노예무역을 중지시키겠다고 서약함.

·코네티컷 주, 로드아일랜드 주, 그리고 조지아 주가 노예수입을
금지시킴.

·버지니아 주가 노예수입에 대해 법적 조치를 취함.

1775 ·식민지의 노예 수가 거의 5십만 명이 됨. 버지니아 주에서는 자
유인과 노예의 비율이 거의 1:1이고, 사우스캐롤라이나 주에서
는 약 1:2가 됨.

·조지아 주가 노예수입에 대해 법적 조치를 취함.

·첫 노예제도폐지 운동협회가 펜실베이니아 주의 필라델피아
Philadelphia에 설립됨.

---

는 미국과의 무역에 대한 세금 징수를 보다 효율적으로 집행하는 방식으로 영국 내의 세금을
줄일 목적으로 영국에서 수출하고 식민지에서 수입하는 종이와 유리, 납 그리고 차에 대해 세
금을 부과하기 위해 이 법을 만든다. 하지만 이 법은 통과된 후에 동쪽 연안의 항구 도시들을
중심으로 강한 반발을 유발한다. 이로 인해, 영국의회는 1770년 전략적으로 한발 물러서며 타
운센드 법을 철회한다.

- 4월, 혁명전쟁의 첫 전투가 매사추세츠 주의 렉싱턴Lexington과 콩코드Concord에서 전개됨. 블랙 미니트맨Black Minutemen이 전투에 참가함.
- 7월에, 조지 워싱턴이 자유 아프리카계 미국인들과 노예들의 징집을 금지하고, 같은 해의 말쯤에, 이를 번복하고 자유 아프리카계 미국인들의 군복무를 허용함.
- 11월에, 버지니아 총독인 존 머레이John Murray, 던모어 경Lord Dunmore이 영국의 편에서 싸우는 노예는 어떤 노예든 해방될 수 있다고 선언함.
- 펜실베이니아 주의 필라델피아에서 대륙의회The Continental Congress의 의원들이 독립선언서The Declaration of Independence에 서명함.

1776
- 필라델피아에서 퀘이커교도들로 알려진, 친구들협회The Society of Friends가 구성원들의 노예소유를 금지함.
- 델라웨어Delaware 주가 아프리카인 노예수입을 금지함.

1777
- 버몬트Vermont 주가 13개의 식민 주들 중에 노예제도를 폐지한 첫 주가 되고, 모든 성인남성들에게 선거권을 부여함.
- 뉴욕 주가 재산을 소유한 모든 자유인들에게 피부색 또는 이전의 하인생활과 상관없이 선거권을 부여함.

1778
- 로드아일랜드 주가 주로부터 노예의 이동을 금지함.
- 버지니아 주가 노예수입을 금지함.

1780
- 델라웨어 주가 수입된 아프리카인들을 노예화하는 것을 불법화함.
- 펜실베이니아 주가 점진적 노예해방을 시작함.
- 매사추세츠 주의 헌법에서 자유조항이 노예제도의 폐지로 해석됨. 매사추세츠 주가 인종과 상관없이 모든 남성들에게 선거권

을 부여함.

· 멈 베트Mum Bett와 또 다른 매사추세츠 주의 노예가 주인에게
자유를 요청하는 데에 성공함.

1782 · 버지니아 주가 다른 남부 주들에 이어 개인소유의 노예에 대한
해방을 장려함.

1783 · 버지니아 주가 영국에 맞서 식민지 군대에 복무한 노예들을 주
인의 허락이 있는 경우에 해방시킴.

· 메릴랜드 주가 아프리카인 노예수입을 금지함.

· 루이지애나 주의 뉴올리언스New Orleans에 거주하는 영향력 있는
자유 아프리카계 미국인들이 빈곤층을 지원하기 위해 '인내, 자
비, 그리고 상호공제조합'The Perseverance, Benevolence and Mutual
Aid Association을 조성함.

1784 · 로드아일랜드 주와 코네티컷 주가 점진적 노예해방을 개시함.

· 노스캐롤라이나 주가 아프리카계 노예 수입을 금지함.

· '서부로의 노예제도확장'을 억제하기 위한 제퍼슨의 제안
Jefferson's proposal이 실패함.

1785 · 뉴욕 주가 점진적 노예해방법을 통과시키고, 노예수입을 금지
하고, 주인들에게 보석금의 부과 없이 노예들을 해방하도록 허
용함.

· 버지니아 주가 아프리카계 미국인의 피를 가진 사람은 누구든
혼혈로 간주하고, 검둥이negro란 용어가 혼혈을 포함한다고 선
언함.

1787 · 미합중국 헌법이 필라델피아에서 기초됨.

· 아프리카계 목사 리처드 앨런Richard Allen이 필라델피아에 아프
리카계 감리교회The African Methodist Episcopal Church를 설립함.

- 로드아일랜드 주가 주민들에게 노예무역에 참가하는 것을 금지 시킴.

- 델라웨어 주가 주들 간의 노예무역을 규정함.

- 사우스캐롤라이나가 국내외 노예무역을 종식시킴.

- 노스캐롤라이나 주가 수입된 아프리카인 노예들에 대해 금지관 세prohibitive duty를 징수함.

- 뉴햄프셔 주가 아홉 번째로 비준함으로써 미합중국헌법이 채택 됨. 이 헌법은 도망노예처벌 조항과 5분의 3 조항(각각의 노예 는 의회대표와 세금분할의 목적상 한 명당 5분의 3으로 간주된 다는 조항)을 포함함.

1788
- 뉴욕 주가 새로운 포괄적 노예법을 통과시키고, 기존의 모든 노예들을 종신노예로 선언함.

- 코네티컷 주와 매사추세츠 주가 주민들의 노예무역 참여를 금 지함.

- 사우스캐롤라이나 주가 노예무역이 지속되도록 허용함.

1789
- 노예제도폐지와 자유 아프리카계 미국인들 및 불법 억류자들의 구호를 위한 메릴랜드 협회The Maryland Society for Promoting the Abolition of Slavery and the Relief of Free Negroes and Others Unlawfully Held in Bondage가 창립됨.

1790
- 의회가 자유 백인 이외의 어떤 사람에게도 귀화를 허용하지 않음.

- 의회가 남서부로의 노예제도 확장을 옹호함.

1791
- 퀘이커 지식인, 천문학자, 그리고 수학자인 벤저민 배네커 Bejamin Banneker가 달력을 출간한 첫 흑인이 됨.

- 버몬트 주와 켄터키Kentucky 주가 연방에 가입함.

1792
- 의회가 아프리카계 미국인들을 군복무로부터 제외시킴.

- 서아프리카, 시에라리온Sierra Leon의 프리타운Freetown이 혁명전쟁 중에 영국으로부터 해방된 1,100명의 노예들에 의해 세워짐.
- 엘리 휘트니Eli Whitney가 면화생산을 증대시킬 수 있는 제조기(씨아)에 대한 특허권을 출원함. 이로 인해 노예의 가격이 상승함.

1793
- 노예주인들이 도망자를 추적하기 위해 주의 경계를 넘을 수 있게 허용하고 노예들을 도망가도록 선동하는 것을 형벌로 처리하는 첫 도망노예처벌법이 통과됨.

1794
- 의회가 미합중국과 외국들 간의 노예무역을 금지함.

1795-1820
- "제2의 대각성"The Second Great Awakening으로 알려진, 신앙부활 기간 동안에, 처음으로 대규모의 노예들이 기독교로 개종함.

1798
- 조지아 주가 국제노예무역을 금지함.

1799
- 버지니아 주가 혼혈자식을 가진 백인 어머니들을 자식들과 함께 추방함.

1800
- 가브리엘 프로서Gabriel Prosser란 노예가 신의 부름을 받았다고 믿으며, 퀘이커교도·감리교도·프랑스인을 제외하고, 모든 백인들을 살해할 계략을 세움. 음모자들은 종교적 목적을 빙자하여 회합을 가짐.
- 사우스캐롤라이나 주가 야간에 아프리카계 미국인들의 회합을 금지함.
- 하원이 미국시민들의 노예무역을 금지함.

1801
- 하원이 버지니아 주와 메릴랜드 주의 노예제도법을 컬럼비아 Columbia 지역으로 확대하고, 연방차원의 공인된 노예법을 제정함.
- 미합중국이 루이지애나 지역(후에 루이지애나, 미주리Missouri, 아칸소Arkansas, 그리고 플로리다가 된 지역)을 프랑스로부터 사들임.

| 1803 | · 사우스캐롤라이나 주가 아프리카로부터 노예들의 수입을 원활히 하기 위해 새로운 항구를 개항함. |
|---|---|
| | · 오하이오Ohio 주가 자유주로서 연방에 가입됨. |
| 1804 | · 미합중국이 해외지역으로부터 루이지애나 주로의 노예수입을 금지함. |
| | · 뉴저지 주가 점진적 노예해방을 시도하기위해 의도된 법들을 제정함. |
| | · 오하이오 주가 도망노예들이 주에 정착하는 것을 막기 위한 법을 통과시킴. |
| 1805 | · 버지니아 주가 노예들에게 백인주인과 동반하여 아프리카계 목사에 의해 주재되는 종교적 예배에 가도록 허용함. |
| 1806 | · 버지니아 주가 노예들에게 해방된 후에 1년 이내에 주를 떠나도록 함. |
| | · 미국식민화협회The American Colonization Society가 자유 아프리카계 미국인들을 아프리카에 재정착하도록 돕기 위해 설립됨. |
| 1817-19 | · 플로리다 주의 아프리카계 도망노예와 미국원주민이 첫 세미놀전투The First Seminole War에서 앤드루 잭슨Andrew Jackson의 군대에 맞서 싸움. |
| 1817 | · 조지아 주의 주정부가 공식적으로 노예무역을 금지함. |
| 1819 | · 미합중국이 이전에 도망노예의 도피처였던 이스트플로리다East Florida를 합병함. |
| | · 미합중국법이 노예무역행위를 사형죄로 선언함. |
| | · 캐나다가 자국의 국경 내에서 미국정부가 도망노예를 추적할 수 없도록 함. |
| | · 버지니아 주와 노스캐롤라이나 주가 주들 간의 노예무역에 대 |

한 규제들을 철폐함.

- 버지니아 주가 자유흑인이든 노예이든 상관없이 아프리카계 미국인과 혼혈이 교육을 목적으로 회합을 갖는 것에 대해 법으로 금지하고, 아프리카계 미국인에게 읽고 쓰기를 가르칠 수 없게 함.
- 미주리 타협안The Missouri Compromise*으로 미주리의 남부 국경에서 노예제도를 금지함. 이 조건하에서, 메인Maine 주가 자유주로 남부연맹에 가입되고, 미주리 주가 노예주로서 가입됨.

1820
- 사우스캐롤라이나 주가 종류를 막론하고 반노예제도문건을 주안으로 유입시킬 경우 처벌하겠다고 공표함.
- 사우스캐롤라이나 주의 찰스턴에서, 노예들은 식별 가능한 신분확인 태그를 착용해야 함. 이 법은 후에 도시에 거주하는 자유 아프리카계 미국인에게까지 확대됨.

1822
- 라이베리아Liberia가 미국으로부터 도망친 아프리카계 미국인들을 유치하기 위한 식민지로 건설됨.
- 사우스캐롤라이나 주의 덴마크 베시Denmark Vesey가 대규모 노예소요를 획책했다는 이유로 기소됨. 베시를 포함한 약 40여

---

* 미국은 1803년 루이지애나를 매입하면서 미시시피 강 서쪽의 광활한 영토를 확보한다. 이렇게 확보된 지역에서, 일어난 새로운 쟁점은 노예제도의 허용여부이다. 남부는 노예제도를 지지한 반면, 북부는 이에 반대한다. 1819년에 22개 주들 중 절반은 노예제도를 합법으로 인정하고, 다른 절반은 반대 입장을 보인다. 같은 해에, 미주리 주는 노예 주로 연방가입을 신청함으로써 북부의 노예제 폐지론자들의 분노를 일으킨다. 이에 대한 해결책으로, 뉴욕 주의 하원 의원 제임스 탤매지James Tallmadge은 미주리 주가 점진적 해방계획을 받아들인다는 조건하에서만 가입을 승인해야 한다는 제안하지만, 의회의 분열만을 초래한다. 이와 관련, 헨리 클레이Henry Clay는 미주리 주를 노예주로 받아들이는 대신 매사추세츠 북부를 새로운 자유 주인 메인 주로 만들어 균형을 맞추자는 안과 위도 36도 30분을 기준선으로 남쪽에 새로 생기는 주에서만 노예제도를 허가하자는 안을 제시하여 의회의 타협을 이끌어낸다. 제임스 먼로James Monroe 대통령은 이 타협안에 대해 부분적으로 부정적이지만 연방의 분열을 막기 위해 승인한다. 하지만 1857년에 대법원은 미주리 타협이 위헌이라는 판결을 내리고, 이 판결은 남북전쟁의 도화선이 된다.

명의 노예들이 사형에 처해지고, 다른 사람들은 주 밖으로 팔려나감.

1823 · 알렉산더 루시어스 트와일라잇Alexander Lucius Twilight이 미들버리 대학Middlebury College을 졸업하여 미국의 첫 아프리카계 미국인 대학졸업생이 됨.

1826 · 펜실베이니아 주가 자유 아프리카계 미국인들을 보호하기 위해 첫 납치반대법을 통과시킴.

1827 · 테네시Tennessee 주가 공식적으로 노예무역을 금지시킴.

· 텍사스Texas 주가 상속된 노예들의 10분 1은 자유의 몸이 돼야 한다고 규정함.

· 텍사스 주가 개인들 간의 노예거래를 허용함.

· 매사추세츠 주의 보스턴에서, 데이비드 워커David Walker가 노예제도에 대한 비난서적, 『세계의 유색인들을 향한 호소』(*An Appeal to The Colored Citizens of the World*)를 출간함.

1829 · 멕시코Mexico가 노예제도를 폐지하고, 미국의 도망노예들의 도피처가 됨.

1830 · 미국에서 노예인구가 2백만 명을 넘어섰고, 자유인과 노예의 비율이 약 5.5:1이 됨.

1831 · 펜실베이니아 주의 필라델피아가 유색인들의 첫 연례회의The 1st Annual Convention of People of Color를 개최함.

· 윌리엄 로이드 개리슨William Lloyd Garrison이 노예제도폐지를 주장한 『자유인』(*The Liberator*)을 창간.

· 뉴잉글랜드 반노예제도협회The New England Anti-Slavery Society가 창립됨.

· 보스턴의 자유 아프리카계 미국인인 마리아 스튜어트Maria W.

Stewart가 노예제도 반대연설을 한 첫 아프리카계 미국여성이 됨.

· 버지니아 주에서 개최된 노예해방과 관련된 토론이 남부의 노예제도폐지를 향한 남북전쟁 전의 첫 시도가 됨.

· 노스캐롤라이나 주가 노예들에게 읽기와 쓰기 교육뿐만 아니라, 일기와 쓰기 교육 및 자료제공을 금지하는 법을 통과시킴.

· 스스로 신적 영감을 받았다고 믿는 노예 침례교목사인 내트 터너Nat Turner가 버지니아 주의 사우샘프턴Southampton에서 반란을 주도함. 적어도 57명의 백인들이 살해됨.

· 버지니아 주가 노예들의 야간예배를 금지함.

1832 · 앨라배마Alabama 주가 주들 간의 노예무역에 대한 규제들을 철폐함.

· 켄터키 주가 노예거래를 금지함.

1833 · 영국이 자체의 모든 식민지에서 노예제도를 폐지함. 이듬해에 발효됨.

· 필라델피아가 제1회 전미 반노예제도협회 회의The 1st American Anti-Slavery Society Convention를 개최함.

1834 · 루이지애나 주가 주들 간의 노예무역에 대한 규제들을 철폐함.

1834-35 · 뉴욕 시와 필라델피아에서 아프리카계 미국인들과 반노예제도 옹호자들에 반대하는 소요들이 발생함. 노예제도 폐지를 반대하는 소요들이 연속적으로 동북부 도시 전역에서 발생함.

1835 · 제2차 세미놀 전쟁에서 아프리카계 미국인들이 다시 미국 원주민들과 더불어 미합중국군대와 맞서 싸움.

· 노스캐롤라이나와 사우스캐롤라이나가 다른 주들에게 노예제도 폐지협회들과 반노예제도문학을 억압하도록 공식적으로 요청함.

1836 · 텍사스 주가 멕시코로부터 독립하고 노예제도를 합법화함. 자유

아프리카계 미국인들과 혼혈들이 주 국경 안으로 들어오는 것을 금지함.

- 버지니아 주, 조지아 주, 그리고 앨라배마 주가 다른 주들이 노예제도폐지활동들을 억제해줘야 한다고 요구함.
- 홍수와 같이 밀려드는 노예제도폐지를 위한 탄원을 처리하기 위해 직면한 미합중국의 하원이 탄원의 처리를 자동적으로 보류시키기 위한 일명 '개그 룰'gag rule을 채택함. 이 규범은 여러 번 갱신됨.
- 뉴욕시가 제1차 전국 반노예제고협회 회의The first National Anti-Slavery Society Convention를 개최함.

1837
- 뉴욕시가 아프리카계 미국여성들과 백인여성들이 모두 참여한 미국여성들의 반노예제도협회 제1차 회의The first Convention of the Anti-Slavery Society of American Women를 개최함.
- 펜실베이니아 주와 미주리 주에 거주하는 아프리카계 미국인들이 투표권을 잃음. 뉴욕에서, 그들이 투표권을 계속 갖기 위해 탄원함.

1838
- 제2차 미국여성들의 반노예제도협회The second Anti-Slavery Convention of American Women가 필라델피아에서 창립됨. 이에 대응하여, 노예제도 찬성 소요가 발생함.

1839
- 뉴욕 주의 알바니Albany에서, 자유당The Liberty Party이라고 불리는 정치행동단체가 노예제도폐지의 이름으로 제1차 전국회의를 개최함.
- 아미스태드Amistad란 스페인 노예선에 탄 아프리카인들이 소요를 일으킴. 배가 롱아일랜드Long Island의 해안에 상륙했을 때에, 노예들은 법정에서 자유를 달라고 탄원함.

| 1840 | · 미국반노예제도협회The American Anti-Slavery Society가 여성인권에 대한 이슈를 놓고 분열함. |
|---|---|
| | · 텍사스 주는 공인되지 않은 노예거래를 금지하고, 노예들이 문서화된 허락이 없이 무기를 소지하지 못하도록 함. |
| | · 사우스캐롤라이나 주가 집회, 식량재배, 돈 벌기, 읽기학습을 거부하고, 저질 옷 이외에 어떤 옷도 소유할 수 없도록 규정한 '흑인법'Black Code을 제정함. |
| 1841 | · 미합중국대법원이 아미스태드 호에서 소요를 일으킨 아프리카인들을 석방함. |
| | · 텍사스 주가 시민들에게 도망노예를 체포할 권리와 책임을 주고, 그들을 주인들에게 되돌려 보내거나 경매에 붙여지도록 하기 위해 법기관에 넘기도록 함. |
| | · 펜실베이니아 주의 프리그 브이Prigg v. 소송사건에서, 미합중국대법원이 개인자유법personal liberty laws*에 대해 노예소유주들에게 합헌적이지 않은 요구를 한다고 판결한 반면, 1793년 도망노예처벌법이 합헌이라고 판결함. 도망노예처벌법의 집행이 주의 책임이 아니라 연방의 책임으로 선언됨. |
| 1842 | · 조지아 주의 의회가 자유 아프리카계 미국인들을 시민으로 인정할 수 없다고 선언함. |

---

\* 미국에서 1800년대와 남북전쟁의 개전 사이에 시행된 법으로, 1793년과 1850년의 도망노예처벌법에 반대하기 위한 법이다. 즉 이 법은 모든 사람들을 위한 보다 정당한 법적 시스템을 기획하기 위해, 그리고 자유인들과 도망노예들의 안정을 위해 기획된 법이고, 남부 주들과 북부 주들 간의 분쟁을 피하기 위해 기획된 법이다. 캘리포니아 주와 뉴저지 주만 도망노예의 강제반환에 대해 공식적인 인정 또는 지원을 하고, 인디애나Indiana · 일리노이Illinois · 오리건Oregon 주는 노예든 자유인이든 모든 아프리카계 미국인들의 국경 내 유입을 금지시킴으로써 간접적으로 이렇게 한다. 하지만 미국은 이를 통해 남부 주들과 북부 주들의 긴장을 해결하는 데에는 성공하지 못한다.

1843 · 프리그 브이 판결에 반대하여 펜실베이니아, 뉴욕, 버몬트, 그
리고 오하이오 주가 개인적 자유법을 통과시킴.
· 반노예제도단체들이 서부로의 노예제도 확장을 반대하고, 후에
공화당The Republican Party으로 다시 창당된 자유토지당The Free
Soil Party을 창당함.

1844 · 코네티컷 주가 개인적 자유법을 통과시킴.
· 노스캐롤라이나 주가 자유흑인들에게 시민권 부여를 거부함.
· 오리건 주가 노예제도를 금지함.

1845 · 텍사스 주가 노예주로서 연방에 들어감.

1846 · 미주리 주가 주들 간의 노예무역에 대한 규제들을 철폐함.
· 텍사스 주가 노예들을 순찰하기 위한 체제를 갖춤.

1847 · 펜실베이니아 주가 개인적 자유법을 통과시킴.
· 프레더릭 더글러스Frederick Douglass가 노예제도폐지를 주장하는
개리슨의 신문 『자유인』과 결별하고, 노예제도폐지를 주장하는
아프리카계 신문 『북극성』(The North Star)을 창간함.

1848 · 뉴욕 주의 세니커 폴스Seneca Falls가 첫 여성인권 회의를 개최
함. 에이미 포스트Amy Post, 앤젤리나 그림케Angelina Grimke, 그리
고 수전 앤서니Susan B. Anthony와 같은 여성인권운동가들이 노
예제도에 대해 반대연설을 함.
· 로드아일랜드 주가 개인적 자유법을 통과시킴.
· 코네티컷 주가 노예제도를 완전히 금지함.
· 사우스캐롤라이나 주가 주들 간의 노예무역에 대한 규제를 철
폐함.

1849 · 라이베리아가 영국에 의해 자치주로 인정됨. 버지니아의 자유흑
인인 조지프 젱킨스 로버츠Joseph Jenkins Roberts가 첫 총독이 됨.

- 버지니아 주가 노예해방을 허용하는 법을 통과시킴.
- 켄터키 주가 주들 간의 노예무역에 대한 규제들을 철폐함.

1849-50 · 필라델피아에 거주하는 아프리카계 미국인들이 백인폭도들의 공격을 스스로 방어함.

1850 · 텍사스 주에 거주하는 대략 300명의 세미놀 거주민들과 아프리카계 미국인들이 노예제도가 금지된 멕시코로 향하고, 다른 사람들이 뒤따르도록 자극을 줌.
- 연방정부에 의해 집행된, 두 번째 도망노예처벌법이 노예소유 주들의 권리를 강화하고, 자유흑인들의 권리를 위협함. 많은 주들이 이에 대응하여 개인적 자유법을 통과시킴.
- 메릴랜드 주가 주들 간의 노예무역에 대한 규제들을 철폐함.
- 버지니아 주가 해방된 노예로 하여금 1년 이내에 주를 떠나도록 규정하고, 입법부로 하여금 어떤 노예에게도 자유를 주지 못하도록 금지함.

1851 · 소저너 트루스Sojourner Truth가 오하이오 주의 아크론Akron에서 개최된 여성인권회의Women's Rights Convention에서 그녀의 유명한 「저는 여성이 아닌가요」("Ain't I a Woman")란 연설을 함.

1852 · 해리엇 비처 스토Harriet Beecher Stowe가 노예제도 폐지를 주장한 소설 『톰 아저씨의 오두막』(Uncle Tom's Cabin)을 출간함.

1853 · 윌리엄 웰스 브라운William Wells Brown이 아프리카계 미국문학의 첫 소설 『클로틀』(Clotel)을 런던에서 출간함.

1854 · 캔자스-네브래스카 조약The Kansas-Nebraska Act이 캔자스 주와 네브래스카 주의 영토를 정하고, 각각의 노예위치를 결정할 수 있는 자치권을 허용함. 또한 이 조약은 미주리 타결의 반노예 제도 조항을 철회함.

1854-55  · 코네티컷 주, 메인 주, 그리고 미주리 주가 개인적 자유법을 통과시킴. 매사추세츠 주와 로드아일랜드 주는 1840년대에 제정된 개인적 자유법을 갱신함.

1855  · 조지아 주와 테네시 주가 주들 간의 노예무역에 대한 규제들을 철폐함.

· 존 머서 랭스턴John Mercer Langston이 오하이오 주에서 공직에 선출됨으로써 미합중국 정부에 근무한 첫 아프리카계 미국인이 됨.

1856  · 공화당이 자유토지당을 전신으로 창당됨.

· 캔자스Kansas 주에서 노예제도 찬성 단체들이 로런스Lawrence의 자유토지타운을 공격함. 진보적 노예제도폐지론자인 존 브라운 John Brown과 그의 추종자들이 '피 흘리는 캔자스'Bleeding Kansas 로 불리는 사건을 통해 폭력과 파괴의 보복을 시작함.

· 드레드 스콧 v. 샌포드Dred Scott v. Sanford에서 미합중국 대법원 이 모든 노예, 전직 노예, 그리고 노예의 후손들에게 시민권을 주지 않기로 하고, 이 지역들에서 노예제도를 폐지할 권리를 의회에게 주지 않기로 함.

1857  · 뉴햄프셔 주가 어떤 사람도 아프리카계 미국인의 후손이란 이유로 시민권을 거부당할 수 없고, 버몬트 주와 더불어 아프리카계 미국인의 주 민병대 입영을 반대한 법을 폐지함.

· 버지니아 주의 리치먼드Richmond가 노예법을 통과시킴. 이 법은 노예들에 의한 자체고용을 금지하고, 아프리카계 미국인들의 유입을 규제하며, 노예들의 흡연, 지팡이 휴대, 서성거림을 금지하는 '거리 에티켓'을 발표함.

· 오하이오 주와 위스콘신Wisconsin 주가 개인적 자유법을 통과시킴.

| 1858 | • 버몬트 주가 개인적 자유법을 통과시키고, 어느 누구도 아프리카인의 후손이란 이유로 시민권이 거부되지 않는다고 선언함. |
| | • 캔자스 주가 자유주로서 연방에 가입함. |
| 1859 | • 『우리의 검둥이』(*Our Nig*)의 저자인 해리엇 윌슨Harriet E. Wilson이 미합중국에서 출판한 첫 아프리카계 미국소설가가 됨. |
| | • 사우스캐롤라이나에서 백인노동자들이 노예와 자유 아프리카계 노동자들과의 경쟁에 반대하여 구원을 요청함. |
| | • 뉴멕시코New Mexico 주가 노예법을 제정함. |
| | • 애리조나Arizona 주가 자체의 지역에 거주하는 모든 자유 아프리카계 미국인들이 새해의 첫 날에 노예로 간주될 것이라고 선언함. |
| | • 미합중국으로 노예를 운반하는 마지막 선박이 앨라배마 주의 모바일 베이Mobile Bay로 입항함. |
| | • 존 브라운John Brown이 이끄는 백인과 아프리카계 미국인 단체가 남부에서 노예제도의 기반을 약화시키기 위해 버지니아 주의 하퍼스 페리Harper's Ferry를 기습했으나 성공하지 못함. |
| 1860 | • 노예의 인구가 거의 4백만 명에 도달하고, 자유인과 노예의 비율이 대략 7:1이 됨. |
| | • 애리조나 주가 모든 자유 아프리카계 미국인을 주로부터 추방하는 '추방법'Expulsion Act을 통과시킴. |
| 1861 | • 텍사스 주가 노예해방을 금지함. |
| | • 사우스캐롤라이나 주가 미시시피Mississippi 주, 플로리다 주, 앨라배마 주, 조지아 주, 루이지애나 주, 그리고 텍사스 주에 이어 연방으로부터 결별함. 버지니아 주, 아칸소 주, 테네시 주, 그리고 노스캐롤라이나 주 또한 결별함. |

· 남부연맹이 형성되고, 제퍼슨 데이비스Jefferson Davis가 대통령으로 선출됨.

· 해리엇 제이콥스Harriet Jacobs가 아프리카계 미국여성의 첫 자서전 『어느 노예소녀의 삶에서 나타난 사건들』(*Incidents in the Life of a Slave Girl*)을 출간함.

· 남북전쟁이 사우스캐롤라이나의 찰스턴Charleston에서 시작됨.

· 북군과 함께 도피를 모색하는 노예들이 '전시 금제품'으로 간주됨.(교전 상대국에 중립국이 보내는 화물; 교전국이 몰수권을 가짐.) 첫 몰수법The First Confiscation Act이 통과되고, 노예들을 포함하여 반란을 지지하는 데에 사용된 모든 재산이 압수된다고 선언함.

1862   · 하원이 노예해방 주에 대해 금전적 인센티브를 제공하기로 결정함.

· 하원이 워싱턴 주와 자체의 영토에서 노예제도를 폐지함.

· 에이브러햄 링컨Abraham Lincoln이 남부 주들과 북부 주들 사이에 위치한 경계 주들에 대해 점진적이고, 보상적인 노예해방을 하도록 요구하고, 자유 아프리카계 미국인들의 식민화를 옹호함.

· 링컨이 21세 이상의 아프리카계 세대주들과 아프리카계 미혼여성을 포함하여, 자격요건을 갖춘 시민들에게 공유지를 분배해주는 '홈스테드 법'Homestead Act에 서명함.

· '두 번째 몰수법'이 남부연맹 지역들의 노예들과 지지자들에게 자유를 줌.

· 민병대법Militia Act이 대통령에게 아프리카계 미국인을 포함한 모든 사람들을 육군 또는 해군에서 활용할 수 있도록 허용하고, 적이 소유한 노예들이 북군에 복무할 경우에 대가로 자유를 줄 수 있도록 허용함.

- 다른 남부 주들에 이어 버지니아 주가 노예들을 군사적인 노역에 활용할 수 있는 권한을 부여함.
- 로버트 스몰스Robert Smalls가 이끄는 사우스캐롤라이나 노예들이 남부연맹의 선박 더 플랜터The Planter를 나포하여 포트 섬터 Fort Sumpter에 주둔한 연방군에 넘김.
- 사우스캐롤라이나 주가 아프리카계 병사의 징병을 승인함.
- 육군본부의 승인을 받은 아프리카계 연대가 사우스캐롤라이나 주에서 창설됨.
- 웨스트버지니아West Virginia 주가 자유주로서 연방에 가입됨. 주의 헌법이 점진적 노예해방을 요구함.
- 유타Utah 주가 노예제도를 폐지함.
- 오하이오 주에서, 메리 제인 패터슨Mary Jane Patterson이 오벌린 Oberlin 대학으로부터 학위를 받음으로써 미국대학의 첫 아프리카계 미국여성 졸업생이 됨.

1863
- 링컨이 충성맹세를 하고 노예제도폐지를 수용한 남부백인들에게 사면을 해주는 재건계획Reconstruction plan을 발표함. 유권자들 중 적어도 10%가 이 안들을 찬성하는 주들에서만 주정부가 설립되도록 함.
- 제54 매사추세츠 유색인 보병연대가 창설됨. 자유 주에서의 첫 아프리카계 연대임. 북부의 전역에서 아프리카계 병사들이 모병되고 훈련을 받음.
- 워싱턴 주에서, 연방육군본부가 유색인 부대 부서를 설치함.
- 뉴욕 주와 다른 북부 시들에서 백인들이 소요를 일으킴.
- 메릴랜드 주의 법이 노예제도를 폐지함.

1864
- 하원이 웨이드 데이비스 법안Wade-Davis Bill이란 새로운 재건계

획을 통과시킴. 링컨의 계획과 달리, 이 법안은 연방에 맞서 싸우지 않았다고 맹세한 주들만 주 정부의 재건에 참여할 수 있게 함. 노예제도에 대한 금지를 요구하는 것과 더불어, 이 법안은 남부연맹 지도자들의 권리박탈과 남부연맹 부채인수의 거부를 요구함. 링컨은 이 법안에 대해 서명을 거부함.

· 제54 매사추세츠 아프리카계 연대의 병사들이 불평등한 보상에 대해 항의함. 몇 달 후에, 하원이 동등한 보수의 지급을 약속하는 평등법안을 통과시킴.

· 루이지애나 주, 아칸소 주, 그리고 테네시 주 정부들이 링컨의 1863년 계획하에 재건됨. 진보적인 공화당 의원들의 주도하에, 하원은 이 같은 정부들 또는 대표들을 인정하지 않음.

· 루이지애나 주, 아칸소 주, 그리고 미주리 주가 노예제도를 폐지함.

· 루이지애나 주에서, 『뉴올리언스 트리뷴』(*The New Orleans Tribune*)이 출간을 시작함. 아프리카계 미국인이 운영하는 첫 일간신문임.

· 미합중국헌법의 13번째 개정안으로 미국 전역에서 노예제도를 폐지함.

1865 · 로버트 리Robert E. Lee의 추천에, 남부동맹의회가 노예집병을 허용하는 '흑인병사법안'Negro Soldier Bill을 통과시킴.

· 조지프 존스턴Joseph Johnston이 연방군에 항복함.

· 리 장군이 버지니아 아포마톡스 법원 청사Appomattox Court House에서 연방군의 그랜트Grant 장군에게 항복함.

· 재선된 링컨이 살해됨. 남부 민주당원, 앤드루 존슨Andrew Johnson이 대통령이 됨. 존슨의 재건계획은 미래의 충성을 약속

하는 사람들을 사면해주고, 남부동맹의 주요 관리들이 개별적인 대통령 사면을 청구하도록 요구함.

- 테네시 주가 노예제도를 폐지함.
- 미시시피 주가 '흑인법'Black Code을 제정함.
- 의회가 존슨의 재건계획하에 형성된 주 정부를 인정하지 않음.
- 의회가 '자유인 부서'The Freedmen's Bureau로 불리는 '미합중국 피난자, 자유인 및 포기된 토지 관리국The U.S. Bureau of Refugees, Freedmen and Abandoned Lands을 설립함.

1866
- 버지니아 주가 아프리카계 미국인들 간의 결혼을 법적으로 인정하고, 자식들에게 합법성과 상속권을 허용함.
- 공화당 다수 의회가 아프리카계 미국인들의 권리를 보호하기 위해 인권법안Civil Rights Bill을 통과시킴. 반복된 대통령의 거부 이후에, 의회가 존슨을 무시하고 법안을 제정함.
- 두 명의 아프리카계 미국인들이 매사추세츠 입법부에 입성함. 미국정부의 지역정부에 입성한 첫 아프리카계 대표들이 됨.
- 의회가 '자유인 부서'를 확장함. 존슨이 이 법을 거부했으나 다시 의회가 대통령의 거부를 무시함.
- 존슨이 아프리카계 미국인의 보통선거권에 대한 문제를 논의하기 위해 프레더릭 더글러스가 이끄는 대표단을 만남.
- 미합중국 육군이 아프리카계 기병대 및 보병연대를 창설함.
- 거의 1만 5천명의 사람들이 노예해방을 축하하기 위해 수도에 모임.
- 이전의 남부연맹 주들이 13번째 개정안에 대항하기 위해 '흑인 법'을 제정함.
- 인종소요가 테네시 주의 멤피스Memphis와 루이지애나의 뉴올리

언스에서 발생함.

· 케이케이단Ku Klux Klan이 테네시에서 창설됨.

1867
· 의회가 워싱턴 주에서 아프리카계 미국인들에게 선거권을 부여함.

· '자유인들의 부서'의 부서장의 이름을 딴 하워드 대학교Howard University가 워싱턴에 설립됨.

1868
· 미합중국헌법의 14번째 개정안이 비준됨. 출생하고 귀화한 모든 원주민에게 시민권을 부여하고, 아프리카계 미국인들을 동등하게 보호받도록 함.

· 의회가 넷째 재건법을 통과시킴.

· 존슨 대통령이 하원의 탄핵을 받음. 상원에서 근소한 차이로 지지를 얻어서 대통령직을 유지함.

· 사우스캐롤라이나 주, 노스캐롤라이나 주, 그리고 조지아 주가 앨라배마 주, 아칸소 주, 플로리다 주, 그리고 루이지애나 주에 이어서, 연방에 재편입 되고, 의회에서 대표권을 허용받음.

· 사우스캐롤라이나 주에서, 다수를 차지한 아프리카계 의원들로 구성된 첫 번째이자 유일한 미국입법부가 선출됨. 백인대표에 대한 아프리카계 대표의 비율이 87:40임.

· 아프리카계 미국인 대표들이 조지아 입법부로부터 축출됨. 재입성을 위해 1년이 걸림.

1869
· 율리시스 그랜트Ulysses S. Grant 장군이 대통령으로 선출됨. 의회에서 진보적 공화당 의원들과 뭉쳤지만, 재건을 위한 지도자로 나약함을 노출함.

· 미합중국 대법원이 흑백분리를 불법으로 판결함. 이 결정에 이어, 의회가 텍사스 주에서 공화당 정부를 복원함.

1870
· 미합중국헌법의 15번째 개정안이 비준되고, 아프리카계 성인남

성에게 선거권을 보장함.

- 의회가 아프리카계 미국인들의 권리를 보호하기 위해 "첫 집행법"The First Enforcement Act을 통과시킴.

- 조셉 헤인 레이니Joseph Hayne Rainey가 미합중국 하원에 선출된 첫 아프리카계 미국인이 됨.

- 아프리카계 미국인들이 처음으로 '미합중국 센서스'U.S. census에 기재됨.

- 버지니아 주와 노스캐롤라이나 주에 거주하는 백인들이 '구원자 정부'Redeemer's governments에 투표함.

- 아직 재건되지 않았지만, 버지니아 주, 미시시피 주, 그리고 텍사스 주가 연방에 재편입 되고, 의회대표를 보유할 수 있게 됨.

- 조지아 주가 연방에 재편입됨.

- 케이케이단 법이 통과됨. 연방정부에 시민권법이 지켜지지 않는 경우 징벌할 수 있는 권리와 반인권음모에 대해 군사력을 동원할 수 있는 권리를 부여함.

1871
- 두 번째 집행법The Second Enforcement Act이 개정된 헌법에 의해 아프리카계 미국인들에게 허용된 권리를 집행하기 위해 통과됨.

- 사우스캐롤라이나 주에서 그랜트는 계엄을 선포하고 구인영장의 발급을 보류시킴.

- 조지아 주에서 백인들이 '구원자' 정부에 투표함.

- 아프리카계 미국인인 피스크 주빌리 싱어스Fisk Jubilee Singers가 전국투어를 함. 투어를 통해 피스크 대학교Fisk University의 설립을 이끌어냄.

1872
- 그랜트가 재선에 성공함.

- '자유인 부서'가 폐지됨.

- 사면법The Amnesty Act이 남부 연맹 공직 획득에 대한 대부분의 기존 규제들을 철폐함.

1873 · 『뉴욕 트리뷴』(*The New York Tribune*)이 사우스캐롤라이나 아프리카계 대표들의 부패 관련 기사를 게재함.

- 루이지애나 주의 콜팩스Colfax에서 공화당 정부를 보호하려 주의 아프리카계 민병대가 백인 정부를 지지하는 '백인 연맹'White League과 충돌함. 100명 이상의 아프리카계 미국인들이 살해됨.

1874 · 아칸소 주와 앨라배마 주가 '구원자 정부'에 투표함.

- 민주당이 남북전쟁 전의 기간 이래로 처음 두 의회의 지배력을 확보함.

- 백인들이 사우스캐롤라이나 입법부에서 다수를 차지함.

1875 · 현행 공화당 의회가 아프리카계 미국인들에게 교통시설을 포함한 모든 공공시설들에 동등하게 접근할 수 있는 권리를 허락하는 인권법Civil Rights Act을 통과시킴.

- 미시시피 주에서 백인들이 '구원자 정부'에 투표함.

- 미시시피 주에서, 20명 이상의 아프리카계 미국인들이 '클린튼 대학살'Clinton Massacre에서 살해됨.

1877 · 일명 '1877년의 타협'Compromise of 1877* 에 의해, 공화당원 루터 러더퍼드 헤이스Rutherford B. Hayes가 대통령이 되고, 마지막 연방부대가 재건의 종식을 표시하며 남부로부터 철수함.

- 플로리다 주와 루이지애나 주에서 백인들이 '구원자 정부'에 투표함.

1878 · 일명 '대이동'Exoduster Movement에 의해 전직 노예들의 캔자스

---

\* 1876년의 미국 대통령 선거에서 발생한 논란을 해결한 비공식 협상이다. 이 타협안은 남부로부터 연방군을 철수시키고, 재건기간을 종식시키자는 것이다.

주로의 재배치가 개시됨.

· 같은 해에, 3만 명의 아프리카계 미국인들이 캔자스 주로 이동함.

1881 · 테네시 주가 '짐 크로' 법'Jim Crow' laws* 중 주의 철도에서 아프리카계 미국인을 격리시키는 첫 번째 법을 통과시킴. 다른 주들이 이를 따르고, 격리를 합법화함.

---

* '짐 크로 법'의 '짐 크로'라는 이름은 민스트럴 쇼Minstrel Show의 1828년 히트곡 '점프 짐 크로'Jump Jim Crow에서 유래했다. 이 극에서, 짐 크로는 시골의 초라한 아프리카계 미국인을 희화화한 캐릭터이며, 치장한 도시의 아프리카계 미국인 집 쿤Zip Coon과 동시에 민스트럴 쇼의 단골 캐릭터이다. 1838년 '짐 크로'는 '검둥이'를 뜻하는 경멸적인 표현으로 형상화됐고, 흑인을 겨냥한 인종분리정책이 19세기에 시행되었을 때에, 이 법의 명칭이 됐다. 이 법으로 인해 아프리카계 미국인들은 경제적 후원, 주거지, 경제, 교육, 사회 등에서 불평등한 대우를 받았다. 즉 아프리카계 미국인들은 이 법으로 인해 공립학교, 공공장소, 대중교통, 그리고 군대에서 백인들과 공간을 같이 사용할 수 없게 됐다. 이 법은 연방대법원이 공립학교에서의 차별을 위헌으로 판결한 1954년부터 폐지되기 시작됐고, 남아있었던 법들은 1964년 시민권법과 1965년 선거권법으로 인해 효력을 상실했다.

# | 인용문헌 |

독고현. 「부기우기의 비밥의 시적 재현: 랭스턴 휴스의 『지연된 꿈의 몽타주』」. 『현대영미시연구』. 13.2 (2007): 1-28.

마크 헬블링. 『할렘 르네상스』. 이경식 옮김. 서울: 주한미국대사관, 2007.

시몬 듀링. 『푸코와 문학』. 오경심·홍유미 옮김. 서울: 동문선, 2003.

Abrahams, Rodger. *Deep Down in the Jungle: Negro Narrative Folklore from the Streets of Philadelphia*. Chicago: Aldine Publishing, 1970. (*Deep*으로 표기함.)

____. *Talking Black*. Rawley: Newbury House, 1976. (*Talking*으로 표기함.)

Avery, Gross. *Revels and Fiction. The Fiction of Richard Wright and Bernard Malmud*. New York: Kennikat P, 1979.

Babb, Valerie. "E plunbus Unum? The American Crigins Narrative in Toni Morrison 1. Roge, Susmita. "Toni Morrison's Distupted Girls And Their Disturbed Girlhoods: The Bluest Eye and A Mercy." *Gallaloo* 35.1 (2012): 212-27.

Baker, Houston. *Modernism and The Harlem Renaissance*. Chicago: U of Chicago P, 1987.

Baldwin, James. *Another Country*. New York: Vintage, 1993.

____. *Notes of a Native Son*. Boston: Beacon P, 1957.

Benjamin, Franklin. *The Autobiography and Other Writings*. Ed. Kenneth Silverman. New York: Penguin, 1986.

Bergenholtz, Rita A. "Toni Morrison's *Sula*: A Satire on Binary Thinking." *African American Review* 30.1 (1996): 89-99.

Bertens, Hans & D'haen, Theo. *American Literature: A History*. New York: Routledge, 2014.

Bethel, Lorraine. "'This Infinity of Conscious Pain': Zora Neale Hurston and the Black Female Literary Tradition." *Zora Neale Hurston's Their Eyes Were Watching God*. Ed. Harold Bloom. New York: Chelsea House, 1987. 9-17.

Bibb, Henry. *Narrative of the Life and Adventures of Henry Bibb, an American Slave, Written by Himself.* Eds. William Andrews and Henry Louis Gates. jr. New York: Library of America, 2002.

Bone, Robert. *The Negro Novel in America.* New Haven: Yale UP, 1964.

'Box' Brown, Henry. Narrative of the Life of Henry Box Brown, Written by Himself. 14 March 1999. <http://www.docsouth.unc.edu/neh/brownbox/brownbox.htm>

Brown W, Williams. *Clotel, the President's Daughter.* 24 February 2011. <http://www.knowledgerush.com/books/clotl10a.html>

Bruce D, Dickson. "Politics and political philosophy in the slave narrative." *The Cambridge Companion to The African American Slave Narrative.* Ed. Audrey A. Fish. New York: Cambridge UP, 2007. 28-43.

Carpio R. Glenda. "Humor in African American Literature. *A Companion to African American Literature.* Ed. Gene Andrew Jarrett. West Sussex: Willy-Blackwell, 2010. 315-31. (Humor로 표기함.)

_____. *Laughing Fit To Kill : Black Humor in the Fictions of Slavery.* Oxford UP. 2008. (*Laughing*으로 표기함.)

_____. *Laughing Fit to Kill: Black Humor in the Fictions of Slavery.* New York: Oxford UP, 2008.

Carretta, Vincent. "Back to the Future: Eighteenth-Century Transatlantic Black Authors." *A Companion to African American Literature.* Ed. Gene Andrew Jarrett. West Sussex: Willy-Blackwell, 2010. 11-24.

_____. "Olaudah Equiano: African British abolitionist and founder of the African American slave narrative." *The Cambridge Companion to The African American Slave Narrative.* Ed. Audrey A. Fish. New York: Cambridge Up, 2007. 44-60.

Charles, Chesnutt. "The Gooperhead Grapevine." 11 May 2012. <http://people.virginia.edu/~sfr/enam312/2004/grapevine.html>

Childs, Peter. *Modernism.* London: Routledge, 2000.

Cohen, Cathy. "Punks, Bulldaggers, and Welfare Queens: The Radical Potential of Queer Politics." *Sexual identities, Queer Politics.* Ed. Mark Blasius. Princeto: Princeton UP, 2001. 200-26.

Cooke, Micheal. "The Beginnings of Self-Realization." *Modern Critical Interpretations: 20C American Literature.* Ed. Harold Bloom. New York: Chelsea, 1988. 57-66.

Courlander, Harold. *A Treasury of Afro-American Folklore*. New York: Crown Publishers, 1976.

Cruse, Harold. *The Crisis of the Negro Intellectual*. New York: William Morris & Co., 1967.

Cugoano, Ottobah. "Appendix." Narrative of the Enslavement of Ottobah Cugoano, a Native of Africa. <http://docsouth.unc.edu/net/cugoano/cugoano.html>

Darling, Marsha. "In the Realm of Responsibility: A Conversation with Toni Morrison." *Conversation with Toni Morrison*. Ed. Danille Taylor-Guthrie. Jackson: UP of Mississippi, 1994.

Davidson, Rob. "Racial Stock and 8-Rocks: Communal Historiography in Toni Morrison's *Paradise*." *Twentieth-Century Literature* 47.3 (2001): 355-73.

Davies, Carole B. *Black Women, Writing And Identity: Migrations of the Subject*. New York: Routledge, 1994.

Delany, Martin. *Blake; or, The Huts of America*. 12 May 2013. <http://xroads.virginia.edu/~HYPER/hwilson/wilson.html>

Dodson, Howard.. "James Baldwin 1924-1987," *Black Literrture Criticism: Classic and Emerging Authors Since 1950s*. Ed. Jelena O. Kristovic. New York. Cengage Learning, 2008. 143-60.

Douglass, Frederick. *My Bondage and My Freedom*. 14 May 2013. <http://etext.virginia.edu/modeng/public/DouM>

____. *Narrative of the Life of Frederick Douglass an American Slave. Written by Himself*. 4 November 2012. <http://www.gutenberg.org>

Draitser A. Emil. *Techniques of Satire: The Case of Saltykovschedrin*. Berlin: Mouto de Gruyter, 1994.

Du Bois, W.E.B. *Dusk of Dawn*. New Brunswick: Transactional Publishers, 1992.

____. "Strivings of the Negro People," *Atlantic Monthly* (Aug. 1897), 194-95.

____. "The Conservation of Races." *The American Negro Academy Occasional Papers* 2. (1897), 7.

____. "Words of Color: The Negro Mind Reaches Out." *The New Negro: Voices of the Harlem Renaissance*. Ed. Akain Locke. New York: Macmillan, 1999. 383-414.

Dubey, Madhu. "Neo-Slave Narratives." *A Companion to African American Literature*.

Ed. Gene Andrew Jarrett. West Sussex: Willy-Blackwell, 2010. 332-46.

Dunbar, Paul. *The Sport of Gods.* 12 October 2013. <http://www.gutenberg.org/ebooks/17854>

Earnest, John. "Beyond Douglass and Jacobs." *The Cambridge Companion To The African American Salve Narrative.* Ed. Andrey A. Fisch. New York: Cambridge UP, 2007. 218-31.

Ellison, Ralph. "An Extravagance of Laughter." *Going to the Territory.* New York: Random House, 1986. 145-97.

____. *Invisible Man.* New York: Penguin, 2001.

____. *Shadow and Act.* New York: Signet Books, 1966.

Equiano, Olaudah. "Chapter 2." The Interesting Narrative of the Life of Olaudah Equiano, or Gustavus Vassa, The African.
<http://www.pbs.org/wgbh/aia/part1/1h320t.htm>

Fanon, Frantz. "On National Culture." *Postcolonial Criticism.* Eds. Bart Moore-Gilbert, Gareth Stanton, and Willy Maley. New York: Longman, 1997. 91-111.

Felski, Rita. *The Gender of Modernity.* Cambridge: Harvard UP, 1995.

Foster, Guy. "African American Literature and Queer Studies: The Conundrum of James Baldwin." *A Companion to African American Literature.* Ed. Gene Andrew Jarrett. West Sussex: Willy-Blackwell, 2010. 393-409.

Foucault, Michel. *The Archaeology of Knowledge.* Trans. A. M. Sheridan Smith. New York: Pantheon, 1972.

Gallego, Mar. "Love and the Survival of the Black Community." *The Cambridge Companion to Toni Morrison.* Ed. Justine Tally. UK: Cambridge UP, 2007. 92-100.

Garetta, Vincent. "Back to the Future: Eighteenth-Century Transatlantic Black Authors." *A Companion to African American Literature.* Ed. Gene Andrew Jarrett. West Sussex: Willy-Blackwell, 2010. 11-24.

Garvey, Marcus. *Marcus Garvey Life and Lessons: A Centennial Companion to the Marcus Garvey and Universal Negro Improvement Association Paper.* eds. Robert A. Hill and Barbara Blair. Berkeley: California UP, 1988.

Gates, Louis Henry. *Figures in Black: Words, Signs and the "Racial" Self.* New York: Oxford UP. 1987.

____. *The Signifying Monkey: A Theory of African-American Literary Criticism.*

New York: Oxford UP, 1989.

Gauld, Philip. "The Economies of the Slave Narrative." *A Companion to African American Literature*. Ed. Gene Andrew Jarrett. West Sussex: Willy-Blackwell, 2010. 90-102.

Gauthier, Marni. "The Other Side of Paradise: Toni Morrison's (Un)Making of Mythic History." *African American Review* 39.3 (2005): 395-414.

George, David. An Account of Life of Mr. David George from S. L. A. given by himself. 21 May 2011.
    <http://blackloyalist.com/cdc/documents/diaries/george_a_life.htm>

Gilbert M, Sandra & Gubar, Susan. *The Madwoman in the Attic*. New Haven: Yale UP, 1984.

Glazer, Nathan. "We are All Multiculturalists Now." *Multiculturalism in the United States: Current issues, Contemporary Voices*. Ed. Peter Krivisto & Georganne Rundbled. California: Pine Forge P. (2000): 445-54.

Gordon, Yvonne Michelle. "The Chicago Renaissance." *A Companion to African American Literature*. Ed. Gene Andrew Jarrett. West Sussex: Willy-Blackwell, 2010. 271-85.

Grewall, Gurleen. "A Mercy." *Melus* 36.2 (2011): 191-93.

Gronniosaw, James Alkbert Ukawsaw. A Narrative of the Most Remarkable Particulars in the Life of James Albert Ukawsaw Gronniosaw, An African Prince. 15 Jan. 2001. <http://docsouth.unc.edu/neh/gronniosaw/gronnios.html>

Hammon, Briton. A Narrative of the Uncommon Sufferings and Surprising Deliverance of Briton Hammon, A Negro Man. 24 Oct 2001.
    <http://docsouth. unc.edu/neh/hammon.html>

Harris, Trudier. "On The Color Purple, Sterotypes, and Silence." *Black American Literature Forum* 18 (1984): 155-61.

____. *Fiction and Folklore: The Novels of Toni Morrison*. Knoxville: The U of Tennessee P, 1991.

Heinze, Denise. The Dilemma of "Double-Consciousness": *Toni Morrison's Novels*. Athens: U of Georgia P, 1993.

Hemenway E, Robert. *Zora Neale Hurston: A Literary Biography*. Illinois: U of Illinois P, 1980.

Hernton, Calven. "The Sexual Mountain." *Wild Women in the Whirlwind: Afro-American Culture and the Contemporary Literary Renaissance*. Ed. Joanne M. Braxton et al. New Brunswick: Rutgers UP, 1990. 195-212.

Herrin, Liz. "The Jazz Novel—Comparison of McKay's Banjo and Jones's Mosquito." 16 July. 2006. <http://contributer.yahoo.com/user/6715/lizherrin.html>

Hooks, Bell. *Ain't I A Woman: Black Women and Feminism*. Boston: South End P, 1992.

____. *Black Looks: Race and Representation*. Boston: South End P, 1991.

Hopkins, Pauline. *Of One Blood*. New York: Washington Square P, 2004.

Howe, Irving. *A World More Attractive*. New York: Horizon P, 1963.

Hughes, Langston. "Minstrel Man." 3 Jan 2003. <http://www.poemhunter.com/poem/minstrel-man>

____. "Poor Little Black Boy." *The American Mercury*. November 1993. <http://www.unz/Pub/AmMercury-1993nov-00326>

____. "Slave on the Block." *Scribners*. September 1993. <http://www.unz.org/ Pub/Scribners-1933sep-00141> ("Slave"로 표기함.)

____. *The Big Sea*. New York: Hill and Wang, 1993. (*BS*로 표기함.)

____. *The Collected Poems of Lansgston Hughes*. Ed. Arnold Rampersad & David Russel. New York: Vintage Books. 1995. (*CP*로 표기함.)

____. *The Collected Poems of Lansgston Hughes*. New York: Vintage Books. 1995. (*CP*로 표기함.)

Hurston, Zora Neale. *Dust Tracks on a Road*. New York: Harper, 1996.

____. *Mules And Men*. New York: Harper, 1990.

____. *Their Eyes Were Watching God*. New York: Harper Perennial, Harper, 2006.

____. *Tell My Horse*. New York: Harper & Row, 1990.

____. "High John de Conquer." *Mother Wit from the Laughing Barrel: Readings in the Interpretation of African American Folklore*. Ed. Alan Dundes. Jackson: UP of Mississippi, 1983.

Innes, C. L. *The Cambridge Introduction to Postcolonial Literatures in English*. New York: Cambridge UP, 2007.

Jacobs, Harriet. *Incidents in the Life of a Slave girl, Written by Herself*. 5 June 2013. <http://docsouth.unc.edu/fpn/jacobs.html>

Jarrett A, Gene. "The Dialect of New Negro." *A Companion to African American Literature*. Ed. Gene Andrew Jarrett. West Sussex: Willy-Blackwell, 2010. 169-84.

Kaplan, Carla. "Making It New: Constructions of Modernism." *A Companion to American Literature and Culture*. Ed. Paul Lauter. West Sussex: Wiley-Blackwell, 2010. 40-56.

Karavanta, Mina. "Toni Morrison's A Mercy and the Counterwriting of Negative Communities: A Postnational Novel." *Modern Fiction Studies* 58.4 (2012): 723-46.

Keizer, *Arlene. Black Subjects: Identity Formation in the Contemporary Narrative of Slavery*. New York: Cornell UP, 2004.

Kochman, Thomas. "Towards an Ethenography of Black American Speech Behavior." *Rappin' and Stylin' Out: Communication in Urban Black America*. Urbana: U of Illinois P, 1972.

Kubitchek D, Missy. "Thou de Horizon and Black: The Female Quest in *Their Eyes Were Watching God*." *Black American Literature Forum* 17.3 (Fall 1983): 109-15.

Langham, Richard. *The Motives of Eloquence: Literary Rhetoric in the Renaissance*. New Haven: Yale UP, 1976.

Lawrence, David. "Fleshly Ghosts and Ghostly Flesh: The Word and the Body in *Beloved*." *Toni Morrison's Fiction*. Ed. David L. Middleton. New York: Garland Publishing, 1997. 231-46.

Lee S, Maurice. "The 1850s: The First Renaissance of Black Letters." *A Companion to African American Literature*. Ed. Gene Andrew Jarrett. West Sussex: Willy-Blackwell, 2010. 103-18.

Leonard, Keith. "Jazz and African American Literature." *A Companion to African American Literature*. Ed. Gene Andrew Jarrett. West Sussex: Willy-Blackwell, 2010. 286-301.

Levine S, Robert. "African American Literary Nationalism." *A Companion to African American Literature*. Ed. Gene Andrew Jarrett. West Sussex: Willy-Blackwell, 2010. 119-32.

____. "The slave narrative and the revolutionary tradition of American autobiography." *The Cambridge Companion to The African American Slave Narrative*. Ed. Audrey A. Fish. New York: Cambridge UP, 2007. 99-114.

Locke, Alaine. *The New Negro*. New York: Atheneum, 1968.

Logan M, Lisa. "Thinking with Toni Morrison's A Mercy(A Response to "Remembering the Past: Tony Morrison's Seventeenth Century in Today's Classroom")." *Early American Literature* 48.1 (2013): 193-99.

Margolis, Edward. *Native Son: A Critical Study of Twentieth Century Negro American Authors*. New York: Lippincott, 1968.

Marrant, John. A Narrative of the Lord's Wonderful Dealings With John Marrant, A Black. <http://blackloyalist.com/canadiandigitalcollection/documents/diaries/mattant_narrative.htm>

Maxwell J, William. "African American Modernism and State Surveillance." *A Companion to African American Literature*. Ed. Gene Andrew Jarrett. West Sussex: Willy-Blackwell, 2010. 254-68.

McClintock, Ann. "The Angel of Progress: Pitfalls of the Term 'Post-colonialism'." *Colonial Discourse and Post-Colonial Theory: A Reader*. Eds. Patrick Williams and Laura Chrisman. New York: Columbia UP, 1994. 291-304.

McDowell, Deborah. "Telling slavery in "freedom's time: post-reconstruction and the Harlem Renaissance." *The Cambridge Companion to The African American Slave Narrative*. Ed. Audrey A. Fish. New York: Cambridge UP, 2007. 150-67.

McGowan, Todd. "Liberation and Domination: *Their Eyes Were Watching God* and the Evolution of Capitalism." *MELUS* 24.1 (1999): 109-28.

McKay, Claude. *A Long Way from Home*. New York: Harcourt Brace & Company, 1970.

_____. *Banzo*. New York: Harper & Row. 1957.

_____. *The Negroes in America*. Ed. A. E. McLeod. New York: Kennikat P, 1979.

Meese, Elizabeth. "Orality and Textuality in *Their Eyes Were Watching God*." Ed. Harold Bloom. *Zora Neale Hurston's Their Eyes Were Watching God*. New York: Chelsea House, 1987. 59-71.

Mitchell-Kernan, Claudia. "Signifying as a Form of Verbal Art." *Mother Wit from the Laughing Barrel: Readings in the Iterpretation of Afro-American Folklore*. Ed. Alan Dundes. New Jersey: Prentice-Hall, 1973. 310-28.

Moody-Turner, Shirley. "Folklore and African-American Literature in the

Post-Reconstruction Era." *A Companion to African American Literature*. Ed. Gene Andrew Jarrett. West Sussex: Willy-Blackwell, 2010. 200-11.

Moore, Cobb Geneva. "A Demonic Parody: Toni Morrison's A Mercy." *The Southern Literary Journal* XLIV.1 (2011).

Morrison, Toni. "Unspeakable Things Unspoken: The Afro-American Presence in American Literature". Ed. Harold Bloom. New York: Chelsea House, 1990. 201-30.

____. *a mercy*. New York: Vintage, 2009.

____. *Beloved*. London: Chatto & Windus, 1987.

____. *Love*. New York: Alfred A. Knopf, 2003.

____. *Paradise*. New York: A Plume Book, 1999.

____. *Playing in the Dark*. New York: Random House, 1990.

Myers, Jack. *The Longman Dictionary Of Poetic Terms*. New York: Longman, 1989.

Nicholls, Peter. *Modernisms: A Literary Guide*. Berkeley: U of California P, 1995.

Otten, Terry. *The Crime Of Innocence In The Fiction Of Toni Morrison*. Columbia: U of Missouri P, 1989.

Pechey, Grahan. "On the borders of Bakhtin." *Bakhtin and Cultural Theory*. Ed. Ken. Hirschkop and David Shepherd. Manchester: Manchester UP, 1989.

Pierce, Yolanda. "Redeeming bondage: the captivity narrative and the spiritual autobiography in the African American slave narrative tradition." *The Cambridge Companion to The African American Slave Narrative*. Ed. Audrey A. Fish. New York: Cambridge Up, 2007. 83-98.

Pinckney, Darryl. "Hate." *The New York Review of Books* 50.19 (2003): 18-21.

Reed, T. V. "Re-Historicizing Literature." *A Companion To American Literature and Culture*. Ed. Paul Lauter. West Sussex: Wiley-Blackwell, 2010. 96-109.

Reid-Pharr. F, Robert. "The slave narrative early Black American literature." *The Cambridge Companion to The African American Slave Narrative*. Ed. Audrey A. Fish. New York: Cambridge UP, 2007. 137-49.

Reilly, John. "Afterword." *Native Son*. New York: Harper & Row, 1989. 393-97.

Richards, David. "Framing Identities," *A Concise Companion to Colonial Literature*. Ed. Shirley Chew and David Richards. UK: Blackwell Publishing Ltd, 2010. 9-28.

Romero, Chanette. "Creating the Beloved Community: Religion, Race, and Nation in Toni Morrison's Paradise." *African American Review*. 39.3 (2005): 415-30.

Rosenblatt, Rodger. *"Their Eyes Were Watching God." Zora Neale Hurston*. Ed. Harold Bloom. New York: Chelsea House, 1986. 29-34.

____. *Black Fiction*. Cambridge: Harvard UP, 1974.

Ross, Marlon B. "Racial Uplift and the Literature of the New Negro." *A Companion to African American Literature*. Ed. Gene Andrew Jarrett. West Sussex: Willy-Blackwell, 2010. 151-68.

Rowe, Carlos. "Politics, Sentiment, and Literature in Nineteenth-Century America." *A Companion to American Literature and Culture*. Ed. Paul Lauter. West Sussex: Wiley-Blackwell, 2010. 26-39.

Roye, Susmita. "Toni Morrison's Disrupted Girls and Their Disturbed Girlhoods: The Bluest Eyes and A Mercy." *Callaloo* 35.1 (2012): 212-27.

Rushdy, Ashraf. *The Neo-Slave Narrative: Studies in the Social Logic of a Literary Form*. New York: Oxford UP, 1999.

Santamarina, Xiomara. "Black womanhood in North American women's slave narratives." *The Cambridge Companion to The African American Slave Narrative*. Ed. Audrey A. Fish. New York: Cambridge Up, 2007. 232-45.

Sarfelli, Etinne. "Ralph Ellison's Invisible Man." 25 March 2009. <http://www.voices.yahoo.com/ralph-ellisons-invisible-man-2938733.html>

Sarup, Madan. *An Introductory Guide to Post-Structuralism and Postmodernism*. New York: Harvester Wheatsheaf, 1988.

Seliska, Scott. "'Simply by Reacting?': The Sociology of Race and Invisible Man's Automata." *American Literature* 83 (2011): 571-97.

Sherrard-Johnson, Cherene. "Transatlantic Collaborations: Visual Culture in African American Literature." *A Companion to African American Literature*. Ed. Gene Andrew Jarrett. West Sussex: Willy-Blackwell, 2010. 227-42.

Sinanan, Kerry. "The slave narrative and the literature of abolition." *The Cambridge Companion to The African American Slave Narrative*. Ed. Audrey A. Fish. New York: Cambridge Up, 2007. 61-82.

Smethurst, James E. "The Black Arts Movement." *A Companion to African American Literature*. Ed. Gene Andrew Jarrett. West Sussex: Willy-Blackwell, 2010. 302-14.

Smith, Valeri. "Neo-slave Narrative." *The Cambridge Companion to The African American Slave Narrative*. Ed. Audrey A. Fish. New York: Cambridge UP, 2007. 168-88.

Stauffer, John. "Frederick Douglass's Self-fashioning and the Making of a Representative American Man." *The Cambridge Companion to The African American Slave Narrative*. Ed. Audrey A. Fish. New York: Cambridge UP, 2007. 201-17.

Stephens A, Michelle. "The Harlem Renaissance: The New Negro at Home and Abroad." *A Companion to African American Literature*. Ed. Gene Andrew Jarrett. West Sussex: Willy-Blackwell, 2010. 212-26.

Stepto, Robert. *From Behind the Veil: A Study of Afro-American Narrative*. Urbana: U of Illinois P, 1991.

Streeby, Shelley. "Multiculturalism and Forging New Canons." *A Companion To American Literature and Culture*. Ed. Paul Lauter. West Sussex: Wiley-Blackwell, 2010. 110-22.

Strehle, Susan. "I Am a thing Apart: Toni Morrison, A Mercy, and American Exceptionalism." *Critique: Studies in Contemporary Fiction* 54.2 (2013): 109-23.

Syri, Elina. "Gender Roles and Trauma in Toni Morrison's *Paradise*." *Moderna Sprak* 99.2 (2005): 143-54.

Szalay, Michael. "Ralph Ellison's Unfinished Second Skin." *American Literary History* 23.2 (2011): 795-827.

Tafoya, Eddie. *Icons of African American Comedy*. California: Greenwood, 2011.

Tate, Claudia. "Toni Morrison." *Conversations with Toni Morrison*. Ed. Danill Taylor-Guthrie. Jackson: UP of Mississippi, 1994. 156-70.

Thompson C, Mark. "Aesthetic Hygiene: Marcus Garvey, W. E. B. Du Bois, and the Work of Art." *A Companion to African American Literature*. Ed. Gene Andrew Jarrett. West Sussex: Willy-Blackwell, 2010. 243-53.

____. "Garvey, Du Bois, and the Work of Art." *A Companion to African American Literature*. Ed. Gene Andrew Jarrett. West Sussex: Willy- Blackwell, 2010. 243-53.

Todd, McGowan. "Liberation and Domination: *Their Eyes Were Watching God* and the Evolutioon of Capitalism." *MELUS* 24.1 (Spring 1999): 109-28.

Walker, Alice. "Foreword." *Zora Neale Hurston: A Literary Biography*. Ed. Robert Hemenway. U of Illinois P, 1977, 11-23.

____. *The Color Purple*. New York: Washington Square P, 1983.

Wardi, A. J. A "Laying on of Hands: Toni Morrison and the Materiality of Love." *MELUS* 50.3 (2005): 202-18.

Washington M. Helen. "An Essay on Alice Walker." *Study Black Bridges*. Eds. Roseann P. Bell J. Parker & Beverley Guy-Sheftall. New York: Anchor Books, 1979. 133-47.

Weinstein, Cindy. "The slave narrative and sentimental narrative." *The Cambridge Companion to The African American Slave Narrative*. Ed. Audrey A. Fish. New York: Cambridge UP, 2007. 115-36.

Whitford, Margaret, "Pre-oedipal." *Feminism and Psychoanalysis: A Critical Dictionary*. Ed, Elizabeth Wright. Oxford: Blackwell, 1998. 345-48.

Willis, Susan. "Zora Neale Hurston: Changing Her Own Word." *Zora Neale Hurston: Critical Perspectives Past and Present*. Eds. Henry Louis Gates Jr. & K. A. Appiah. New York: Amistad, 1993.

Wilson, Harriet. *Our Nig; or, Sketches from the Life of a free Black, In a Two-Story White House, North*. 21 March 2013.
<http://xroads.virginia.edu/~HYPER/hwilson/wilson.html>

Wolfe, Alan. "Benign Multiculturalism." *Multiculturalism in the United States: Current issues, Contemporary voices*. Ed. Peter Krivisto & Georganne Rundbled. California: Pine Forge P. (2000): 455-64.

Wright, Richard. "Big Boy Leaves Home". 11 July 2014.
<http://www.nbu.bg/webs/amb/american/5/wright/bigboy.htm>

____. "Blueprint for Negro Writing." 22 July 20013.
<http://www.nathanielturner.com/blueprintfornegroliterature.htm>

____. *"Their Eyes Were Watching God."* Zora Neale Hurston: Perspectives Past and Present. Eds. Henry Louis Gates. Jr. & Appiah. New York: Amistad, 1993. 16-17.

____. *Native Son*. New York: Harper, 2003.

Wyatt, Jean. "Failed Messages, Maternal Loss, and Narrative From in Tony Morrison's A Mercy." *Modern Fiction Studies* 58.1 (2012): 128-51.

# | 찾아보기 |

| 지은이 **이영철**

한국외국어대학교 졸업
한양대학교 대학원 영어영문학 석사
미국 Oklahoma City Univ. 대학원 TESOL 석사
한양대학교 대학원 영어영문학 박사

세종대학교, 한양대학교 영어영문학과 강사
서경대학교 영어과 겸임교수
한국관광대학 관광영어과 초빙교수
전주대학교 교양학부 영어과 교수 (현재)

저서 『토니 모리슨의 문학적 이슈와 시각』
『흑인에 대한, 흑인을 위한 토니 모리슨의 문제의식』
『데릭 월콧 연구』

논문 「남북전쟁 전 아프리카계 미국문학의 노예서사」
「'뉴 니그로'의 문학적 이슈, 흑인성의 부활」
「아프리카계 미국문학의 '네오' 노예서사」
「할렘 르네상스 시대 아프리카계 미국문학의 모더니티」
「할렘 르네상스와 시카고 르네상스의 문학적 연속성 아프리카계 미국문학의 유머」
「재건시대와 할렘 르네상스 시대 흑인지도자들에 대한 랄프 엘리슨의 시각」
「모리슨의 『자비』에서 '분산,' '단절,' '단절 속의 연속'의 역사쓰기」
「『사랑』에 나타난 모리슨의 풍자미학」
「토니 모리슨의 신화적 시간과 노자(老子)의 무위자연적 시간」
「토니 모리슨의 여성공간에 나타난 시각 예술적 특징」
「모리슨과 푸코: 문학의 전복적 역사쓰기」
「토니 모리슨의 여성미학과 노장사상의 여성론」
「데릭 월콧의 생태 비평적 문제의식 ─카리브의 식민화된 자연과 역사─」
「토니 모리슨의 탈형이상학적 미학 ─『낙원』의 역사쓰기와 동서양의 탈형이상학적 관점─」
「토니 모리슨과 윌리엄 포크너의 탈정전적 역사쓰기」
「인종적 불평등에 대한 토니 모리슨과 데릭 월콧의 문제의식」
「데릭 월콧의 예술가의 초상 ─제임스 조이스의 『젊은 예술가의 초상』에 대한 변용─」
「데릭 월콧의 예술적 정체성 ─다민족다문화의 시학─」
「데릭 월콧의 회화적 시학 연구」
「데릭 월콧의 탈영웅적 시학 ─호머(Homer)의 서사적 영웅에 대한 『오메로스』(*Omeros*)의
　　　　　　　　　　　전복적 관점─」
「월콧의 풍자시학 ─영국의 오거스턴 시대 풍자시인들의 어조, 문체 그리고 수사양식에 대
　　　　　한 수용과 변용─」
「디. 에이취. 로렌스의 상호 소통적 미학」
「로렌스의 상호 주체적 실존」
「로렌스와 모리슨의 원시 자연적 실존」
「예이츠의 이율배반적 시어: 동서양의 상대주의적 사유를 통한 재고」

# 아프리카계 미국문학의 노예서사

초판 1쇄 발행일 2015년 6월 30일

**지은이** 이영철
**발행인** 이성모
**발행처** 도서출판 동인
**주 소** 서울시 종로구 혜화로3길 5 118호
**등 록** 제1-1599호
TEL (02) 765-7145 / FAX (02) 765-7165
E-mail dongin60@chol.com
I S B N 978-89-5506-658-6
**정 가** 28,000원